# ENRIQUE SERNA

# El miedo a los animales

punto de lectura

EL MIEDO A LOS ANIMALES
D.R. © Enrique Serna, 1995

 **punto** de lectura

De esta edición:

D.R. © Punto de Lectura, sa de cv
Universidad 767, colonia del Valle
cp 03100, México, D.F.
Teléfono: 54-20-75-30, ext. 1633 y 1623
www.puntodelectura.com.mx

Primera edición en Punto de Lectura (formato MAXI): septiembre 2008

ISBN: 978-970-812-080-7

Diseño de cubierta: Susana Cruz
Formación: Joel Dehesa
Lectura de pruebas: Josué Ramírez
Cuidado de la edición: Jorge Solís Arenazas

Impreso en México

ENRIQUE SERNA

# El miedo a los animales

*Para Lucinda,*
*mi obra maestra de calipedia*

DORMIR LA MONA EN LA OFICINA era un hábito que Evaristo había perfeccionado al máximo. Podía roncar a pleno pulmón con los pies encima del escritorio, el periódico en la cara para defenderse de la resolana y los moscos, sin romper amarras con la realidad. Un mecanismo de autodefensa lo ponía sobre aviso cuando alguien rondaba por su cubículo, de manera que nunca estaba inconsciente del todo, aunque tuviera sueños entrecortados. El de esa mañana era lisonjero hasta la embriaguez. En un auditorio lleno de bote en bote, la comunidad cultural se había congregado para rendirle un merecido homenaje. Inseguro de su valía a pesar de la fama y los premios, no podía evitar sonrojarse al oír la carretada de elogios que le prodigaba la plana mayor de la intelectualidad: "maestro de la prosa combativa", "valor indiscutible que ha destacado en todos los géneros", "ejemplo de vocación y amor a las letras", "extraordinario fabulador de lo cotidiano". Terminadas las alocuciones en su honor, que agradecía con un comentario jocoso para aligerar la carga emotiva del acto, los periodistas de radio, prensa y televisión lo acorralaban en el estrado, disputándose una entrevista: Maestro, ¿cómo se dio cuenta de que había nacido para escribir? ¿Cuáles han sido sus principales influencias? ¿Cree que el escritor debe asumir un compromiso político?

Para todos tenía una respuesta inteligente y rápida, acompañada por una sonrisa que denotaba timidez, bonhomía y un radical desapego a los reflectores: "Creo que el compromiso debe surgir espontáneamente en el escritor, como una respuesta a los horrores y miserias de la realidad cotidiana. Yo me inicié como ustedes, en el periodismo, y de ahí salté a la literatura, que para mí no es un arte puro, sino una forma de resistencia civil."

Una estudiante de extracción humilde, uniformada con morral y camisa de manta, se abre paso entre el enjambre de reporteros para pedirle un autógrafo. Al dárselo, Evaristo se siente en la gloria: nada más estimulante para un escritor que el aprecio de la juventud estudiosa, trabajadora y limpia. Tras la muchacha viene un tropel de universitarios, todos con un libro suyo en la mano, que hacen a un lado a los periodistas y lo arrinconan contra la mesa de honor. A pesar de la incomodidad y la falta de oxígeno, disfruta intensamente la situación. Es como si tuviera una familia enorme, como si le hubiera nacido un hijo en cada lector. Ignorando a la gente del noticiero cultural y a las damas encopetadas que vinieron desde San Francisco para entrevistarlo sobre los atropellos a los derechos humanos en México, Evaristo dedica toda su atención a los chavos y no escatima afecto en las dedicatorias: *Para Javier y Marilú, compañeros, aliados, cómplices, con el afecto de un humilde luchador de la palabra*. El calor que le transmiten los jóvenes vale más que mil premios. Me quieren por honesto, piensa, por denunciar contra viento y marea los crímenes del poder. Pero de pronto el encanto se rompe: un admirador lo jala bruscamente del brazo, otro le da un piquete en el culo, él se vuelve para reclamarles, cómo se atreven a tratar así a una gloria nacional, pero el auditorio se ha quedado completamente vacío, su gloria se ha evaporado y comprende que del otro lado del sueño su ángel de la guarda lo está llamando al orden. Es hora de volver a la indignidad, a la frustración y a la cruda: alguien se acercaba a su oficina y estaba a punto de abrir la puerta.

—¡Qué buena vida te das, pinche intelectual huevón! Mira nomás qué lagañas tienes. Uno en la calle chingándole desde temprano y tú aquí echadote.

El comandante Maytorena se encaramó de un salto en el escritorio. Ya andaba por los 60, pero era asombrosamente ágil para su edad. Evaristo reculó en la silla giratoria, chocando con las persianas. El vigor del comandante parecía emanar de la vileza dibujada en su rostro verdusco y garapiñado por la viruela, donde unos ojillos pardos refulgían entre la hinchazón de los pómulos. Tenía la nariz curvada hacia adentro y una boca mezquina, casi una ranura sin labios, que sólo abría lo indispensable al hablar. Diez años atrás había cambiado los trajes por los pants, que le daban un aire más juvenil, y esa mañana llevaba un conjunto deportivo amarillo canario con una gorra de beisbolista.

—Yo lo hacía en Pachuca —se defendió Evaristo—. Me dijeron que hoy iba a estar allá para ver el asunto de los coches robados.

—Ya fui y regresé. —Maytorena escupió un gargajo negro en el basurero que había junto al escritorio—. La ventaja de no ser huevón es que a uno le rinde mucho el día. El Chamula y yo salimos de madrugada, y como la carretera estaba vacía, hicimos media hora de aquí a Pachuca. El cuidador de la agencia no nos quería abrir, que porque no teníamos orden de cateo. Pobre pendejo, ahora debe estar en el hospital, con dos costillas rotas. De un plomazo troné la cerradura y le decomisamos todos los coches que tenía en el garage: 12 Cutlass y un Lincoln del año. El Chamula va a vender los Cutlass en un deshuesadero, pero el

Lincoln me lo quedé yo, pa' regalárselo a mi hija Laurita, que el año próximo se recibe. Fíjate nomás todo lo que hicimos mientras tú estabas aquí echadote.

—Disculpe, comandante, es que ayer me desvelé pasando en limpio el informe que me pidió.

—A mí no me haces pendejo. —Maytorena lo tomó por la corbata y le dio un tirón—. Hasta acá me llega el farolazo que traes. De seguro te fuiste a empedar al Sherry's. —Evaristo no respondió—. ¡Contéstame, imbécil! ¿La agarraste fuerte, verdad?

—Estuve un rato en el Sherry's, pero me salí a la una.

—A la una mis huevos. Tú nomás te bebes la primera y no puedes parar. Has de venir crudísimo, se te nota en la cara. Toma, pa' que resucites. —El comandante le arrojó un sobrecito con cocaína—. Necesito que te pongas al tiro porque te voy a dar una chamba muy importante.

Con pulso trémulo, Evaristo espolvoreó la coca sobre su escritorio en dos líneas paralelas que aspiró con fervor. Los colores le volvieron al rostro, la sangre irrigó de nuevo su aletargado cerebro y por un momento vio a Maytorena como un ángel benefactor:

—Usted dirá, jefe...

El comandante sacó de su portafolios un recorte de periódico amarillento.

—Lee lo que dice ahí, pero con mucho cuidado.

A primera vista se trataba de algo inofensivo: una crítica de artes plásticas publicada en la sección cultural del periódico *El Matutino*. El redactor elogiaba con mesura el trabajo de un joven pintor oaxaqueño que había expuesto su obra en una galería de la Zona Rosa: *Chacón plasma en líneas fuertes, a veces telúricas, el genio recóndito de una raza que se mantiene fiel a sus misterios ancestrales, a un código preciso de colores y formas donde la voluntad innovadora guarda un equilibrio con la tradición...* La nota seguía en el mismo tono hasta el cuarto párrafo, donde un exabrupto insólito cortaba la secuencia natural de las frases: *...y aunque la serena limpidez de la serie "Blanco sobre azul" constituye un acierto, preferimos las pinturas de corte expresionista como* Chingue a su madre Jiménez del Solar, *donde se advierte un mayor dominio de las texturas cromáticas*, Muera Jiménez, Traidor a México, *y una influencia bien asimilada de la escuela flamenca...*

—Ah, caray, este cabrón le mienta la madre al señor presidente.

—Se la mienta y hasta maricón le dice. Lee más abajito —Maytorena le indicó el lugar del insulto, pegado a la firma del autor, un tal Roberto Lima.

—¿Y quién será este loco? —preguntó Evaristo.

—Eso es lo que tú vas a averiguar. Tienes un día para conseguirme su dirección, pero antes quiero saber si firma con su nombre o usa seudónimo. Te lo pido a ti porque se supone que conoces el medio. Fuiste reportero, ¿no?

El comentario hirió a Evaristo más que el tirón de corbata: Maytorena se había metido con su pasado, lo único limpio que le quedaba.

—¿Y cómo fue que dio con la nota? Ese periódico no lo lee nadie.

—Yo tampoco lo quería leer. Íbamos por la refinería de Tula, de pronto me entraron ganas de cagar y le dije al Chamula que se parara en la siguiente gasolinera. El baño estaba puerquísimo, había caca embarrada hasta en las paredes pero dije ni modo, aquí no vas a encontrar excusados de oro, y me la eché de aguilita. Yo no soy tan intelectual como tú, pero me gusta leer cuando cago, y en ese baño no había revistas ni nada, puros cachos de periódico colgando de un alambre. Agarré uno para entretenerme y como no entendía nada, por poco me limpio el culo con él. Por suerte alcancé a llegar a la parte de las mentadas, porque ahí donde lo ves, este papelito vale oro.

La triunfal sonrisa de Maytorena indicaba que pretendía explotar su hallazgo y Evaristo quiso averiguar cómo.

—Bueno, jefe, ¿pero usted qué gana con tener el recorte, si no es indiscreción?

—Todavía no se te quita la cruda, pinche atarantado. A mí el papel no me sirve de nada, pero el señor de allá arriba va a brincar de gusto cuando lo vea. —Maytorena apuntó hacia el techo, aludiendo al procurador Tapia, que tenía su oficina en el último piso del edificio—. ¿Dónde crees que revisan todos los periódicos y vigilan que no salgan ataques contra el presidente?

—¿En Gobernación?

—Exacto. Parece que ya te estás despertando. Otro jaloncito de coca y vas a quedar como nuevo... El secretario de Gobernación es enemigo del licenciado y no ha parado de hacerle grilla desde que empezó el sexenio. ¿Quién crees que ordenó la campaña en su contra cuando el teniente Garduño se quebró al maestrito de la Normal? Todo lo armaron en Bucareli para tumbar a Tapia y poner en su lugar a un amigo del secretario, porque ese cabrón está jugando para la grande y quiere gente suya en todos los puestos importantes, ¿ya vas entendiendo? —Evaristo asintió, aunque no entendía nada—. Él y su gente quieren desprestigiar al procurador, pero con esto les va a salir el chirrión por el palito, porque ahora el licenciado puede llegar con el presidente y decirle: ¿Ya vio, jefe, qué bien controlan a la prensa esos pendejos de Gobernación? Mire nomás lo que andan diciendo de usted. Y con lo vanidoso que es Jiménez del Solar, seguro que le da chorrillo. El secretario de Gobernación va a pagar el pato, con suerte me lo mandan a China de embajador. Gracias a mí, Tapia se va a quitar a un enemigo de encima y aunque yo no sea de sus consentidos, de jodida me asciende a subdelegado. Ya verás cómo nos llueve la lana cuando tenga ese puesto, con las puras migajas te vas a hacer putrimillonario. ¿Y todo gracias a quién? A tu padre, que hasta pa' cagar es bueno.

La carcajada de Maytorena estremeció las delgadas paredes de la oficina. Su euforia degeneró en una convulsa tos de ahogado que Evaristo aplacó dándole palmadas en la espalda. Al recobrar el aliento, Maytorena le preguntó qué pensaba del plan. "¿Verdad que es una chingonada?" Evaristo asintió con fingido entusiasmo. Satisfecho como un domador de circo que obtiene de su león desdentado la respuesta prevista por la rutina, el comandante le advirtió al despedirse que no bebiera ni un solo trago hasta dar con Roberto Lima.

—Claro que no, comandante, le prometo que voy a estar sobrio.

Al perderlo de vista, sacó de su escritorio una botella de Old Parr y se tomó un "fijador" que le permitió ordenar las ideas. El plan de Maytorena era tan retorcido que sin duda resultaría un éxito. En materia de intrigas burocráticas, el comandante nunca daba paso sin huarache. Y aunque Tapia, como la mayoría de los procuradores que había visto desfilar por el puesto, evitaba todo contacto con el subsuelo turbio del aparato judicial, por esta vez tendría que mezclarse con la canalla y estrechar la mano de Maytorena, aunque luego se desinfectara con alcohol del 96. El vínculo entre los dos sería el cadáver de un periodista, pues Maytorena, para lucirse mejor ante Tapia, no se conformaría con darle una calentada. Evaristo ya estaba acostumbrado a solaparlo en sus crímenes, pero hasta entonces Maytorena se había limitado a ejecutar soplones, traficantes, madrinas o judiciales de su misma ralea que le disputaban

15

algún botín. Esto era distinto. Se trataba de un hombre honesto que tal vez había perdido la cabeza en un momento de ofuscación. Los periodistas independientes y los escritores combativos ocupaban un sitio privilegiado en la estimación de Evaristo: los admiraba hasta la ceguera, pero al mismo tiempo le dolía compararse con ellos, pues le demostraban que su destino hubiera podido ser otro si no hubiera traicionado sus ideales de juventud, cuando cubría la fuente policiaca en un diario vespertino y luchaba por exponer en sus crónicas el trasfondo social de la delincuencia.

A los 45 años, desmadejado por las parrandas, envilecido por el trato cotidiano con el hampa institucional, Evaristo necesitaba recordar que en algún momento había sido un periodista honesto. Lo necesitaba para verse desde el pasado con extrañeza y comprobar día tras día, con renovado estupor, su gradual hundimiento en la podredumbre. Así evitaba, por lo menos, acostumbrarse a la abyección, que para Maytorena y su gente era un hábito, una manera de ser. Hasta cierto punto había logrado guardar distancias con su jefe, pero eso no lo eximía de culpas. Como secretario de Maytorena, sólo hacía trabajos de oficina y nunca participaba en detenciones o tiroteos. Pero si sacaba una pequeña tajada de sus negocios, también le correspondía un salpicón de sangre cuando había cadáveres de por medio. Y esta vez no tendría un remordimiento pasajero: desde ahora ya le sudaban las manos, como si previera el suicidio moral que el asesinato de Lima significaría para él.

Cruzado de brazos, con los ojos a medio cerrar y la cabeza reclinada en el escritorio, esperó una iluminación que le indicara el camino. Desobedecer a Maytorena podía costarle el empleo, quizá la vida. Obedecerlo significaba enviar al matadero a un periodista valiente por el que ya sentía afecto. Entre más vueltas le daba al asunto más difícil le parecía: era imposible quedar bien con dios y con el diablo. Alzó la cara y vio su reflejo en el vidrio de la puerta: una sombra, un borrón humano. De ayer para hoy le habían salido nuevas grietas en el rostro. Se pasó una mano por el cabello hirsuto y castaño, que a la altura de las sienes empezaba a encanecer. Las manchas violáceas de sus mejillas, indicio de mala circulación, le daban un aspecto de teporocho en ciernes. Ya se lo habían advertido los doctores: o dejaba el trago o dentro de poco tendría cirrosis. Pero no podía enfrentarse a la vida sin un whisky en la mano mientras viviera en total desacuerdo consigo mismo.

Se levantó para abrir las ventilas de su cubículo, que ardía como un baño sauna. Afuera, en Reforma, una marcha de maestros había cortado la circulación. Sus mueras a Jiménez del Solar le inflamaron la sangre: "¡Enano ladrón, irás al paredón!" Bravo, así se habla. Hubiera deseado unirse a ellos, pero al ver que lanzaban huevazos a las ventanas de la procuraduría comprendió que lo veían como un enemigo y volvió a la silla más deprimido que antes. No podía culpar a la fatalidad de un destino que nadie había elegido por él. Era responsable, más que de sus decisiones, de aplazarlas eternamente cuando las circunstancias lo ponían frente a una disyuntiva difícil. Bien hubiera podido, cuando todavía no estaba metido hasta el cuello en los negocios de Maytorena, renunciar a la buena vida y pedir trabajo en algún periódico. Pero ¿quién le hubiera agradecido ese sacrificio? ¿Los jefes de redacción, que siempre lo trataron con la punta del pie? En cierto modo había llegado a la judicial huyendo de su trato despótico. Enemigos del talento y de la reflexión crítica, le exigían que relatara los hechos, nada más que los hechos, en un lenguaje sucinto y helado, cuando él sentía necesario elucidar los móviles de cada crimen, hacer el retrato hablado del presunto culpable, darle voz a la familia de la víctima y encuadrar toda la información en el contexto social donde se había producido el delito. Como periodista sólo había deseado que los lectores de la nota roja, en vez de horrorizarse por los hechos de sangre, se horrorizaran por la injusticia. Los burgueses de las Lomas y el Pedregal, que humillaban a la masa oprimida con la ostentación de sus lujos y sus casonas, debían saber que en los cinturones de miseria se libraban guerras a muerte por unas gallinas, por un monedero, por un pinche reloj de cuarzo. Pero los jefes de redacción querían información escueta, y al recibir sus kilométricos reportajes trinaban de cólera: "¡Te pedí algo breve y me traes una novelita! Esto es periodismo, no literatura. Déjamelo todo en una cuartilla, pero sin adjetivos mamones. Aquí no te vas a ganar el Nobel, pendejo."

En sus años de reportero nunca pudo escribir una nota como él hubiera querido. Sin la motivación de imprimirle un sello personal a su trabajo le resultaba insufrible desvelarse en delegaciones, hospitales y depósitos de cadáveres, a la espera de la noticia que debía transcribir en seco, sin comentarios ni enfoques propios, como un vil estenógrafo del Ministerio Público. En busca de un jefe que le permitiera expresarse con más libertad había rodado de un periódico a otro —*Novedades, La Prensa, Últimas Noticias, El Sol de México*— acumulando frustraciones que llevaba en el corazón como un peso muerto. A principios de los setenta embarazó a Gladys, su novia de toda la vida, y tuvo que casarse con ella bajo presión. Ella era maestra de primaria y con el sueldo de los dos apenas les alcanzaba para el alquiler de su departamento, un huevito en la Ramos Millán, a dos cuadras de calzada de Tlalpan, donde había nacido Chabela, su primera y única hija. Hasta entonces, por temperamento y por convicción, despreciaba el consumismo burgués y la acumulación de riquezas. Cuando tuvo a la nena en sus brazos empezó a ver la vida pragmáticamente y a preocuparse por el dinero.

Pero no podía culpar a Chabela del curso que había tomado su vida. En realidad, y eso lo veía claro ahora, con una perspectiva temporal que le impedía engañarse con espejismos, se había dejado empujar a la corrupción por gusto, sin que nadie lo presionara. Hubiera podido resolver su problema económico poniendo un puesto de tamales en Ciudad Universitaria, como le aconsejaba Gladys. De hecho se había entusiasmado con el proyecto, pero cuando empezaba a gestionar el permiso de Salubridad cayó en sus manos el desplegado que le cambió la vida: *La Procuraduría General de la República invita a los jóvenes con vocación de servicio a inscribirse en el Curso de Adiestramiento Gratuito para ingresar a la Policía Judicial Federal. Requisitos: edad entre 22 y 35 años, estatura mínima de 1.70, estudios de preparatoria y carta de no antecedentes penales. NO LO DEJES PARA MAÑANA: LA PATRIA TE NECESITA HOY*. Era una oportunidad de oro para conocer los entretelones de la judicial y escribir un libro fuera de serie, que al mismo tiempo podía darle fama y fortuna: la aventura de un intrépido reportero que toma el curso de adiestramiento como un aspirante cualquiera, y al obtener la placa de agente se filtra poco a poco en las entrañas del monstruo. Arriesgaría el pellejo dos o tres años en redadas y tiroteos, llevando un diario secreto donde anotaría sus impresiones, y cuando reuniera evidencias contra los altos funcionarios del gobierno que movían los hilos de la corrupción, renunciaría a la Judicial para escribir el libro, un reportaje novelado al estilo de Truman Capote que pararía de cabeza el sistema político mexicano. Gladys intentó disuadirlo con advertencias sensatas —no era seguro que el libro resultara un *best seller* y la gente denunciada podía matarlo—, pero él las ignoró porque estaba en juego su vocación. Escribir ese libro era en cierta forma un deber paternal —le explicó—, pues quería conquistar la futura admiración de Chabela, para que de grande lo siguiera viendo como un gigante.

—¿Sigues ahí aplastado? —El grito de Maytorena lo devolvió al presente—. Ponte a trabajar en lo que te dije o te saco de ahí a patadas.

—Eso iba a hacer, comandante.

Evaristo se puso de pie y salió del cubículo eludiendo la mirada despectiva de Maytorena. Caminó entre dos hileras de escritorios ocupados por burócratas que leían el *Esto* o el *Ovaciones* hasta llegar al otro extremo del edificio, donde había un archivero con ruedas del que sacó la sección amarilla del directorio. Buscó el número del diario *El Matutino*, lo apuntó en una libreta y volvió con él a su cubículo, presionado en todo momento por Maytorena, que no le quitaba el ojo de encima. Llamó al conmutador del periódico y la telefonista lo pasó a la sección cultural, donde nadie contestaba.

—Parece que hoy no trabajaron en *El Matutino* —le informó a su jefe.

—Pues a ver cómo le haces, pero me tienes que conseguir la dirección de ese güey. La necesito para ayer.

—Voy a tener que ir al periódico. —Evaristo se levantó y tomó su saco—. Por la noche le hablo al celular, para darle toda la información.

Al entrar al elevador aflojó los hombros y lanzó un suspiro: Maytorena tenía la virtud de ponerlo tenso. Se veían a diario pero siempre había entre los dos la misma corriente de hostilidad. Y él aguantaba vara como una mula maicera que de tanto recibir castigo ya tiene una costra en la grupa. En la calle hacía más calor que en el edificio. Con la camisa arremangada caminó por Violeta hasta el estacionamiento exclusivo para empleados de la PGR donde había dejado su coche, un Spirit verde último modelo. Todavía no tomaba una decisión con respecto a Lima, y al encender el motor sintió una opresión en el pecho. Su error había sido tomar el maldito curso de adiestramiento para entrar a la judicial. ¿Quién le mandaba meterse entre las patas de los caballos?

Aprobado con mención honorífica en el examen final del curso, donde su mayor dificultad fueron las pruebas de tiro, que pasó de panzazo, dejó el periodismo de un día para otro sin confiarle sus intenciones a ningún colega, para que no le robaran la idea. Con su flamante título de agente auxiliar trabajó un par de meses en el área de Balística y Dactiloscopia, donde tuvo pocas oportunidades de husmear: los técnicos del laboratorio eran holgazanes y negligentes, pero estaban muy lejos de la zona donde se movía el gran dinero. Sin embargo, el puesto le permitió rozarse con algunos comandantes y jefes de grupo que visitaban el departamento de vez en cuando para recoger los resultados de algún peritaje. Empleó con ellos una diplomacia primitiva que consistía en romper el hielo desde el primer saludo, como si los conociera de toda la vida. Convertido en un simpático profesional, discutía de futbol o se enfrascaba en duelos de albures con sus nuevos amigos, a los que trataba de ñeros o compas, y entre las efusiones de brutal camaradería —puñetazos en el hombro, fraternales llaves de lucha libre, zapes, piquetes de culo— buscaba un indicio que le revelara quiénes eran sus protectores, cómo se movía el tráfico de influencias para conseguir ascensos y de dónde sacaban el dineral que se reflejaba en sus Rolex de oro macizo, en sus Grand Marquis forrados con piel de leopardo, y en su faraónico tren de parrandas. Llegar al terreno de las confidencias no le resultó nada fácil. Elusivos y reticentes a hablar de sí mismos, los judas cambiaban abruptamente de tema cuando intentaba sacarles información, a pesar de la cautela con que introducía los temas pantanosos, después de un largo rodeo y como restándole importancia al asunto.

Empezaba a creer que su larga campaña de relaciones públicas era un fracaso cuando conoció al Chamula, que todavía no estaba en la danza de los billetes, pero ya sabía dónde buscarlos. Desmintiendo la leyenda sobre el ancestral mutismo del indio, el Chamula se iba de la lengua a la tercera copa, y aunque la mayoría de las veces, en sus largos monólogos balbuceantes, lamentaba que dios no lo hubiera hecho blanco y barbado, también solía presumir sus hazañas de judicial, especialmente cuando tenía sentada en las piernas a una fichera. Por el Chamula conoció las hazañas de Maytorena. Le tenía una veneración rayana en la idolatría, porque gracias a él había salido de una ladrillera de Santa Fe, donde se calcinaba las manos por un sueldo miserable. Como si el comandante fuera un rey o un papa, evitaba llamarlo por su nombre cuando le rendía homenaje: "El señor es cabrón, de naiden se deja. Yo lo he visto cortarle el pescuezo a un desgraciado, nomás porque le alzó la voz en una cantina. Pero eso sí, el señor es derecho, muy compartido con el dinero. A mí me quiere mucho porque le cubrí la espalda en una balacera, hasta un refrigerador le regaló a mi señora el día de las madres. Yo por eso lo estimo al señor, porque se ha portado muy gente conmigo."

Las historias que el Chamula contaba sobre "el señor" ansioso por compartir aunque fuera un pálido resplandor de su gloria, podían haber inaugurado la vertiente criminal del realismo mágico. A principios de los setenta, acompañado por tres de sus hombres, todos cubiertos con pasamontañas, había robado un banco en avenida Constituyentes. Media hora después, con el botín escondido en la cajuela de su coche, había regresado al lugar de los hechos, para iniciar la investigación del asalto, que atribuyó a la Liga 23 de Septiembre. Como protector de narcotraficantes había tenido encuentros armados con la Federal de Seguridad, y hasta con el mismísimo ejército, pero siempre salía ileso porque, según el Chamula, tenía un amuleto en forma de iguana que lo inmunizaba contra las balas.

Las corruptelas y los desmanes de Maytorena enriquecieron su diario secreto, pero necesitaba conocerlo en persona para describirlo como personaje. Tras una larga insistencia logró que el Chamula se lo presentara. El encuentro fue en una cantina de la colonia Doctores, La Mundial, frecuentada por judiciales y narcos. El comandante estaba jugando dominó con otros empistolados y no se dignó saludarlo hasta que acabó la partida.

—Así que tú quieres entrar a mi equipo. —Maytorena lo examinó de pies a cabeza—. Te voy a dar chance nomás porque vienes recomendado por este güey, que es como mi carnal. Siéntate y pide algo de beber. Ahora en la noche vamos a ver si de veras eres entrón.

Para no desentonar pidió lo mismo que todos, coñac Napoleón con coca-cola. Estuvo toda la tarde observando en silencio el jugo de dominó y notó que los adversarios de Maytorena se hacían pendejos para dejarlo ganar. Salieron de la cantina al anochecer, bastante tomados ya, pero todavía conscientes. Maytorena ordenó a dos de sus hombres que pasaran a recoger a su amante, una tal Anaís, y la llevaran al piano bar del hotel Fiesta Palace mientras él hacía un trabajito para probar al "nuevo".

—Allá nos vemos a las 10. Díganle al capitán de meseros que van de mi parte.

Con Maytorena y el Chamula subió a una combi blanca de vidrios polarizados, sin saber adónde lo llevaban. Al arrancar, Maytorena le pasó la botella de Napoleón. "Túpele duro para que no se te baje." Tomaron Insurgentes rumbo al norte, cruzaron Paseo de la Reforma pasándose el alto y el Chamula dobló a la izquierda en Villalongín. En el lugar del copiloto, Maytorena silbaba dulcemente la tonada de "Gavilán o paloma". "Es la canción favorita de Anaís —le comentó al Chamula—. Nos enamoramos bailándola en un putero de la Zona Rosa que mandé cerrar para nosotros dos. Tiene 18 años y está buenísima." Evaristo bebía compulsivamente, redactando en la imaginación el capitulazo que sacaría de su tenebrosa aventura. Al llegar a una calle oscura y desierta de la colonia Anzures, el Chamula se estacionó frente a una vinatería a medio cerrar y el comandante le puso en la mano una Magnum 357 que pesaba media tonelada.

—Ponte buzo, vamos a asaltar al dueño de esa vinata. Hoy es el día en que saca la lana para llevarla al banco. Te vas a bajar conmigo, y cuando me veas encañonar al viejo, te acercas despacito por detrás y le sorrajas un culatazo en la choya.

Esperaron cinco minutos hasta que el dueño terminó de cerrar la cortina metálica. Indeciso entre llegar hasta el fin o salir huyendo, Evaristo empuñaba la Magnum temblando de miedo, pero cuando el viejo salió con el maletín y el comandante le hizo la seña convenida cumplió sus instrucciones sin un titubeo, como en un trance hipnótico. Volvió en sí cuando ya iban huyendo con el maletín y tuvo un shock nervioso al ver la culata de la Magnum manchada de sangre. Por largo rato no pudo quitarse del pensamiento la imagen del anciano tirado a mitad de la calle, con la nuca floreada y los ojos en blanco. Al llegar al Fiesta Palace, Maytorena le dio un fajo de billetes y una palmada en el hombro.

—Estás adentro, hijo, qué buen madrazo.

Por borreguismo aceptó echarse "la del estribo" en el piano bar del hotel, donde Anaís ya estaba esperando a

Maytorena en una mesa oscura y arrinconada. No era una putilla, sino un joven travesti de piel cobriza y cabello rubio platino, que llevaba un vestido azul de lamé muy provocativo. Por la fijeza de sus ojos parecía drogado. Maytorena lo presentó como "su prometida" y Evaristo prefrió mirar a otra parte cuando se dieron un beso en la boca. Ni el Chamula ni los dos agentes que habían ido por Anaís parecían darse cuenta de lo que pasaba o tal vez ya estaban acostumbrados a los caprichos de Maytorena. Para ellos Anaís era "la señora" y se esmeraban por atenderla como tal, encendiéndole el cigarro y llenándole las copas de champán con forzada galantería. Temeroso de que alguno quisiera sacarlo a bailar, Evaristo huyó con el pretexto de que su señora lo esperaba para la cena, capoteando con una sonrisa las burlas de Maytorena, que lo tachó de mandilón y culero.

Caminó hasta el Monumento a la Revolución y tomó el metro en dirección a Taxqueña, la mano izquierda en el bolsillo apretando el fajo de billetes. Su ropa estaba impregnada por el perfume de Anaís, y creyó que los demás pasajeros lo veían con recelo. Al salir de la estación Chabacano la llovizna y el viento le bajaron la borrachera. Eran las 10 de la noche, pero había vivido horas extras y en su conciencia ya era de madrugada. Por la temporada navideña, los comercios de Tlalpan seguían abiertos. Urgido de lavar el dinero, entró a una juguetería donde compró un montón de muñecas para su adorada Chabela, que acababa de aprender a caminar y lo recibió en el departamento con un "solito". Al abrazarla se sintió absuelto, desinfectado, inocente. Guardó la Magnum bajo llave en un cajón de su escritorio, entró a la recámara donde Gladys estaba viendo un programa de variedades y se acurrucó a su lado en la cama. Empezaba a relajarse cuando apareció en la pantalla José José cantando "Gavilán o paloma". Salió disparado al baño y vomitó entre violentas arcadas, de rodillas frente a la taza, como un pecador postrado ante el Altar del Perdón.

Debí renunciar entonces, pensó, atrapado en el cruce de Hidalgo y Reforma, donde los maestros en huelga habían hecho un plantón, desafiando a los granaderos que vigilaban la marcha. Sí, en ese momento podría haberse largado sin temor a las represalias, porque todavía no estaba comprometido con Maytorena. Pero una deserción tan prematura hubiera sido una cobardía. Después de todo se había colado a la judicial para descender al infierno y no podía echarse a llorar porque Maytorena le hubiera salido joto. Al día siguiente, repuesto ya de la impresión, intentó narrar en el diario el atraco a la vinatería y no pudo hilar tres palabras. Un censor de sus emociones le impedía confesar que en el fondo se había sentido eufórico, desahogado y salvaje cuando le dio el culatazo al viejo. Ahora comprendía el bienestar animal y la carnicera alegría de los judiciales, pero le aterraba descubrir en sí mismo su instinto depredador. ¿Con qué derecho podía condenar un comportamiento que había imitado con gusto, aunque fuera una sola vez en la vida? Por higiene mental, una semana después del atraco volvió a la vinatería de la colonia Anzures, y al ver al viejo tras el mostrador, despachando con un esparadrapo en la nuca, se felicitó por no haber cruzado la raya que lo separaba de Maytorena y su gente. La comprobación le devolvió la tranquilidad, pero no el espíritu justiciero que necesitaba para escribir. En un descuido deliberado dejó el cuaderno al alcance de Chabela para que lo llenara de garabatos. Y mientras la oclusión creativa se prolongaba con visos de enfermedad incurable, la vida lo ponía de cara contra la pared, como si al dejar arrumbado el cuaderno se hubiera convertido en personaje de otra novela, escrita por su peor enemigo.

Prevenido contra los encantos de la violencia, intentó desempeñar su papel sin involucrarse directamente en hechos de sangre, pero el comandante no soportaba que ninguno de sus hombres se hiciera rosca a la hora de los madrazos. Tuvieron su primer choque durante una redada en El Cordiale, cuando Evaristo se negó a patear en el suelo a unas ficheras que habían corrido a tirar al baño los sobrecitos de cocaína que llevaban en el escote. En los separos, al volver de la redada, Maytorena lo amenazó con mandarlo arrestar a la siguiente desobediencia, y a partir de entonces lo excluyó del grupo que se reunía a jugar dominó en La Mundial. Por el Chamula se enteró de que había caído en desgracia: "La regaste, mano, el comandante no puede tragar a la gente que se aprieta el calzón." Creyó que su carrera de judicial había terminado, y ante la insistencia de Gladys, que lo recriminaba por no llevar suficiente dinero a casa, volvió a tomar en serio la idea de vender tamales.

Pero el novelista que ahora lo gobernaba desde las alturas le tenía deparada una actividad más afín con su vocación literaria. En el departamento de balística, algunos empleados que a duras penas leían el *Kalimán* le habían pedido auxilio para escribir cartas a sus familiares de provincia. Quedaron tan satisfechos con su estilo epistolar, que su fama de buen escritor se propagó por toda la Procuraduría. Cuando Maytorena se enteró de que tenía buena pluma, decidió concederle una segunda oportunidad: era un cobarde y un pocos huevos, pero podía serle muy útil como secretario. Una de las faenas burocráticas que más detestaba era tener que escribir informes semanales y reportes detallados de sus investigaciones. Delegó en Evaristo ambas tareas, y aunque nunca se tomó la molestia de ocultarle su desprecio, lo recompensó con una iguala mensual en el Sherry's Bar, uno de los tugurios con venta clandestina de coca a los que vendía protección.

Creyendo que había encontrado un parapeto ideal para ver el infierno sin riesgo de quemaduras, Evaristo aprendió con rapidez la jerga legaloide de los informes policiacos y liberó a Maytorena de una obligación engorrosa. En sus escritos, la inventiva era tan importante como el estilo, pues tenía que reemplazar las andanzas criminales del comandante por el itinerario ficticio de un policía modelo. Si Maytorena y su banda se habían dedicado a extorsionar automovilistas en Insurgentes, poniéndoles droga en los coches, en el informe hablaba de un exitoso operativo antidrogas. El asalto a una camioneta bancaria en el eje Gustavo Baz podía presentarse como un decomiso de billetes falsificados, la muerte de un presunto contrabandista de autos sometido a tortura se camuflaba como suicidio por ingestión de estupefacientes, y cuando Maytorena se corría una parranda de 15 días en la zona roja de Acapulco, hasta que su esposa iba por él en una ambulancia, le asignaba la delicada misión de buscar en el puerto a un terrorista palestino fichado por la Interpol. Tenía campo libre para echar a volar la imaginación, porque los reportes iban dirigidos a funcionarios coludidos con Maytorena, que los admitían sin reparos y a veces ni los leían.

Al parecer el plantón de maestros iba para largo. Los granaderos habían formado una valla para desviar la circulación hacia Balderas, pero Evaristo tenía que atravesar Reforma y no podía seguir avanzando en la dirección opuesta. ¿Quién le mandaba sacar el coche si *El Matutino* quedaba tan cerca? Lo dejó en un estacionamiento de paga a la vuelta del restaurante El Orreo, sacó de la guantera su vieja Magnum, la misma que Maytorena le había regalado el día de su estreno como judicial, y siguió su camino a pie, con el saco abrochado para ocultar el arma. Sin duda era un pendejo automotriz, el típico imbécil que usaba el coche para recorrer cinco cuadras, no fuera a perder status por andar a pie. Quizá debería buscar el origen de su desgracia en ese ridículo apego a las propiedades, que lo había degradado hasta la ignominia. No necesitaba buscarle tres pies al gato: era un vendido que se había empezado a prostituir desde que cobró su primera mensualidad en el Sherry's, equivalente al salario de un profesionista exitoso. Gladys, que tanto lo había presionado para que renunciara a la judicial, cambió de actitud al recibir su primer regalo, una gargantilla de oro valuada en 15 mil pesos. Ninguno de los dos conocía la prosperidad, y al disfrutarla por primera vez les pareció un estado natural, una prerrogativa de la que ya no podrían desprenderse. La nueva lavadora, el cuadrafónico, la tele de pantalla gigante y el refrigerador que hacía cubitos de hielo no eran simples aparatos domésticos sino atributos de su nueva personalidad, una personalidad triunfadora que los elevaba y ennoblecía a los ojos de los demás. En poco tiempo ahorraron lo suficiente para pagar el enganche de una casa en la Prado Churubusco —tres recámaras, dos baños, jardín trasero, cocina integral con desayunador— y Gladys, que odiaba el huevito de la Ramos Millán, vio cumplido su anhelo de pisar suelo propio. Endrogado, pero satisfecho de lo que había conseguido, todavía le quedó arrojo para comprarse un Le Baron en abonos y hacer un viaje de *shopping* a San Antonio, con la tarjeta de crédito al borde del precipicio. Las angustias económicas desplazaron sus conflictos morales, pero si alguna vez tenía remordimientos por el origen turbio de sus ingresos, se escudaba en el deber paternal. Todo lo que ganaba salía de una cloaca, sí, pero con ese dinero pagaba el seguro médico de Chabela, su curso de natación y las colegiaturas del kínder ecológico donde plantaba arbolitos, lindísima con su bata de jardinera.

Por falta de tiempo libre no se podía quejar. Despachaba en un santiamén los reportes de actividades y le quedaban muchas horas de asueto para encerrarse a leer sin que nadie lo molestara. En su primer año como secretario de Maytorena se había leído completitos a Martín Luis Guzmán, a Borges, a José Emilio Pacheco y a Mario Benedetti. Todas las mañanas llegaba a trabajar con un libro en el sobaco, extravagancia que al poco tiempo llamó la atención de sus compañeros. En son de burla, los mozos de limpieza empezaron a llamarlo "el intelectual", y al escuchar el apodo, Maytorena lo propagó por cielo, mar y tierra, obstinado en hacerle pagar sus aires de santurrón. A partir del incidente en El Cordiale le había cobrado mala voluntad, y usaba el mote como un latiguillo para humillarlo, para refrendarle todos los días que se cagaba en su cultura y en su buena conciencia: "Ya párale, te vas a quedar ciego de tanto leer. Y lo peor es que no te sirve de nada: mientras más lees más pendejo te vuelves. ¿A ver tu libro? ¿Es de poesías? Uuy, se me hace que hasta declamador nos vas a salir. ¿Ya viste, Chamula? Tu amigo el intelectual tiene un corazoncito muy delicado, mira nomás qué mamadas lee. Recítanos algo, ¿no? Recítanos o tiro tu libro por la ventana."

Soportaba las humillaciones con una sonrisa idiota, como si las tomara a broma, temeroso de perder su beca en un arrebato de orgullo. Más tarde, cuando ya no le quedaba orgullo para ningún arrebato y empezó a tomar conciencia del riesgo que corría como cómplice de Maytorena, la pensión del Sherry's dejó de parecerle un regalo. Si algún procurador se proponía moralizar en serio la judicial y salían a relucir las trácalas de su jefe, también él podía caer en el tambo, aunque no recibiera ni la décima parte de lo que ganaba un pistolero como el Chamula. Esa inconformidad, sumada al rencor acumulado por los malos tratos de Maytorena, lo llevó a reconsiderar varias veces la idea de escribir su libro, pero al momento de sentarse a la máquina desistía siempre, comprendiendo que sería hombre muerto si lo denunciaba.

—¡No somos uno ni somos cien, prensa vendida, cuéntanos bien!

—¡Este puño sí se ve, este puño sí se ve!

—¡Repudio total al charrismo sindical!

Atravesó las filas de marchistas enardecidos con el brazo derecho pegado al cuerpo, temeroso de que se le viera el bulto de la pistola. En la lateral de Reforma, frente al edificio de *La Prensa*, se detuvo a curiosear en un puesto de periódicos.

—Deme el *Proceso* —pidió al dependiente.

De pasada se compró *La lentitud* de Milan Kindera en una edición de bolsillo y la última novela de Isabel Allende, *Paula*, que pensaba leer ese fin de semana, si la cruda se lo permitía. Era asquerosamente culto, su biblioteca ya rebasaba los mil volúmenes, pero los libros no le habían dado inteligencia para vivir. Al contrario: se refugiaba en ellos porque sabía que su vida era un derrumbe filmado en cámara lenta. Divorciado de Gladys, que jamás había comprendido su lucha interior ni valoraba el sacrificio moral que hacía por darle una vida holgada, llevaba 10 años sin ver a su hija, dedicado a la bohemia prostibularia. Tras la separación se había comprado un departamento en Río Nazas, con vista a un muro negruzco del Circuito Interior, donde se llevaba a las bailarinas y a las ficheras del Sherry's cuando terminaba la variedad. Se prestaban a todo en la cama por unos gramos de coca y él no tenía problemas para conseguirla, de manera que nunca salía solo del cabaret, donde tenía reservada a perpetuidad una mesa de pista. Allá pasaba más tiempo que en la oficina, bebiendo galones de whisky por cortesía de la casa, hasta quedarse dormido sobre la mesa, con un hilillo de baba colgándole del mentón. Vivía en una burbuja de agua estancada, reconcentrado en su propio dolor, como testigo de un proceso autodestructivo que no tardaría en concluir, cuando el hígado le reventara en pedazos. Casi nunca veía a los pocos amigos que le quedaban, pues había volcado su autodesprecio hacia fuera, extendiéndolo al género humano. Pero el encargo de localizar al periodista de *El Matutino* le había tocado una fibra sentimental. Por primera vez desde su ingreso a la judicial, vacilaba antes de cumplir una orden de Maytorena. La idea de insubordinarse lo tentó al pasar frente al Caballito de Sebastián, rumbo a Puente de Alvarado. Quizá el destino quería ponerle una prueba, quizá hubiera una liga misteriosa entre la suerte del periodista y su propia suerte, la liga que a veces une a los valientes con los traidores, a los héroes con los canallas. Un acto generoso en el crepúsculo de una vida mezquina y cobarde no le abriría las puertas del cielo, pero al menos le daría la satisfacción de nadar a contracorriente, de afirmarse como individuo ante el engranaje que lo había reducido a la servidumbre, al anonimato, a la inexistencia. En realidad, Roberto Lima no le importaba, pero tenía que salvarle la vida para demostrarse a sí mismo que todavía le quedaba amor propio.

EL EDIFICIO DE *EL MATUTINO* estaba a un costado del panteón de San Fernando, en la zona del primer cuadro donde se amontonan, a unas cuadras de distancia, los periódicos mexicanos de mayor abolengo. Sobre la fachada ennegrecida por el humo de los escapes, de estilo vagamente art decó, recargado con volutas marmóreas de pesadez elefantina, Evaristo leyó una placa de bronce con la leyenda: *El Matutino, 70 años al servicio de la verdad.* Al entrar descubrió que el edificio no había recibido mantenimiento desde la fundación del periódico: el vestíbulo estaba hundido más de medio metro respecto a la banqueta, sin duda por la humedad del subsuelo, y en el piso de mosaicos había grietas que serpenteaban desde la puerta hasta el escritorio de la recepcionista, una venerable septuagenaria, sorda como un baúl, a quien repitió su nombre tres veces y otras tantas el de Roberto Lima. La abuela no sabía quién era Lima, pero lo mandó a la sección cultural, tercer piso a mano izquierda. Tomó el elevador de reja corrediza y cables descubiertos con la sensación de haberse metido a una película de los años treinta. El anacronismo se prolongaba en la sala de redactores del tercer piso, donde 15 o 20 jóvenes de aspecto cansado aporreaban panzonas máquinas Olivetti, en escritorios de vetusta lámina gris. Su cara de hastío, la espesa capa de polvo en los archiveros, los macetones con plantas muertas de sed y el sillón despanzurrado en la antesala del baño componían una atmósfera de abandono y herrumbre profesional que seguramente se reflejaba en las páginas del periódico. Al fin de un pasillo en penumbras encontró el cubículo de la sección cultural y llamó dos veces con los nudillos:

—Está abierto, pase —le respondió una voz varonil.

Adentro había un joven de barba y lentes, con la cara salpicada de acné, que tenía la mesa de trabajo atiborrada de papeles y fotos.

—¿Usted es Roberto Lima? —le preguntó a bocajarro.

—No. Yo soy Mario Casillas, el coordinador de internacionales —respondió sin quitar la vista de sus papeles.

—Creí que ésta era la oficina de Lima.

—Sí, aquí es, pero sólo viene a trabajar los martes y los jueves. Yo la ocupo cuando él no está.

—Necesito hablar con él, es algo muy urgente. ¿Usted me puede dar su teléfono?

—Creo que no tiene.

—Entonces, su dirección.

—Tenemos prohibido dar las direcciones de nuestros compañeros, por razones de seguridad. —Casillas por fin levantó la cabeza, molesto por su insistencia—. ¿Por qué no viene el martes y habla con él?

Evaristo le untó en la cara su charola de la judicial y se desabrochó discretamente el saco, para que viera la Magnum. Con los labios azules y un temblor nervioso en la voz, Casillas accedió a llamar por teléfono a la secretaria del director, que tenía los datos de todos los colaboradores del diario.

—Irmita, ¿sería tan amable de darme la dirección de Roberto Lima? es para un amigo suyo que vino a preguntar por él...

El terrorista que había insultado al presidente en letras de molde vivía en la calle Hermenegildo Galeana, colonia Peñón de los Baños, atrasito del aeropuerto. Ir hasta allá en horas de tráfico intenso era una temeridad, pero no podía darse el lujo de perder el tiempo. Bajo un sol inclemente, con los ojos irritados y el corazón exangüe por el bajón de la coca, el trayecto fue un largo suplicio que estuvo a punto de hacerle abandonar su plan. Al llegar al cruce de Río Churubusco y el Eje 3, a la altura del Palacio de los Deportes, se paró en un puesto callejero a comer unos tacos de longaniza acompañados de una Lulú familiar. Resucitado por el bombazo de calorías, continuó la excursión sin reparar en el tráfico, tratando de adivinar las motivaciones de Lima. Probablemente fuera un cardenista encabronado con los fraudes electorales, que se desquitaba del PRI-gobierno echando bombas de papel y tinta. Había sido muy infantil de su parte injuriar a Jiménez del Solar así porque sí, jugándose la vida por un berrinche, pero lo intempestivo y visceral del ataque era su principal razón para simpatizar con él. Cuántas veces había deseado mandarlo todo al carajo, salirse del huacal estrepitosamente y gritarle al poder: ¡yo también existo! Por eso, al rodear el Peñón de los Baños en busca del domicilio de Lima, sentía que no sólo iba a conocer a un loco estupendo, sino al loco que llevaba dentro, a su *alter ego* anarquista.

Tras un lento recorrido por las calles polvorientas de una colonia pobre y anodina, dio con el multifamiliar donde Lima tenía su departamento. La puerta del edificio C daba a un jardín con resbaladillas y sube y bajas, donde un niño hacía dominadas con una pelota de hule. La puerta estaba abierta, y como no había interfón, subió por la escalera hasta el tercer piso, esquivando macetas y jaulas de pájaros. En el departamento 301 sonaba a todo volumen un blues de Joe Cocker, "Lucinda", que le recordó sus años de macizo, cuando se iba de pinta a fumar mariguana en el Audiorama de Chapultepec. Tocó tres veces con la mano abierta para hacerse oír por encima del ruido.

—¡Ahí voy, un momentito! —Por la rendija de la puerta se asomó un hombre de mediana estatura y labios gruesos—. ¿Qué quiere?

—¿Usted es Roberto Lima?

El tipo asintió con la cabeza, sin quitar el pestillo de la puerta.

—Soy Evaristo Reyes. Vengo a verlo para hablarle de un asunto muy delicado. Hay gente con mucho poder que está molesta por lo que usted escribió en el periódico.

Lima se demudó y le abrió la puerta enseguida, invitándolo a pasar con la voz quebrada. Era un cuarentón de cejas abundantes, ojeroso y mal rasurado, que tenía los ojos grises y la mirada intensa de un profeta bíblico. Llevaba huaraches de llanta, una camisa de franela a cuadros y un pantalón de pana con parches en las rodillas. Su departamento, una miniatura sepulcral, tapizada de libros desde el piso hasta el techo, le recordó la buhardilla de *El hombre del subsuelo* de Dostoyevski. Por los trastes amontonados en la cocina y el polvo de las repisas podía inferirse que Lima era soltero y no hacía la limpieza muy a menudo. El humo de los 80 cigarrillos que se había fumado ese mediodía formaba una madeja negra en el centro de la estancia y la botella de tequila Sauza destapada en la mesa del comedor delataba una triste borrachera de solitario.

—Así que un artículo mío sacó roncha. —Lima trataba de dominar los nervios y mostrarse seguro, pero el pulso lo traicionaba—. ¿Usted viene de Gobernación?

—Trabajo en la judicial, pero vengo por mi cuenta. —Al acomodarse en la silla del comedor, Evaristo dejó al descubierto la Magnum y Lima perdió los colores—. No te asustes, nunca he matado a nadie. Me dieron tu dirección en *El Matutino* y vine hasta acá para avisarte que andas metido en una bronca muy fea.

—¿En cuál bronca? Yo soy periodista cultural y nunca escribo de política.

Evaristo le mostró el recorte con las mentadas al presidente. Lima lo leyó con una expresión divertida.

—¿A poco se ofendieron por esta vacilada?

—Por esta vacilada te puedes morir. —Evaristo empezaba a impacientarse con el infantilismo de Lima—. Mi jefe, el comandante Jesús Maytorena, se encontró este papelito en una gasolinera, ¿y sabes qué me pidió? Que averiguara tu dirección para venir a darte una calentada. Pero yo conozco a mi jefe y sé que tiene la mano dura, sobre todo cuando quiere lucirse con la gente de arriba. Si ahorita lo llamo y le doy tu dirección, mañana amaneces muerto.

—Ya salió el peine. Usted lo que quiere es lana, ¿verdad? ¿Cuánto por no llamarle a su jefe? —Lima sacó su cartera y se puso a contar billetes.

—Voy a hacer que te tragues tu dinero, pendejo. —Enfurecido, Evaristo lo tomó por el cuello de la camisa—. ¿Quién te crees que soy? ¿Un pinche mordelón de tránsito? Con todo lo que ganas en un año no me podrías pagar lo que vale tu vida.

Contuvo el impulso de azotarle la cara contra la pared al caer en la cuenta de que Lima, prejuiciado por la fama de los judiciales, tenía motivos de sobra para desconfiar. Lo dejó caer sobre la silla y se mesó los cabellos, dolido por su reacción. "Érase una vez un judicial que trató de ser buena gente —pensó— y el hombre al que quiso ayudar le clavó un puñal por la espalda." Pero Lima había comprendido que no estaba con un policía común.

—Perdóneme —dijo—. Nunca me han hecho favores gratis y creí que me estaba tratando de extorsionar. ¿Quiere un tequila?

Evaristo aceptó el trago y se produjo una distensión que les permitió continuar la charla en un tono más amigable.

—¿Eres militante de algún partido?

Lima negó con la cabeza.

—Pero estás en contra del régimen...

—No me lo va a creer, pero más bien soy apolítico.

—Entonces, ¿por qué te arriesgaste a decir eso del presidente?

—¿Arriesgarme? —Lima soltó una carcajada—. Llevo tres años mentándole la madre en todos mis artículos y nadie se había dado cuenta. Es lo bueno de escribir en *El Matutino*. Tienes absoluta libertad porque nadie te lee.

—¿Y el director está ciego o qué? Se supone que *El Matutino* es un periódico oficialista. ¿Cómo te ha dejado publicar eso?

—¡Porque él tampoco me ha leído nunca! —Lima torció los labios con un gesto de irrisión trágica—. La página cultural del periódico es lo que menos le importa. Él sólo lee los artículos de política y la sección de espectáculos, donde promueve a sus putas de cabecera.

—No entiendo. ¿Entonces por qué publica una página cultural?

—Por imagen. La cultura viste mucho. Un periódico que no le dedica espacio pierde prestigio. En este país todo el mundo promueve la cultura, ¿no te has fijado? Hasta los narcos de Sinaloa dan becas a los jóvenes escritores. Cuanto más crece el porcentaje de analfabetos, más talleres literarios hay, pero en realidad hay muy poca gente ávida de cultura y esa gente no lee *El Matutino*.

—Debe sentirse gacho escribir para las ratas de las bodegas, ¿no? —Evaristo se sirvió otro tequila sin esperar que Lima se lo ofreciera.

—Te diré. Al principio sí me indignaba. Decía maravillas de una novela, una semana después me encontraba al autor y le preguntaba qué le había parecido mi crítica. Discúlpame, no compré el periódico, me decía, y lo mismo me pasaba con los pintores, los rockeros, los directores de teatro. Cuando me di cuenta de que era el hombre invisible, tuve una depresión espantosa, pero luego descubrí que la clandestinidad era una ventaja enorme. ¿De qué te quejas?, pensé. En última instancia uno siempre escribe para sí mismo, y a ti hasta te pagan por hacer lo que más te gusta. A partir de ese momento la página cultural se convirtió en mi diario secreto. En medio de las reseñas y las notas informativas escribo todo lo que se me antoja: trabalenguas, obscenidades, confesiones de borracho, calumnias contra gente del medio. Lo de Jiménez del Solar me nació de los huevos. Un día dije: ya estoy hasta la madre de ver a este pelón en los noticieros, en las primeras planas de los periódicos, en las oficinas del gobierno, en los camiones y en los excusados. Voy a desquitarme en nombre del pueblo.

—Pues me temo que te vas a quedar sin chamba —lo interrumpió Evaristo—. Mi jefe te quiere denunciar con el procurador Tapia, y él seguramente hablará con el director de tu periódico. A lo mejor hasta le cierra el changarro.

—Me daría mucho gusto. Es lo que se merece por lambiscón y ojete. Si me corren yo no pierdo nada, en cualquier parte puedo encontrar una chamba, pero ese cabrón perdería una minita de oro.

—No creo que el periódico le deje tanta lana si nadie lo lee.

—Claro que deja, y un chingo. —Lima se levantó a cambiar el compacto de Joe Cocker por otro del trompetista Winston Marsalys y continuó su explicación en un tono didáctico—. Ningún periódico vive de sus ventas, el negocio está en la publicidad. *El Matutino* tiene un tiraje ridículo, 3 o 4 mil ejemplares, pero cobra los anuncios como si editara 90 mil, porque el gobierno recompensa muy bien a sus lameculos. El director se lleva de a cuartos con los jefes de prensa de todas las secretarías, les invita comidas en el Fouquets del Camino Real y cuando le tiran línea, los obedece como un lacayo. Así ha hecho su fortuna, congraciándose con todos los funcionarios que le pueden soltar inserciones pagadas o contratos para maquilar impresos, a cambio de una mochada, claro está. Y como le viene valiendo madres que el periódico se venda o no, porque sólo es un pretexto para sus transas, nos paga salarios de hambre que obligan a los reporteros a vivir del chayote.

Acallado por el estruendo de un avión que se acercaba al aeropuerto, Lima aprovechó la pausa para ir al baño. Evaristo conocía las miserias del periodismo tan bien como él, pero no quiso hablarle de su pasado, porque le avergonzaba tener que explicar cómo había llegado a la judicial.

—Estoy apantallado con tu biblioteca —le comentó cuando salió del baño—. Se me hace que aparte de periodista eres literato.

—Escritor nada más —lo corrigió Lima—. He publicado un par de poemarios y un libro de cuentos. Bastante poco para mi edad, pero es que el periodismo no me deja escribir lo mío.

—En *El Matutino* me dijeron que sólo ibas dos veces a la semana.

—Pero ésa sólo es una de mis chambas. Con lo del periódico no me alcanzaría ni para la renta de este cuchitril.

Ahorita estoy trabajando de corrector de estilo en el Patronato Cultural Universitario y dirijo un taller de narrativa en el Instituto de Artes y Letras, pero quisiera mandarlo todo al carajo: los burócratas de la cultura ya me tienen hasta los huevos.

Al parecer el tema le apasionaba, pues luego de servirse un tequila siguió hilvanando injurias contra los funcionarios culturales, que según él se comportaban como una casta divina. Los había visto reptar y urdir intrigas para conservar sus privilegios a lo largo de cuatro sexenios, desde que entró a trabajar en el aparato cultural del estado. No era difícil escalar puestos en un medio donde la adulación y el servilismo abrían todas las puertas, pero él no había seguido las reglas del juego. Negado para las relaciones públicas, que consideraba una forma prostituida de la amistad, sólo hacían migas con los compas que de verdad estimaba, sin reparar en su posición dentro de la pirámide burocrática. Mientras los arribistas conseguían sinecuras de lujo o plazas de agregados culturales en el servicio exterior, él se había quedado en la parte oscura del presupuesto, con un sueldito cada vez más golpeado por la inflación. Era el peón de brega, el sufrido corrector que revisaba galeras con la vista cansada y la espalda deshecha mientras los yuppies con chofer a la puerta asistían a cocteles y ceremonias para gente bonita, donde la intelectualidad cortesana le bebía los alientos a Octavio Paz.

No les envidiaba para nada el haberse colado a ese mundo, porque el fingimiento perenne y la sonrisa de circunstancias no iban con su carácter. Lo que le caía en el hígado era la soberbia de los funcionarios infatuados con el relumbrón de sus cargos y su tendencia a confundir el escalafón burocrático con la jerarquía intelectual. Escritorzuelos que no eran nadie en el mundo de las letras se convertían de la noche a la mañana en glorias nacionales por el simple hecho de manejar un presupuesto. A cambio de empleos y dádivas, los hambreados reporteros de la fuente les creaban un falso renombre que se deshacía como espuma cuando algún incauto compraba uno de sus libros.

—Pero cuidado con bajarlos de la nube donde están, porque te los echas de enemigos toda la vida. —Lima hizo una pausa y se clavó un momento en la música—. Yo soy uno de los pocos que se ha atrevido a exhibirlos en toda su espeluznante mediocridad. Cuando trabajaba en el Fondo de Estímulo a la Lectura me tocó reseñar en el *sábado* un libro de ensayos de Claudio Vilchis, el subdirector editorial. Era una mierda erudita, ya sabes, muchas citas en griego y en alemán pero ni un solo chispazo de inteligencia, y en mi nota le dije que su libro me había indigestado. Vilchis no se dio por ofendido, pero a la menor oportunidad que tuvo me echó a la calle, con el pretexto de que había acumulado tres retardos en menos de un mes. De ahí pasé al departamento de publicaciones de la Universidad Simón Bolívar, donde también me corrieron a las primeras de cambio. Mi jefa era la poetisa Perla Tinoco, una cerda que se emperraba en escribir exuberancia con hache intermedia. Una vez la corregí con el diccionario en la mano y se puso furiosa. Qué me vas a enseñar tú, me gritó, si eres un pinche naco y yo estoy doctorada en el Colegio de México.

Evaristo vio su reloj, impaciente. Eran las seis y media y afuera estaba cayendo la noche. De un momento a otro Maytorena le hablaría por el celular y Lima todavía no daba señas de calibrar el peligro en que se encontraba.

—Mira, Roberto, te llamo por tu nombre porque estamos en confianza. Tus problemas oficinescos podrán estar del carajo, pero en este momento, si yo fuera tú, estaría pensando adónde me voy a largar para que no me den un plomazo.

—¿De a tiro la ves tan cabrona? —Lima empalideció.

—¿Te parece poco estar sentenciado a muerte? Al rato le tengo que dar tu dirección a mi jefe y mañana mismo viene por ti. Hazme caso: rompe tu cochinito y toma el primer avión a Los Ángeles. —Evaristo se equivocó al tirar la ceniza de su cigarro y, en vez de echarla en el cenicero, la dejó caer en la tapa de un grueso diccionario de sinónimos y contrarios.

—No tengo visa para entrar a Estados Unidos. —Lima se apresuró a limpiar la tapa del diccionario con la manga de su camisa—. El año pasado la fui a sacar y me pidieron una cuenta bancaria, que para demostrar solvencia económica. Pinches gringos hijos de puta, te tratan como bracero. Pero ya verán: cuando sea premio Nobel me van a pedir de rodillas que vaya a su pinche país, y entonces les voy a pintar un caracolito.

—Si no puedes salir de México, vete a esconder a un pueblito en el culo del mundo, la cosa es que no te quedes aquí. Ahora estás pedo y así no te conviene salir a ninguna parte, pero mañana temprano haz tus maletas y pélate. —Evaristo desenfundó su Magnum y la puso sobre la mesa—. Toma, por si acaso te encuentra. Está viejita, pero te puede sacar de un apuro. ¿Necesitas lana?

Lima tardó en responder, apenado. Notando su turbación, Evaristo sacó de su cartera un fajo de billetes y se los metió en la bolsa de la camisa. Conmovido, Lima le preguntó por qué era tan generoso con él, si ni siquiera lo conocía.

—No te conozco, pero admiro mucho a la gente que escribe. Aunque te parezca raro, me gusta mucho leer.

—Si quieres te regalo mi libro de cuentos.

Evaristo aceptó y Lima fue por el libro a su cuarto, donde se entretuvo un par de minutos en escribir la dedicatoria. *Para mi amigo Evaristo Reyes, el único judicial humano que he conocido.* Al leerla, Evaristo tuvo un estremecimiento de culpa. Lima tal vez fuera un resentido, pero luchaba contra viento y marea para sacar adelante su vocación. ¡Qué lección más dolorosa para un fantoche como él, que había cambiado sus ilusiones por unas migajas de bienestar! Se despidieron en la puerta con un abrazo, prometiendo volver a verse para hablar de literatura cuando Lima saliera de apuros. La escalera estaba muy oscura y, al salir del departamento, Evaristo tropezó en el primer rellano con un hombre que despedía un fuerte olor a puro.

Afuera, el viento de octubre le agitó el cabello y trocó su amargura en júbilo. Por fin había desobedecido una orden de Maytorena. En el trayecto a su casa puso Radio Capital y bailó "You've really got me" con una alegría de niño recién bañado. El hacer su santa voluntad era una droga mucho más eficaz que la coca. En el departamento de Nazas se dio un baño de agua caliente, se sirvió un Old Parr en las rocas, y vestido con su nueva chaqueta de gamuza, que le daba un aire de productor de cine, salió a festejar su reencuentro consigo mismo.

En el Sherry's lo recibió con una sonrisa el capitán de meseros, Efrén, que había trabado amistad con él de tanto escoltarlo a su coche cuando salía cayéndose de borracho.

—Se andaba tardando, jefe, pensé que no iba a venir.

—¿Cómo crees? Tú sabes que nunca fallo. ¿Cómo sigues de tu hernia?

—Mejor, en dos semanas me van a quitar la venda.

Evaristo le deslizó un billete de a 50 pesos en la chaqueta del esmoquin y Efrén lo condujo a su mesa de siempre, pegada al escenario donde las vedettes hacían números de strip-tease. Por cortesía de la casa le llevaron una botella de Chivas Regal y el mesero que se la sirvió, Juanito, lo entretuvo hablándole de futbol hasta el comienzo de la variedad. Esa noche debutó una nueva stripper, Dora Elsa, bailando rap con una minúscula tanga del tamaño de un hilo dental. Mientras la clientela del Sherry's admiraba su cuerpo de gacela y su abundante vello púbico, que le llegaba hasta el ombligo, Evaristo le veía la cara, hechizado por la luz opalina que salía de sus ojos. No le provocaba una simple excitación sino algo más fuerte, el deseo de poseerla en cuerpo y alma, de ser correspondido por ella en una pasión a muerte. ¿Qué le estaba pasando? ¿Su pequeña rebelión le había devuelto la juventud? Al terminar el show la llamó a compartir la botella de Chivas y hablaron como dos amantes en su primera cita. Dora Elsa era divorciada, tenía una niña de seis años que dejaba en casa de su madre cuando salía a trabajar, le gustaban mucho las historietas de amor, especialmente *Susy, secretos del corazón*, y a petición del dueño del Sherry's, que le había pedido un número más audaz, estaba ejercitando los músculos inguinales para aprender a fumar con el coño. A Evaristo le maravilló que a pesar de su oficio no se hubiera amargado aún, como la mayoría de las encueratrices que había tratado. Era una muchacha fresca, inocente y hasta un poco boba, como la primera novia que tuvo en la secundaria. Supo instintivamente que podía confiar en ella y le contó que acababa de rebelarse contra su jefe, un tal Maytorena, y estaba celebrando la recuperación de su libertad. Bailaron de cachetito el tema de *Verano del 42*, y al sentir su respiración en la nuca tuvo un escalofrío acompañado por una erección.

—Te quiero —le dijo—. Ven conmigo a mi casa.

—No puedo, hasta las cuatro no nos dejan salir.

Ante la súplica de Evaristo, el capitán Efrén no tuvo reparo en dejarla marcharse antes de la hora, previo pago de su salida. Mientras la esperaba en la puerta de los camerinos, Evaristo introdujo en su bolso plateado un billete de a 500 pesos, adelantándose a un cobro que hubiera estropeado la situación. Quería tratarla y amarla como una dama, entregarle su ternura escondida y prolongar la ilusión hasta que él mismo no pudiera distinguir la fantasía de la realidad. Dora Elsa salió del camerino con un vestido negro cerrado hasta el cuello y mallas del mismo color. Metido en su papel, Evaristo la tomó de la mano y en el coche le declaró su amor con frases de bolero antiguo.

—Acércate, corazón. Quiero que seas mía y de nadie más. Hoy es el día que estaba marcado para el encuentro de nuestras almas.

Dora Elsa soltó una risilla incrédula, pero Evaristo advirtió que su delicadeza no le desagradaba. ¿O estaba fingiendo para no contrariarlo? Tal vez le habían advertido que era judicial y le seguía la corriente por miedo. Al entrar en su departamento se dieron un beso en la boca. Lo normal hubiera sido pasar a la cama, pero Evaristo quería conocerla mejor y le invitó un trago en la sala. Al preparar los jaiboles, mientras ella curioseaba en sus libreros, recordó que todavía no le hablaba a Maytorena. ¿Estaría enojado? Que se jodiera: no iba a estropear ese bello momento para cumplir un deber que le repugnaba. Puso un disco de Juan Luis Guerra, se acurrucó en el sillón a un lado de Dora Elsa y le preguntó por qué iba vestida de negro.

—Estoy de luto. Antier mataron a mi hermano.

—Perdóname, no quería lastimarte. —Evaristo clavó la mirada en su vaso—. ¿Por qué lo mataron?

—Era pandillero y se dedicaba a robar acumuladores que luego vendía en la colonia Buenos Aires. El dueño de un coche lo agarró cuando estaba abriéndole el cofre y le disparó por la espalda. Ayer lo enterramos en un panteón espantoso que está por el lago de Guadalupe. Ni siquiera tiene lápida: sólo un pinche cuadrito en medio de un terregal. —Dora Elsa prorrumpió en sollozos—. Lo peor de todo fue que en la delegación no nos querían entregar el cadáver. Tuve que darle mordidas a medio mundo.

Evaristo la estrechó en sus brazos y le dijo palabras de consuelo hasta que terminó de gimotear y se sonó con un kleenex.

—Gracias por sacarme del Sherry's y pagar lo de mi salida. Con lo mal que me siento no tenía ganas de bailar encuerada.

Volvieron a besarse, primero con suavidad, luego con rabia. Olvidado de sí mismo, en un estado de gracia que no había vuelto a experimentar desde los 20 años, Evaristo le hizo el amor con una entrega total, sin regatearle ninguna caricia. Dora Elsa parecía gozar al parejo con él. ¿O jadeaba para complacerlo? Concentrado en el olor a sábila de su cabello, sentía que estaba estrenando piel, corazón y testículos, que había renacido tras una larga hibernación en el Polo Norte. Al explorar su clítoris con la lengua volvió a ser un niño despreocupado y feliz, ajeno a las miserias de la vida consciente. Pero lo mejor vino después, cuando ella tomó la iniciativa y lo cabalgó a horcajadas, gobernando la penetración con sus educados músculos inguinales, que se abrían y cerraban para aprisionarle y soltarle el pene. Era una vagina con vida propia, un animal inteligente y perverso, capaz de enloquecer a cualquiera. La lenta fricción se fue acelerando hasta convertirse en un frenético galope. A la orilla del éxtasis, Evaristo cerró los ojos y contuvo su eyaculación varias veces, hasta que Dora Elsa lo alcanzó en la curva ascendente del orgasmo y se derramaron gritando al unísono, como dos fuegos artificiales compenetrados para estallar a la misma altura.

Siguió una pausa de media hora en la que no pensaron en nada. Luego hicieron el amor otra vez, con más calma, prolongando el placer hasta un punto en que sus cuerpos iban a derretirse. Con el segundo orgasmo les sobrevino una dulce fatiga. Evaristo apoyó la cabeza en la almohada y se quedó dormido. Cuando despertó, Dora Elsa ya se había largado. Era normal que lo hiciera tras desquitar su paga, pero se había engañado a sí mismo y resintió su soledad más que otros días. Cómo le hubiera gustado desayunar con ella, llevarla a comer a un buen restorán y luego al cine o al hipódromo. Se puso las pantuflas y caminó a la cocina para calentarse un café con leche. Lo mejor sería borrar esa noche de su memoria, hacer de cuenta que nunca la había conocido. Pero no pudo olvidarla tan fácilmente, porque al volver de la cocina encontró en la mesita de noche un recado con su teléfono y dirección: *Me caíste bien. Llámame*. Debajo del recado había un billete de a 500 pesos.

CON LAS VENTANAS ABIERTAS DE PAR EN PAR, la alfombra limpia, la cocina reluciente como un espejo y el baño oloroso a desinfectante de pino, la sórdida madriguera de Nazas se había convertido en un lugar habitable, casi acogedor. Recostado en la cama, Evaristo veía con asombro su obra de limpieza. Por primera vez en muchos años había tomado la jerga, el plumero y la escoba sin esperar a la sirvienta que le hacía el aseo una vez por semana. Enamorado y dichoso, había barrido la alfombra como quien escribe un poema, para proyectar su felicidad hacia el exterior. Dora Elsa era el premio que dios le había dado por haberle salvado la vida a Lima. La insumisión le había devuelto la capacidad de amar, quizá porque ahora se respetaba más a sí mismo. En calzoncillos, caminó hacia la ventana cruzando la impecable sala donde el sarape de Saltillo adaptado como tapete y el sofá de terciopelo guinda relucían como si los hubiera comprado ayer. En armonía con su estado de ánimo, la mañana era luminosa y alegre, con un inusitado trino de gorriones en los raquíticos árboles de la banqueta. Hasta el deprimente paredón del Circuito Interior, garabateado con pintas de chavos banda, despedía un resplandor nuevo, como si le diera el sol por primera vez. Se llenó los pulmones con el aire sucio de la colonia Cuauhtémoc, que le parecía tan limpio como el de una montaña nevada, y cerró la ventana silbando "Burbujas de amor", la canción que se había repetido toda la noche mientras retozaba en la cama con Dora Elsa. Acababa de encender la hornilla de la estufa para hacerse unos huevos tibios cuando sonó un golpazo en la puerta, acompañado de un grito colérico:

—¡Soy yo, intelectual! ¡Ábrenos o te rompo la puerta!

Ni tiempo tuvo de correr a la recámara para ponerse unos pantalones. Cuando los estaba sacando del clóset, Maytorena descerrajó la puerta de una patada y entró al departamento derribando sillas y adornos. Llevaba unos pants color frambuesa marca Fila, lentes oscuros y una visera negra. Con él venían el Chamula y el Borrego, otro de sus pistoleros, apodado así por su rizada cabellera rubia. Antes de que Evaristo pudiera pedir una explicación, Maytorena le cerró la boca de un manotazo brutal, entre bofetada y golpe de karate, que lo dejó en el suelo escupiendo sangre.

—¿Quién te mandó echártelo? ¡Contéstame, pendejo! ¿Quién te dijo que lo mataras? —Maytorena le alzó la cara tomándolo por los cabellos y se inclinó a ras de suelo, esperando respuesta.

—No entiendo nada. ¿A quién mataron?

—¿Pos a quién va a ser, cabrón? ¡A Roberto Lima!

La noticia fue un segundo manotazo en la cara para Evaristo.

—Yo no fui, yo nunca he matado a nadie. —Se levantó confundido—. Usted sabe que yo no le hago a eso.

—Conmigo no te quieras pasar de verga. Anoche mataron a Lima, hoy en la mañana salió la noticia en *El Universal*. —Maytorena chasqueó los dedos como un sultán y el Borrego le entregó un periódico doblado por la mitad—. Aquí dice que los testigos vieron salir del departamento a un hombre de tu estatura.

—Le juro que yo no fui, jefe. Yo nomás pregunté su dirección en el periódico, como usted me pidió.

—¿Y por qué no me la diste, cabrón? Te estuve llamando anoche y tenías el celular apagado.

—Lo pensaba llamar hoy por la mañana.

—A mí no me haces pendejo. Te daba miedo hablarme porque venías de matar a ese güey.

—Por dios que no le hice nada —sollozó Evaristo.

—¿Entonces quién lo mató? ¿Un fantasma?

Evaristo guardó silencio, la vista fija en el suelo.

—Mira, pinche intelectual, a mí no me importa que te lo hayas echado, eso me vale madres. Lo que me encabrona es que haya sido tan a lo pendejo. Tú con la borrachera dices muchas tarugadas. Eres capaz de habérselo contado a todas las putas del Sherry's.

—Ayer no hablé con nadie. Me pasé toda la noche con Dora Elsa, una chamaca de la variedad.

—No me interesan tus viejas de nalgas aguadas. Lo que quiero saber es por qué nos estás cargando el muertito. Ese pinche reportero dice que unos judiciales mataron a Lima para callarle la boca por sus ataques al presidente.

—A lo mejor se le adelantaron otros compañeros —conjeturó Evaristo.

—¿Quiénes, si yo era el único que sabía de Lima? Ayer por la tarde vi al procurador y le enseñé la nota con las mentadas a Jiménez. No me felicitó porque ya sabes cómo es de mamón, pero noté que se puso colorado del gusto. Esto lo debe saber el señor presidente, me dijo, para que no se confíe del equipo de ineptos que supuestamente le cuida la espalda. Le ordenó a su secre que mandara la nota por fax a Los Pinos y me pidió que por ningún motivo tomara represalias contra Roberto Lima. "Con los periodistas hay que andarse con mucho cuidado, comandante. Un rasguñito y se ponen a llorar como plañideras. Vamos a proceder por la vía legal contra este infeliz, aunque se merezca una buena madriza." Claro que sí, señor licenciado, le dije, no lo vamos a tocar para nada, y hoy el pinche Lima amanece muerto. ¿Cómo chingados se te ocurrió irte por la libre? ¿Sabes a quién le van a echar la culpa de todo? ¿Sabes a quién?

Maytorena lo zarandeó por los hombros, la mandíbula trabada y las venas del cuello en altorrelieve. Iba a estrellarle la cabeza contra el suelo, pero se detuvo asaltado por una duda.

—¿Te cae que no lo mataste?

Evaristo asintió con las mejillas bañadas de llanto.

—Pobre de ti si me estás jugando chueco. —Maytorena se limpió el sudor con la manga de los pants—. Vamos a suponer que tú no fuiste. Eso quiere decir que el verdadero asesino anda suelto. Necesito agarrarlo para que Tapia no me eche la bronca a mí.

—Si quiere yo le puedo ayudar —sugirió tímidamente Evaristo.

—Por supuesto que me vas a ayudar. Esta bronca no es mía nada más, también es tuya y de estos cabrones. —Señaló al Chamula y al Borrego—. Porque si Tapia me corta el pescuezo, ustedes se van a la chingada conmigo.

—A mí esto me huele a bronca entre putos —intervino el Chamula—. Se me hace que el periodista ése era puñal y tuvo un pleito con su quelite. Déjeme interrogar a los amigos del muerto, jefe, y en dos días le tengo al culpable, se lo prometo.

Aunque el Chamula besó la cruz para darle más autoridad a su juramento, Maytorena descartó su hipótesis con un displicente chasquido de lengua.

—No, Chamula, esto no se puede arreglar así. Los amigos de Lima son periodistas, escritores, gente que repela por todo. Si los detenemos para un interrogatorio, no se van a quedar callados y la cosa es parar el escándalo.

—Hay que averiguar si Lima tenía enemigos en su profesión —propuso Evaristo—. Yo me puedo poner a investigar por mi cuenta, pero sin decir que soy judicial, para no escamar a la gente.

Maytorena se quedó un momento pensativo, sopesando la idea con las manos cruzadas bajo el mentón. Acostumbrado a inventar culpables y a resolver crímenes por medio de la tortura, le disgustaba tener que dirigir una investigación en regla. De pronto sonó su teléfono celular y, al responder la llamada, se quedó lívido.

—Sí, licenciado, el comandante Maytorena a sus órdenes... Sí, señor, leí la noticia, pero déjeme explicarle... No, señor, le aseguro que seguí sus órdenes al pie de la letra... Tampoco yo me lo explico, señor. Debe haber un malentendido... Sí, claro, oritita salgo para allá. —Apagó el celular y se volvió hacia Evaristo, con el bigote entrecano perlado de sudor—. Tapia está emputadísimo y quiere que lo vea en su oficina. Tu plan me suena bien, pero tienes que ponerte a trabajar en chinga. Ve a ver al Gordo Zepeda. Él lleva el caso en la Judicial del Distrito, pero me debe muchos favores y ya quedamos en que me va a dejar hacer la investigación. Él fue el primero en llegar al departamento. Pregúntale si encontró algo que nos pueda servir de pista. Luego date una vuelta por la funeraria donde están velando a Lima y para bien la oreja. El Borrego y el Chamula van a estar a tus órdenes, para ayudarte en lo que se ofrezca.

Antes de salir con sus dos gatilleros, Maytorena se detuvo en el marco de la puerta.

—Nomás una cosa te advierto: si me estás engañando, ya sacaste boleto.

Cuando por fin se fue, Evaristo desdobló *El Universal* y leyó atropelladamente la nota del homicidio, firmada por el reportero Ignacio Carmona. Según el ministerio público, la policía había recogido el cadáver a las 10 de la noche, acudiendo al llamado de una vecina que al pasar por el departamento de Lima vio la puerta abierta y encontró al periodista tendido bocabajo en la sala, en medio de un charco de sangre. Había un dato desconcertante: Lima no había muerto a balazos: lo habían matado de un golpe en la nuca con un diccionario de sinónimos y contrarios. ¿Por qué no había usado su Magnum para defenderse? *Hasta el momento se ignora el móvil del asesinato, pero una fuente anónima, en llamada telefónica a nuestra redacción, aseveró que se trata de una represalia gubernamental por las injurias al primer mandatario que el occiso había publicado en el periódico* El Matutino, *donde tenía a su cargo la sección de cultura. De acuerdo con esta versión, la Policía Judicial Federal y la propia Secretaría de Gobernación podrían estar involucradas en el homicidio...* Estremecido, Evaristo recordó al fumador de puro con el que se había tropezado en la escalera del edificio. ¿Qué hacía en la oscuridad, agazapado como una rata? Sin duda estaba esperando a que le dejara el campo libre para matar a Lima.

Dejó el periódico sobre la cama y se lavó la boca en el baño. Tenía hinchado el labio superior, sangraba todavía un poco, pero lo que más le dolía era haberse achicado ante Maytorena. Por lo visto, el renacimiento de su amor propio había sido tan efímero como un parpadeo. Ni siquiera tenía el consuelo de haber ayudado a Lima, porque ahora estaba muerto y en su epitafio quedaría inscrito el tradicional "no me defiendas, compadre". Así era México: un país donde cualquier buena acción se castigaba de inmediato con todo el rigor de la ley. Milagrosamente, la nota de *El Universal* no decía nada sobre su Magnum, pero si Maytorena llegaba a enterarse de que la pistola estaba en el lugar del crimen, descubriría que lo había desobedecido y Evaristo quedaría sentenciado a muerte.

Vestido con lo primero que encontró en el clóset salió volando a la Procuraduría del Distrito. Era sábado, pero el tráfico estaba tan difícil como entre semana. Cuando llegó al edificio de Niños Héroes, un horror posmoderno con fachada de vidrio espejo, había decidido ya largarse del país si el Gordo Zepeda no lo ayudaba. Su oficina estaba en la Subdirección de Averiguaciones Previas, el único departamento que no descansaba el fin de semana. Lo encontró en mangas de camisa, desayunándose una torta de tamal. Sus lonjas se desbordaban de la silla, tenía los ojos saltones, la nariz colorada y empezaba a quedarse calvo. Era uno de los asesinos con placa más temibles del país. Lo habían expulsado de la PGR por sus nexos con el Cartel del Golfo, pero su cara de cerdo bonachón le daba un aire inofensivo. Se habían emborrachado juntos varias veces cuando el Gordo trabajaba con Maytorena, y le tenía suficiente confianza para pedirle cualquier favor.

—Quiúbole, Gordo —le palmeó la espalda—. Para variar te encuentro metiéndole al carbohidrato. ¿No que estabas a dieta?

—Sigo a dieta: me estoy tomando el café sin azúcar.

—Así vas a bajar la panza, pero a las rodillas.

—¿Y ese milagro? Con tanta lectura ya ni vienes a saludar a los cuates. ¿A qué se debe el honor de tu visita?

—Necesito hablar contigo del periodista que mataron anoche.

Zepeda interrumpió la masticación de su torta, cruzó una mirada de inteligencia con Evaristo y le propuso que salieran a dar una vuelta en su coche, para hablar sin orejas alrededor. El carro de Zepeda era un Topaz maltratado y sucio, con restos de papas fritas en el piso y en los asientos. Tomó una de las pocas calles donde no había tianguis, dobló a la izquierda en Doctor Jiménez, siguió unas cuadras más a vuelta de rueda y se detuvo en el parque de árboles jóvenes y andadores adoquinados que el terremoto dejó en el lugar donde estuvo la Secretaría de Comercio. Mientras el Gordo terminaba de engullir su gigantesca torta de tamal, Evaristo le contó en líneas generales todo lo sucedido el día anterior, desde el hallazgo hemerográfico de Maytorena en la carretera a Pachuca hasta su conversación tequilera con Lima. Finalmente, con la voz entrecortada por la ansiedad, le preguntó si había encontrado la Magnum en casa del periodista. Zepeda hizo una pausa teatral mientras devoraba el último bocado de torta. Después de limpiarse los dedos en el pantalón abrió la guantera y sacó el arma, guardada en una bolsa de polietileno.

—Aquí está tu pistolita. Ya ni la chingas, intelectual. ¿Cómo se te ocurre dejarla con todo y tus huellas? ¿Maytorena te ordenó matarlo? Háblame al chile. Conmigo no tienes que andarte con misterios.

—Te juro que yo no fui, pero ya sé que no me vas a creer. Tampoco me creía Maytorena. Y si algún periodista se entera de que anoche estuve con Lima, se pueden agarrar de ahí para echarme la culpa. Por eso te quiero pedir un favor: no le digas a nadie que encontraste mi pistola en su departamento.

—Faltaba más, yo nunca me hago del rogar cuando se trata de hacerle el paro a un amigo. —Zepeda le devolvió la Magnum, sonriente como un ángel de Rubens—. También tengo la agenda de Lima, pero está en la oficina del MP. Si quieres le saco una copia.

—Gracias, mano, luego vengo por ella.

De regreso a la procuraduría, Evaristo le preguntó quién había reclamado el cuerpo de Lima y dónde lo estaban velando.

—Hoy en la mañanita su mamá fue por el cadáver a la delegación, acompañada por un greñudo. Creo que se lo llevaron a la Gayosso de Sullivan.

Se despidieron con un apretón de manos en el estacionamiento de la procuraduría, pero cuando Evaristo abrió la puerta del coche, Zepeda lo sujetó del brazo.

—Un momento, favor con favor se paga. Te vas a burlar de mí, pero últimamente he cambiado mucho: de un tiempo para acá me ha dado por escribir poesías. —Su cara regordeta se incendió de rubor—. Fue una revelación mágica: de pronto sentí que necesitaba sacar todas las emociones que traía dentro, así que agarré lápiz y papel y me dejé llevar por la inspiración. Fue como si hubiera vuelto a nacer, como si me hubieran brotado alas. Llevo seis meses de hacerle al poeta y tengo los cajones de mi escritorio llenos de versos. Creo que no soy tan malo, pero me gustaría conocer la opinión de un intelectual como tú.

Zepeda sacó de su portafolios un fólder con manchas de mole y aceite que contenía sus poesías completas, reunidas bajo el título *Cosecha de otoño.*

—Ojalá te guste. Los he mandado a un titipuchal de concursos y nunca me gano nada, pero no confío en los jurados, porque sólo premian a sus amigos. La gente del medio literario es muy corrupta.

Evaristo le prometió leer el poemario esa misma noche y darle una opinión a la mayor brevedad, aunque presentía que la cosecha del Gordo venía podrida. En el camino a Gayosso, libre de angustias y temores tras haber recuperado la Magnum, analizó con frialdad las intenciones de la "fuente anónima". En primer lugar, era evidente que Lima por lo menos tenía un lector, pues el misterioso informante que había llamado a *El Universal* sabía de sus injurias al presidente. Se trataba sin duda del propio asesino, que con esa pista falsa buscaba desviar la investigación y ocultar su verdadero móvil, quizás una rencilla personal con Lima. ¿Sería uno de sus enemigos literarios, a los que tanto detestaba? De ser así quizá tendría el descaro de presentarse al velorio, para quedar libre de toda sospecha, y a lo mejor hasta cometía la estupidez de fumarse un puro.

En la antesala de la capilla ardiente se había congregado un reducido grupo de literatos o aspirantes a serlo, la mayoría de barba y mochila al hombro, que hablaban a media voz en animados corrillos. Al parecer no les consternaba mucho la muerte de Lima, o disimulaban muy bien su dolor. Por su aspecto, Evaristo supuso que pertenecían al sector marginal de la república literaria. Un reportero de piel amarilla y ojeras etílicas circulaba de aquí para allá recogiendo impresiones con una grabadora. Al pasar junto a él, Evaristo escuchó que se presentaba como reportero de *El Universal*. Lo observó con atención mientras entrevistaba a un tipo con facha de rockero, prieto y delgado, que vestía una camiseta de U2 y llevaba el pelo recogido en una cola de caballo. Al terminar la entrevista lo detuvo del brazo.

—¿Eres Ignacio Carmona?

—A sus órdenes.

—Acompáñame a la cafetería. Necesito hablar contigo.

Carmona opuso resistencia y tuvo que mostrarle su charola de judicial para convencerlo. En la cafetería, iluminada con agresivos focos de neón, se sentaron en la barra y pidieron dos cafés americanos.

—¿A quién estabas entrevistando?

—A un escritor que se llama Rubén Estrella. Era muy amigo del muerto. Él hizo las gestiones para que el Instituto de Artes y Letras pagara el funeral y el entierro.

—¿No te dijo nada sobre los artículos de Lima en *El Matutino*? ¿Los había leído?

—No. Dice que nunca compraba el periódico.

—Ni él ni nadie. Sólo tu contacto leía esa chingadera. ¿Quién es él? ¿Te dio su nombre?

—Cuando se lo iba a preguntar me colgó.

—Eres muy pendejo o te quieres pasar de vivo. —Evaristo lo miró con desprecio a los ojos—. ¿Cómo te atreves a publicar las ocurrencias de un cabrón que ni siquiera se identifica?

—Me pareció que estaba bien informado.

—Claro que tenía buena información. —Evaristo sonrió—. ¿No has pensado que tu informante puede ser el asesino?

Carmona se atragantó con el café.

—Mire, señor, yo tengo familia y no me quiero meter en broncas. Si quiere publico una rectificación. Lo malo es que ya se echó a rodar la bola de nieve. Allá arriba están pidiendo firmas y dinero para un desplegado donde piden que se investigue el asesinato, en nombre de la libertad de expresión.

—Ahora lo van a convertir en un mártir. ¿Ves lo que hiciste con tu pinche nota?

—Discúlpeme, nunca pensé que provocara esto.

—La mera verdad te mereces una madriza, pero estás de suerte: mi jefe no quiere lastimar a nadie. Nomás una cosa te advierto —Evaristo bajó la voz—: cuando sepas algo nuevo sobre Lima o te vuelva a llamar tu informante, avísame a mí primero que a nadie o te acuso de encubrimiento.

Le dio una tarjeta con el teléfono de su casa y pagó los cafés. Volvieron juntos al velatorio, donde el contingente marginal se había incrementado con la llegada de algunos jóvenes melenudos que llevaban pantalones de mezclilla agujereados. Evaristo los observó con detenimiento: ninguno de ellos fumaba puro. En un intento por pasar inadvertido se escurrió con la cabeza gacha hacia un rincón de la capilla ardiente. Al fondo, en el sillón más próximo al ataúd, una anciana de chal y cabello blanco recogido en una pañoleta, con la piel lisa y brillante a pesar de su edad, lloraba en el hombro de una adolescente morena que llevaba frenillo y una falda escolar a cuadros.

—¿Quiénes son? —le preguntó Evaristo a Ignacio Carmona.

—La mamá y la hermana de Lima. Eran los únicos familiares que tenía en México.

Frente a ellas, con un aire ausente, en un sillón de cuero marrón, una mujer atractiva de 30 o 35 años, morena clara, con un suéter de tortuga negro que hacía resaltar el esplendor de su pecho, clavaba la vista en las coronas de flores. En su conversación con Lima no se le había ocurrido preguntarle si era soltero, casado, divorciado o marica, pero por el sitio destacado que la mujer ocupaba en el velorio, dedujo que era su viuda.

—¿Y esa chulada?

—Se llama Fabiola Nava. Fue alumna de Lima en su taller literario. Parece que fueron amantes, pero a últimas fechas andaban peleados.

La observó un momento con ojos de hombre, olvidando su papel de Sherlock Holmes. Tenía el pelo castaño ondulado, la boca pequeña y sensual en forma de corazón y los ojos de color almendra levemente teñidos de rojo. Por debajo de sus mallas negras se insinuaban unos muslos deliciosos de bailarina o gimnasta. Al parecer, Lima había probado la felicidad antes de abandonar este mundo. En un arranque de galantería fúnebre se presentó con ella como "un amigo de Roberto", la tomó de la mano y con voz susurrante le recomendó ser fuerte. Obligado por las circunstancias tuvo que darle el pésame a la mamá y a la hermana. Luego hizo una guardia en el ataúd junto con otros dos tipos de traje y corbata recién llegados al velorio y, aunque no le gustaba asomarse a la ventanilla de los féretros, sucumbió a la morbosa tentación de mirar con el rabillo del ojo el rostro azulado del muerto. *Eso* ya no era Lima y sin embargo le pareció que de un momento a otro se levantaría del ataúd para señalar con el dedo al asesino, que bien podía ser alguno de sus acompañantes en la guardia, aunque ninguno de ellos fumaba puro.

Terminada la guardia se dedicó a circular entre los corrillos de gente, pescando retazos de conversaciones que no tenían relación alguna con la muerte de Lima. Se hablaba de libros, de cine y de canto nuevo, de política y de sexo. Sólo faltaba que alguien destapara una botella de vino para que el velorio se convirtiera en un cóctel de relaciones públicas. En el pequeño cuarto del fondo, donde había un teléfono y un sillón reclinable, se encontró a Rubén Estrella, que venía saliendo del baño.

—Soy Luciano Contreras, de la revista *Macrópolis* —mintió al presentarse—. Me han dicho que usted era amigo de Lima y quería pedirle una breve semblanza sobre su vida y su obra.

—Roberto era el escritor más chingón de mi generación. —Estrella suspiró con tristeza—. Lástima que se murió tan joven. Iba a ser nuestro Carlos Fuentes. Estaba escribiendo una novela buenísima. Me leyó un capítulo la semana pasada: era sobre una señora de Las Lomas que se mete a una comuna jipiteca en Oaxaca. Valdría la pena publicarla, aunque sea inconclusa.

—Me gustaría leerla. ¿No sabes quién se va a quedar con sus manuscritos?

—Voy a pedirle a su mamá que me deje guardarlos, pero en este momento no quiero molestarla con esas cosas. Pobre señora: estaba muy orgullosa de que Roberto escribiera, aunque no entendía sus libros. Ella es vendedora ambulante y a duras penas sabe leer.

Los interrumpió un güero con mangueras de rasta jamaiquino que recolectaba firmas para el desplegado. Evaristo le dio su falso nombre de periodista y estampó un garabato ilegible en la extensa lista de abajofirmantes, mientras continuaba la charla con Rubén.

—Quiero escribir un reportaje sobre la muerte de Lima, pero necesito saber más de su vida.

—Si quieres yo te puedo ayudar. Éramos amigos desde hace añales, así que imagínate: me lo conozco al centavo. Date una vuelta por mi oficina un día de éstos y nos tomamos un cafecito. Trabajo en el Instituto de Artes y Letras.

—Y aparte de ti, ¿quiénes eran los mejores amigos de Lima? —le preguntó después de anotar su teléfono.

—Daniel Nieto y Pablito Segura, que por cierto andan por acá. Daniel es el altote que está con la chava de vestido azul, ¿ya lo viste?, el que trae una arracada. Pablito quién sabe dónde se habrá metido, a lo mejor salió a echarse un toque en honor del difunto.

Evaristo celebró su chiste con una risa espontánea: Estrella le estaba cayendo bien.

—Tú también eres escritor, ¿verdad?

—Lo intento.

—¿Y cómo fue que conociste a Lima?

—En el taller de Silverio Lanza, un escritor ecuatoriano que vivió aquí en los setenta, con un sentido del humor formidable. Ahí coincidimos Roberto y yo, luego se nos agregaron Daniel y Pablo, que venían de la Prepa 6. Entre todos sacamos una revista que se llamaba *La resaca*.

Una señora de mediana edad y huipil floreado que acababa de llegar al velorio se le colgó del cuello a Rubén, llorando a cántaros.

—¿Por qué tenía que pasarle a Roberto?

Evaristo se apartó respetuosamente y esperó una oportunidad para hablar con Daniel Nieto, que seguía muy ocupado con la chava de azul, a quien al parecer se estaba ligando. Por asociación de ideas recordó a Dora Elsa y una corriente eléctrica le puso la carne china. Qué barbarie de amor. Encendió un cigarro y se sentó pensando en ella delante de un crucifijo. Tenía ganas de rezarle, de invocarla para que viniera a sacarlo de allí. Estuvo 10 minutos o más ausente del velorio, con la vista fija en la pared, en un prolongado letargo sentimental. Cuando volvió a la realidad, Daniel Nieto ya había desaparecido con su ligue. También Rubén Estrella. Supuso que ambos estaban abajo, en la cafetería. Se levantó con la intención de alcanzarlos, pero en ese momento entró a la capilla un barbón de lentes cuyo rostro le pareció familiar. Al verlo de cerca lo reconoció con un sobresalto: era Mario Casillas, el coordinador de Internacionales de *El Matutino*, al que había amenazado para sacarle la dirección de Lima. Estaba perdido si Casillas lo identificaba, porque seguramente le imputaría el crimen. Fingiendo un arranque de fervor le dio la espalda y se arrodilló frente al ataúd en un reclinatorio forrado de terciopelo hasta que Casillas pasó de largo. Afuera, en los pasillos de la funeraria, mezclado con la concurrencia de otros velorios, se sintió protegido y fuerte, pero también culpable, como si de algún modo tangencial hubiera contribuido a matar a Lima. Bajó los escalones de dos en dos hasta llegar al estacionamiento, y al subir a su coche se aflojó la corbata, fatigado y jadeante. La guantera estaba abierta, sus papeles revueltos y tenía un recado en el parabrisas: *Date por muerto, pinche judicial de mierda. Ya sé dónde vives y no le tengo miedo a los animales.*

EN LA RECÁMARA DE DORA ELSA el tiempo se había congelado en una burbuja de caramelo. La frescura infantil de su dueña se reflejaba en el papel tapiz rosa con arabescos dorados, en la alfombra de peluche, en la cómoda atiborrada de muñecas, osos de felpa y figuritas de Hello Kitty. Hasta para el cuarto de una quinceañera la decoración hubiese resultado un tanto cursi, pero se avenía de maravilla con el carácter de Dora Elsa, que conservaba intacta la inocencia de su niñez, a pesar de vivir y trabajar en un ambiente sórdido, canalla, incompatible con la ternura. Mientras se rasuraba en el baño de la recámara, Evaristo la veía por el espejo del lavabo, agradeciéndole a dios haberla encontrado. "Puede ser la mujer de mi vida —pensó— si es que salgo vivo de esta novelita policiaca." Sobre una colchoneta, desnuda de la cintura para abajo, Dora Elsa apretaba con denuedo los glúteos, en su diaria sesión de ejercicios para aprender a fumar con el coño.

—No creas que me gusta mucho ponerme esta joda todas las mañanas —explicó a Evaristo, con el rostro desencajado por el esfuerzo—. Lo hago por necesidad: está redura la competencia con las bailarinas de table dance. Ahora los clientes ya no pagan por ver un show. Prefieren que se les monte encima una chavita de 17 años. Yo tengo 32 y no puedo competir con ellas. Necesito hacer algo para llamar la atención. ¿Tú crees que guste lo del cigarro?

Evaristo salió del baño, todavía con la crema de afeitar en el rostro, y tomó a Dora Elsa por la barbilla.

—No me gusta que hagas esos números de circo. —Le quitó el cigarro de la entrepierna—. Quiero sacarte de trabajar y casarme contigo.

—Se te olvida que tengo una hija.

—¿Y cuál es el problema? La voy a querer como si fuera mía.

—Mira, flaco, a mí no tienes que prometerme nada. —Dora Elsa le besó la mano—. ¿Crees que me importa mucho un mugroso papel? Te dejé mi teléfono porque me gustas.

—Si por mí fuera, me casaba contigo mañana. —Evaristo le acarició el pelo—. Sólo que a lo mejor te quedabas viuda.

—¿Por qué? —Dora Elsa lo miró a los ojos, inquieta—. Desde ayer te he notado muy raro, hasta hablabas en sueños. ¿Tienes problemas con tu jefe, el tal Maytorena?

—Con él y con mucha gente, pero ahorita no te los puedo contar. Mientras menos sepas, menos peligro corres.

—¿Tan fea está la cosa? Cuéntame de qué se trata, a lo mejor te puedo ayudar en algo.

—Ya me estás ayudando. Eres la principal razón que tengo para vivir. ¿Te parece poco?

Conmovida, Dora Elsa lo besó en la boca. Evaristo cerró los ojos y trató de no pensar en nada, pero el miedo pensaba por él, como una segunda conciencia. Si el asesino de Lima se había propuesto amedrentarlo, su plan estaba resultando un éxito, pues había ido a esconderse bajo las faldas de Dora Elsa por el temor de pasar la noche en su departamento. Y ahora, en vez de salir a buscarlo entre los amigos del muerto que habían asistido al velorio, sólo deseaba protección y cariño, como un bebé asustado por los truenos de una tormenta. Mientras Dora Elsa preparaba el desayuno y él terminaba de vestirse, recordó la grotesca sensación de poderío que había experimentado la mañana anterior, mientras interrogaba al reportero de *El Universal*. La compulsión sádica de aplastar al débil, que tanto detestaba en la conducta de los judiciales, de pronto se le reveló como un atributo de su carácter. ¿O sería un defecto común al género humano? El anónimo del parabrisas no había sido un insulto sino un certero diagnóstico. En efecto, era un animal por valerse de su autoridad para humillar a un ser indefenso, como lo había sido el día que atacó alevosamente al anciano de la vinatería. Pero no podía culpar de todo al instinto: en ambos casos había tenido la mente fría, como si en el momento de liberar su agresividad se hubiera desdoblado para observar en acción a su mitad salvaje. ¿Esa bestialidad cerebral y autocomplaciente era lo que el asesino había descubierto en él, como se reconoce a un hermano de leche? ¿O estaba muy pagado de su cultura y lo había tachado de animal sólo para recalcarle que no eran iguales? El anónimo era una prueba de que el asesino pertenecía al gueto cultural donde Lima se había desenvuelto, pero saber eso no le daba ninguna ventaja en la guerra de nervios que estaban librando.

Junto con el café y los chilaquiles, Dora Elsa le llevó a la mesa *La Jornada*. Ya eran más de las tres, pero la noche anterior habían salido del Sherry's a las cinco de la madrugada y el desayuno se les había juntado con la comida. Hojeando el periódico, Evaristo se topó con el desplegado en que los amigos de Lima exigían el esclarecimiento de su muerte a la Comisión Nacional de Derechos Humanos: *Como trabajadores de la cultura y miembros de la sociedad civil, no podemos cruzarnos de brazos ante el artero asesinato del escritor y periodista Roberto Lima, perpetrado por elementos de una corporación policiaca todavía no identificada, con la clara intención de acallar a una voz independiente y crítica. Somos los primeros en condenar los desahogos viscerales en que incurrió nuestro compañero como jefe de la página cultural del diario* El Matutino, *pero si Roberto cometió el delito de difamación, las autoridades debieron proceder legalmente en su contra, y no ejecutarlo a mansalva, con métodos que recuerdan a la Gestapo. Con la muerte de nuestro compañero y amigo se restablece en México un clima de intolerancia y barbarie que creíamos superado. Exigimos que se castigue con todo el rigor de la ley a los responsables de este atentado contra la libertad de expresión, que busca intimidar al periodismo crítico en su conjunto. El asesinato de Roberto Lima debe ser investigado a fondo por el bien de la salud pública, por el bien de la prensa libre, por el bien de todos los mexicanos...*

Evaristo esperaba algo así, pero le sorprendió hallar entre los firmantes del desplegado a Palmira Jackson y al ensayista político Wenceslao Medina Chaires, dos figuras legendarias de la intelectualidad democrática y progresista. Con su apoyo, la protesta podía tener una resonancia enorme y crearle un problemón al procurador Tapia, que se había echado la soga al cuello al mandar a Los Pinos el artículo de Lima con las mentadas al presidente. A esas alturas, quizá ya lo habrían obligado a renunciar. ¿O Jiménez del Solar lo sostendría en su puesto? De cualquier modo, que Maytorena y el señor procurador se arreglaran como pudieran: él no iba a jugarse la vida para sacarlos de apuros. ¿Quién era Tapia a fin de cuentas? Un funcionario mamón que le negaba el saludo en el elevador, un doctor en leyes que no hacía nada por aplicarlas, un vividor del presupuesto dedicado a embellecer su oficina con biombos japoneses y antiguallas del virreinato mientras el hampa creaba un estado en el interior del estado. A la chingada con Tapia. Tomaría el primer avión a Los Ángeles y desde allá sabría por la prensa cómo había resuelto el caso. Por un momento olvidó el plato de chilaquiles y se quedó pensativo, recordando los nombres de algunos viejos amigos que podían darle chamba del otro lado. Iba a proponerle a Dora Elsa que lo acompañara en el viaje cuando volvió la vista al periódico. Si el asesino estaba en el velorio, confundido entre los amigos del muerto, seguramente le habían pedido su firma para el desplegado. Era imposible distinguirlo entre la extensa lista de nombres, pero no le cabía duda de que estaba ahí, seguro de su impunidad, lanzando un escupitajo póstumo sobre la tumba de Lima.

Picado en su orgullo, Evaristo recuperó el coraje y la vocación justiciera: no podía largarse a Los Ángeles y dar por perdida la guerra sin haber luchado siquiera un poco. Necesitaba serenidad y valor, actuar con la cabeza fría, pero con los huevos bien plantados. Dora Elsa tenía un coqueto teléfono inalámbrico en forma de tacón rojo. Lo descolgó y llamó a Rubén Estrella. Esperaba obtener información sobre los enemigos de Lima, pero una secretaria le informó que el señor Estrella había salido a un encuentro de escritores en Villahermosa y que no regresaría hasta el próximo lunes. Marcó el celular del Chamula, y le ordenó pasar a la Procuraduría del Distrito a recoger la agenda que el Gordo Zepeda había encontrado en el departamento de Lima.

—Quiero que tú y el Borrego vayan a interrogar a todos los hombres que aparezcan en la libreta. No les peguen ni los asusten. Sólo quiero que se fijen muy bien si alguno de ellos fuma puro.

—Va estar cabrón ir a tantos lugares. ¿por qué no mejor los detenemos a todos y les damos un baño de agua helada en los separos?

—¿Quieres que nos hagan un pancho más grande? ¿No has visto el desplegado que salió en *La Jornada*? —El Chamula guardó silencio, desconcertado—. Mira, Chamula, yo no quiero inventar un culpable, quiero saber la verdad. El comandante me encargó este asunto y lo vamos a hacer a mi modo.

—Está bien, pero explícame: ¿por qué chingados tenemos que averiguar quiénes fuman puro?

—Orita no te lo puedo explicar. Date una vuelta por el Sherry's hoy en la noche, y tráete al Borrego, para tener una junta los tres.

Volvió al desayunador, donde los chilaquiles se le habían enfriado. Bebió el jugo de naranja, indeciso entre llamar al Gordo Zepeda para averiguar el teléfono de Fabiola Nava —con ella de por medio no podía descartar la hipótesis de un crimen pasional, si había un tercero en discordia— o volver al departamento de Lima en busca de indicios. No había revisado su correspondencia ni sabía si llevaba un diario, pero tendría que examinar sus papeles, con permiso de la familia o sin él. Una tercera posibilidad, la más cómoda, era arranarse en la cama de Dora Elsa y leer su libro de cuentos, por si acaso contenía claves autobiográficas. Abrumado por tener que tomar una decisión, cayó en un bache de inactividad y se puso a hojear *La Jornada*. En la sección cultural encontró un anuncio que le saltó a los ojos: *La editorial Prisma lo invita a la presentación del libro* Los dones del alba, *antología poética de Perla Tinoco. La cita es hoy a las 5 de la tarde en la casa de la cultura Reyes Heroles, Francisco Sosa 97, Coyoacán*. Entre brumas, como si se tratara de algo ocurrido muchos años atrás, recordó que Lima había despotricado contra ella en su borrachera, tachándola de "enana mental" y "burócrata de la cultura". Al parecer, la Tinoco lo había corrido de un trabajo arbitrariamente, a raíz de un pleito que ya no recordaba. Líneas abajo descubrió algo más inquietante: su libro sería presentado por los poetas Pablo Segura y Daniel Nieto, los dos íntimos de Lima que no había podido interrogar en Gayosso. Por lo visto, entre literatos no se acostumbraba guardar lealtades. ¿Cómo podían departir tan alegremente con la Tinoco, si se había portado tan cabrona con su amigo? Por curiosidad, revisó las firmas del desplegado dirigido a la Comisión de Derechos Humanos: Perla Tinoco figuraba en la primera fila de nombres, entre Palmira Jackson y el preclaro Medina Chaires. ¡Vaya cinismo! La puso en primer lugar en su lista de sospechosos, pero enseguida recapacitó: que fuera una hipócrita y una limosnera de notoriedad no bastaba para imputarle el crimen. La presentación del libro era una oportunidad providencial para hacer contacto con ella, y de pasada, sacarle información a Segura y a Nieto, que tampoco le inspiraban confianza. Miró su reloj: eran las cuatro y media. Tomó su saco y volvió a la recámara para despedirse de Dora Elsa, que acababa de darse una ducha y tenía la toalla enrollada en el torso.

—Adiós, chula, tengo que salir corriendo para Coyoacán. Voy a meterme en la cueva del enemigo.

Alarmada, Dora Elsa lo atrajo contra su cuerpo y le pidió que tuviera cuidado.

—No te preocupes, mi vida. Sólo voy a la presentación de un libro. Por la noche te veo en el Sherry's.

Dora Elsa vivía en Iztacalco, en un modesto conjunto habitacional rodeado de jardines que la incuria vecinal había convertido en basureros. Salió de su edificio con la moral en alto y creyó que por fin había dominado el miedo, pero al tomar el volante le sudaron las manos, y en todo el viaje no cesó de mirar el espejo retrovisor, creyendo que lo seguían.

Por culpa del tráfico llegó a la presentación con un retraso de 10 minutos. El pequeño salón, ubicado en la planta baja de una vieja casona colonial, tenía capacidad para unas 80 personas y estaba casi vacío. Agolpada en las primeras filas, la escasa concurrencia parecía formar un grupo cerrado, una minoría excluyente y orgullosa de serlo. Al primer golpe de vista, notó una gran diferencia con los asistentes al velorio de Lima. También aquí los hombres llevaban pantalones de mezclilla o de pana, pero acompañados con suéteres de cachemira y gabardinas italianas de última moda. Lo que en la gente del velorio era una necesidad impuesta por el bolsillo, en ellos era una coquetería. Las mujeres, libradas ya de cualquier tentación populista, lucían su mejor ropa de coctel: vestidos cortos de seda, abrigos de piel de nutria, conjuntos de saco y pantalón con llamativas mascadas. Evaristo no había estado en la presentación de un libro desde los años setenta, cuando el folclorismo de izquierda imponía un sello igualitario a la familia cultural, y sintió nostalgia por las camisas de manta, los jorongos, los huaraches y las cintas en la frente, que al menos atenuaban las diferencias de clase. ¿Eso era la posmodernidad? Pues qué chingadera. En el estrado, al centro de una mesa rectangular cubierta con un mantel verde, Perla Tinoco se sostenía la barbilla con el puño, en un gesto de mujer pensativa que al mismo tiempo le ayudaba a disimular la papada. Le calculó 50 años y 90 kilos. Hinchada del rostro, pero con rasgos finos que daban testimonio de su antigua belleza, llevaba un peinado de salón un tanto aparatoso y jugaba nerviosamente con su collar de perlas, sonrojada por los desmedidos elogios de Daniel Nieto.

—Avecilla de fina estampa que viaja de ensueño en ensueño, solitaria y altiva en su libertad, Perla Tinoco sabe que la búsqueda del poeta consiste en volar siempre más alto, hasta alcanzar las orillas del gran silencio, el espejo oscuro de lo innombrable. En su vuelo poético, Perla describe por momentos curvas arriesgadas, otras veces planea suavemente como una gaviota y nos entrega versos de la más encantadora sencillez, como en la magnífica serie de haikais titulada "Pórtico", donde la conjunción de levedad y brevedad produce un abanico de fulguraciones. Pero es en los poemas de largo aliento donde Perla encuentra su propia voz, una voz renovadora y personalísima que no tiene precedentes en la poesía mexicana de nuestro siglo...

Encogido en el asiento, Evaristo se sentía observado y reprobado como yuppie cultural. Había en el ambiente un olor a estabilidad financiera que chocaba con su idea romántica de la literatura. Para él, todo escritor digno de ese nombre, más aún si era poeta, debía estar inconforme con la realidad y desesperado por cambiar el mundo. Los que tenía enfrente parecían hechos de otra pasta: no deseaban cambiar nada, sino revestir la podredumbre con su retórica preciosista, como si vivieran en un país culto, desarrollado y libre, donde la literatura de combate resultara superflua. Nieto recibió un aplauso desganado al final de su intervención. Para no desentonar, Evaristo aplaudió también, con más entusiasmo que los señoritos engarrotados del público. Tomó el micrófono Pablo Segura, un güero cuarentón de mejillas hundidas y lentes a la John Lennon que empezaba a quedarse calvo. Segunda remesa de elogios para Perla, ahora en un lenguaje hinchado de espesura conceptual, más cercano a la física nuclear que a la crítica literaria:

—Constelación de signos, aventura oximorónica de alto poder centrífugo, *Los dones del alba* marca un hito en la poesía mexicana contemporánea. Exploradora de paralelismos inéditos, al borde siempre de la anarquía semántico-discursiva, Perla Tinoco alcanza con este libro la plenitud de su estilo, un estilo que al mismo tiempo es un metalenguaje, una inquisición radical de los paradigmas escriturales en boga...

Los hombres tosían de impaciencia, las mujeres cruzaban y descruzaban las piernas y hasta la propia Perla Tinoco bebía un vaso de agua tras otro, descuidándose la papada al momento de deglutir. Sólo Evaristo escuchó impertérrito el extenso rollema de Pablo Segura, temeroso de que su aburrimiento lo delatara como intruso. Había llevado una libreta para hacerse pasar por periodista y hacía como que tomaba apuntes. "Si esto es cultura —pensó— me quedo con *El libro vaquero*." Cuando creía que el tormento había terminado, Segura le pasó el micrófono a Perla.

—Buenas tardes, amigos. Muchas gracias por acompañarme. Gracias también a Pablo y a Daniel por su interés en mi obra, que me compromete a escribir mejor. Ustedes son la inmensa minoría que mantiene viva la poesía en un mundo que ha perdido la capacidad de soñar. A ustedes me debo y por ustedes escribo. Cuando era niña me dijeron que a las palabras se las lleva el viento. Crecí entre libros y al llegar a la adolescencia descubrí que estaba hecha de palabras. Entonces, por miedo a quedar borrada de un soplo, escribí mis dos primeros poemas que titulé "Canciones para detener el viento". Ahora sé que todo poema es una raya en el agua, un vano artificio del cuidado, como decía sor Juana, y sin embargo, por costumbre, tenacidad o vicio, me he mantenido fiel a una vocación que para mí es tan indispensable como el pan o la sal...

A continuación, la Tinoco leyó una muestra de su obra poética, empezando por los haikais de la sección "Pórtico". Cada uno llevaba seis o siete epígrafes de otros tantos poetas (Eliot, Rimbaud, Kavafis, Ungaretti, Novalis) que Perla citaba en su idioma original con una pronunciación impecable, como preludio a su evanescente destello de inspiración.

*A la sombra del níspero*
*mi alma es un pájaro*
*mecido por el follaje.*

"Tanto pedo pa' cagar aguado", pensó Evaristo, que había llenado la libreta de garabatos y ahora dibujaba una marrana con la cara de Perla. "El Chamula tiene razón: lo mejor sería llevarnos a todos estos cabrones a los separos, para que lean sus chingaderas allá." Todavía faltaba la parte más emotiva del recital, en la que Perla leyó con voz entrecortada una "Elegía por la muerte de mi madre", que según su propia confesión estaba "escrita con sangre y lágrimas". Evaristo se alegró de que sólo tuviera cuatro epígrafes, dos de ellos en búlgaro antiguo. La elegía duró casi 10 minutos y hubo un momento en que la Tinoco estuvo a punto de soltarse a llorar. Cuando terminó la lectura, le dio una ovación de pie para empezar a congraciarse con ella.

—Una vez más les agradezco su compañía y ahora quiero invitarlos a que pasen al fondo del salón, donde la editorial Prisma les ofrecerá un coctel y unos bocadillos.

En el coctel, angustiado por no conocer a nadie y tener que beber a solas mientras los demás charlaban en grupos, Evaristo sintió que su soledad era un estigma, un llamativo traje de carnaval. Para ocuparse en algo compró *Los dones del alba* en un puesto improvisado a la entrada del salón. El libro le dio un pretexto para infiltrarse en el corrillo de gente que rodeaba a la autora.

—Maestra Tinoco, ¿sería tan amable de darme su autógrafo? —Evaristo le tendió el libro con una mirada de veneración—. Me llamo Luciano Contreras, hago crítica literaria, y admiro mucho su poesía. Nunca me imaginé que usted fuera tan joven.

—Gracias, qué lindo. —La Tinoco le obsequió una dedicatoria breve con una sonrisa condescendiente—. Su nombre me suena. ¿Usted escribe en *El Semanario de Novedades*?

—No, en *El Matutino*.

—¿El periódico donde escribía el muchacho ese que mataron?

—Se llamaba Roberto Lima. ¿Usted lo conocía?

—Cómo no. Trabajamos juntos en la Universidad Simón Bolívar. No llegamos a ser amigos, pero lo estimaba mucho, como persona y como escritor.

—Él también se expresaba muy bien de usted —ironizó Evaristo—. Antes de morir me pidió que la entrevistara.

—¿De veras? —Perla enarcó las cejas, desconfiada—. Pues ahorita no puedo, tengo que atender a mis invitados, pero hábleme a la oficina y nos ponemos de acuerdo. Le voy a dar mi teléfono...

Por su tarjeta de presentación, Evaristo se enteró de que Perla fungía como subdirectora ejecutiva del Conafoc (Comité Nacional de Fomento a la Cultura), la institución cultural de moda, que agrupaba y coordinaba a todas las del estado, con un presupuesto multimillonario. De nuevo solo, pero con el apoyo psicológico de un jaibol, se puso a hojear el libro de la Tinoco y en la página 34 descubrió una exuberancia con "h" que le recordó el motivo de sus querellas con Lima. Pinche vieja. Mucho búlgaro antiguo pero no sabía español. La estimación que sentía por él se reafirmó al considerarlo una víctima de ese mundillo snob, donde sólo tenían cabida los arribistas como Daniel Nieto y Pablo Segura, quienes charlaban muy animados con un joven alto y distinguido que llevaba gazné y saco de tweed (seguramente un banquero poeta, dedujo) sin despegarse de la mesa donde servían el trago. Su amistad con la Tinoco era una ofensa a la memoria de Lima, pero él estaba ahí para semblantearlos, no para echarles un sermón sobre la lealtad. Cuando el milloneta del gazné hizo mutis y abandonó el salón, Daniel y Pablo se quedaron botaneando junto a la mesa. Evaristo apuró su jaibol de un trago y se acercó a ellos.

—Buenas noches. Perdonen la molestia, pero quisiera hablar con ustedes. Me llamo Luciano Contreras y estoy haciendo un reportaje sobre la muerte de Roberto Lima.

—Qué bueno. —Segura estrechó su mano—. Alguien tiene que ponerse a investigar el crimen, para presionar a la policía.

—Ayer hablé en el velorio con Rubén Estrella y me dijo que ustedes eran muy amigos de Lima.

—Amigos no, éramos uña y mugre —corrigió Nieto—. Cuéntale, Pablo, de la vez que nos fuimos a Acapulco sin un centavo y terminamos durmiendo en Caleta, con una jauría de perros encima.

—El Robert era un tipazo, un espíritu libre que no le tenía miedo a nada. —Segura miró al vacío, consternado—. Vivía en el filo de la navaja porque nunca transigió con la miseria moral de este mundo, ni como escritor ni como persona. Yo lo quería mucho. La noticia de su muerte me partió la madre. ¿Por qué le tenía que tocar a él, carajo?

Al principio sus comentarios tenían el aire estudiado de los pésames que se dictan por teléfono a un reportero, pero a medida que pasaban las bandejas de tragos iban cobrando emoción y sinceridad. Nieto recordó con asombro la disciplina intelectual de Lima, que a los 21 años ya se había leído a Tolstoi, a Borges, a Flaubert, a los Contemporáneos, a todo el boom y hasta la Biblia completita en la versión de

Casiodoro de Reyna. Segura le arrebataba la palabra para evocar la pasión con que Lima defendía sus gustos literarios, donde no se andaba con medias tintas: sólo había blanco o negro, genialidad o basura. Su radicalismo y su integridad lo habían marginado prematuramente del establishment literario, donde culaquier intemperancia estaba mal vista. De tanto pelearse con los falsos valores del medio, se fue convirtiendo en un lobo estepario, aborrecido pero respetado, al que nadie invitaba a ningún coctel porque a las primeras de cambio le tiraba sus netas al anfitrión y lo ponía en evidencia delante de todo el mundo.

Al oírlos hablar con tanta calidez del amigo ausente, sin la rígida expresión de autoridades literarias que llevaban puesta en el estrado, Evaristo entró en confianza y los interrogó sobre la vida de Lima en los últimos meses: ¿Sabían de alguien que deseara matarlo? ¿Tenía problemas con su familia o con su pareja? ¿Debía dinero? ¿Qué lugares frecuentaba? Ninguno de los dos creía que los enemigos de Lima en el medio literario tuvieran nada que ver con el crimen.

Segura opinaba que Lima en el fondo estaba deseando la muerte. De hecho se lo había confesado semanas antes del crimen, cuando remataron en Garibaldi una borrachera iniciada horas antes en una cantina. Pobre de mí, cantaba con los mariachis, esta vida mejor que se acabe, y aunque por hombría se calló el motivo de su dolor, Segura lo atribuyó a la traición de Fabiola Nava, la última de sus amantes, que había resultado una verdadera fichita.

—¿Qué le hizo? —preguntó Evaristo—. ¿Lo dejó por otro?

—Pregúntaselo tú mismo, si es que te da una entrevista. No sé quién haya matado al Robert físicamente, pero ella le había partido el alma. Y encima tuvo el descaro de ir al velorio. Mi esposa quería sacarla del pelo.

Interrumpió a Segura una pareja que se despedía y Nieto aprovechó para llamar al mesero, que le mostró desde lejos la charola vacía.

—¿Cómo que ya no hay whisky? —El mesero se encogió de hombros—. Siempre pasa lo mismo con esta pinche editorial. Nomás lo dejan a uno picado.

El coctel se había acabado antes de empezar. Quedaba muy poca gente en el salón, los meseros ya estaban recogiendo los vasos y hasta la propia Perla Tinoco iba de salida, escoltada por un grupo de amigos. Evaristo paró la oreja y alcanzó a oír su charla. Querían que Perla escogiera el sitio donde irían a cenar. ¿Estaba bien el Tajín o prefería el nuevo restorán de *nouvelle cuisine* que acababan de abrir en Planco?

Daniel y Pablo miraban con tristeza el fondo de sus vasos. Intrigado por la traición de Fabiola, que podía ser la clave para resolver el crimen, Evaristo les propuso ir a tomar una copa a otra parte. La rápida y entusiasta aceptación de los dos disipó sus recelos: era evidente que no pertenecían al círculo encopetado de Perla Tinoco, sino al democrático ambiente de la bohemia, donde las diferencias de clase y rango intelectual desaparecían frente a una botella. En la Plaza de Santa Catarina cada uno tomó su coche y por sugerencia de Nieto se dirigieron al Trocadero, un bar de San Ángel "frecuentado por las mejores nalguitas de México".

Como temía, el lugar resultó un almacén de vanidades insatisfechas donde la gente chic iba a ser vista más que a beber. En una vieja casa acondicionada como cantina de lujo, con arañas de cristal, mesas enanas de mármol y pinturas originales en venta, se congregaba una clientela marginal pero acomodada compuesta por actrices de teatro universitario, escenógrafos, escritores de inspiración fácil que volcaban su genio en las servilletas, críticos de cine, creadores de performance y niñas bien que iban a rozarse con gente famosa, a pesar de que la gente famosa —según le informó Nieto mientras aguardaban mesa— nunca se paraba en ese lugar y sólo caían de vez en cuando algunos aristogatos de Octavio Paz. Todos vestían con estudiada informalidad, como si hubieran tardado varias horas en elegir sus garras. Pidieron una ronda de jaiboles y Evaristo fue al grano:

—Me dejaron picado con lo de Fabiola. ¿Qué le hizo a Lima?

—Mejor hablemos de otra cosa —lo paró Nieto—; no quiero que me salgan herpes en la lengua.

—Pero es que yo necesito saber...

—Daniel tiene razón. Hay cosas que no se pueden contar en un lugar como éste, donde cualquiera puede estar oyendo. Confórmate con saber que lo traicionó, y no con un tipo cualquiera, sino con su peor enemigo.

—¿Con quién?

—Su nombre no te va a decir nada y si te lo damos nos podemos meter en broncas. ¿Qué tal si nos sacas a balcón en tu reportaje? Ni siquiera te conocemos.

—Pero esto es confidencial. Les juro que no voy a publicar nada de lo que me cuenten.

—No insistas, por favor. —Nieto se tomaba su interés a chunga—. Vamos a creer que eres detective.

—Tengo que serlo, para escribir algo que valga la pena.

—Entonces vete a investigar a la judicial —se impacientó Segura—. Ellos fueron los que lo mataron.

—Tengo mis dudas. No creo que sus rabietas en *El Matutino* representaran un peligro para el sistema. Lima no tenía lectores ni su voz pesaba en la opinión pública. ¿Alguno de ustedes leía las notas que sacaba en la sección cultural?

—Lo queríamos, pero no a ese extremo —admitió Nieto.

—¿Ya ven? Los grandes cacas del gobierno podrán ser corruptos, pero no pendejos. ¿Para qué iban a matar a un loco inofensivo? Manuel Buendía escribía la columna política más leída de México, y denunciaba con las pruebas en la mano a gente de muy arriba. Él sí era una amenaza para el poder. Lima sólo daba palos de ciego, sin afectar los intereses de nadie.

—Pero si no lo mató el gobierno, ¿entonces quién? —preguntó Segura.

—No lo sé, pero entre los escritores hay rivalidades muy fuertes. Yo no descarto por completo a la gente del medio...

—No pensarás que alguno de nosotros le sorrajó el librazo, ¿verdad? —bromeó Segura.

—Ustedes eran sus amigos, pero mucha gente no lo quería. He estado investigando y sé que tenía algunos enemigos. Entre ellos Perla Tinoco.

—Pero hombre, ¿a poco sospechas de ella? Perla Tinoco es incapaz de matar una mosca —aseguró Nieto—. Ella sólo es criminal en su poesía.

—La Tinoco se peleó con el Robert hace como 10 años, pero el pleito no pasó a mayores —recordó Segura—. Creo que le dijo ignorante y ella lo corrió de un trabajo. Así es la cerda: no soporta que le digan verdades.

—Creí que ustedes la admiraban.

—Yo sí la admiro —intervino Nieto—. La admiro porque siendo la poetisa más cursi, ramplona y analfabeta de México, ha reptado con una habilidad increíble para llegar al lugar donde está.

—Pero hace un rato, en la presentación de su libro, dijiste que era una maravilla —observó Evaristo.

—Y qué querías que dijera, si Miss Piggy es la virreina del Conafoc. Todo pasa por su oficina: ella reparte becas, premios, ediciones, viajes al extranjero, y tiene muy mala leche cuando se siente ofendida. Cuidado con estar en su lista negra, porque ya te chingaste para todo el sexenio. Yo no soy un héroe como el Robert, a mí el billete me gusta mucho, y si ella cree que es la encarnación de sor Juana con unos cuantos kilos de más, ¿qué me cuesta darle por su lado?

—Hay veces en que uno debe ser mentiroso por diplomacia —explicó Segura—. La Tinoco nos invitó a presentarle su libro ¿Qué querías? ¿Qué se lo hiciéramos pedazos enfrente de sus amigos? Hubiera sido una chingadera. Ella sabe que le hicimos un favor y dentro de poco nos lo va a tener que pagar. Así funciona esto: hoy por ti, mañana por mí.

—Pues yo me la tragué toda —mintió Evaristo—. Creí que de verdad era chingona.

—Porque no sabes cómo se hace la crítica en México —intervino Nieto, aleccionador—. Lo que se dice en público no cuenta. Son puras fórmulas de cortesía. En charlas de café o en reuniones de amigos es donde nos tiramos la neta, siempre y cuando el criticado esté ausente. Eso fue lo que el Robert nunca entendió. Quería decir la verdad en los periódicos o gritársela en la cara a los escritores y la gente del medio lo alucinaba.

—Pobre cabrón —continuó Segura—. Se amargó la vida por necio. Cuántas veces no le dije: Robert, agarra la onda, qué ganas con partir madres a diestra y siniestra. Aprovéchate de los pendejos en vez de pelearte con ellos. Pero él se tomaba a lo trágico nuestro mundito literario, que es para morirse de risa. Era un personaje de Tolstoi, obsesionado con la verdad y la rectitud, metido en una novela picaresca llena de estafadores, charlatanes, lambiscones y putas.

Evaristo miró su reloj, contrariado. Tenía cita con el Chamula en el Sherry's y la conversación se estaba desviando por una vereda que podía conducir a muchas partes, menos a la traición de Fabiola Nava. Nieto y Segura habían vuelto a caer de su gracia, pues temía que al darse media vuelta para ir al baño le dieran el mismo tratamiento que a Perla Tinoco. Y aunque ninguno de los dos fumaba puro, de cualquier modo los anotó en su lista de sospechosos, con la etiqueta de hipócritas. Por si fuera poco, el ambiente del bar le ponía los complejos de punta. La vulgaridad oficinesca de su traje a rayas desentonaba con la sofisticación del personal que lo rodeaba. El gran fracaso de su vida era no haber sido escritor y su ropa lo proclamaba a los cuatro vientos, para regocijo de la clientela, que sin duda se reía de él por lo bajo. ¿Cómo te atreves a venir aquí, parecían decirle con la mirada, si no eres nadie en el mundo de la cultura?

—Híjole, qué pena. —Se levantó de improviso—. Tengo que escribir una nota para mi periódico. Me van a perdonar, pero si no entrego antes de las 12, mi jefe me mata...

—Eso no se vale —protestó Nieto, arrastrando las eses—. Primero nos traes acá y luego te cortas.

—Discúlpenme por favor, se me olvidó por completo que tenía chamba.

—Uuuy, qué gacho. Tómate la última, hombre, y si tu jefe se enoja yo te consigo trabajo en algún suplemento —le propuso Segura—. ¿Qué quieres hacer? ¿Entrevistas, reseñas, crónicas?

Evaristo le prometió tomar en cuenta su oferta, pero no quiso tomarse "la última", a pesar de sus quejas. Intercambiaron teléfonos y quedaron de verse otro día para seguir hablando de Lima, cuando ya tuviera escrita la primera parte del reportaje. Iba a dejarles pagada la cuenta, pero al momento de sacar la tarjeta recordó su falsa identidad y se limitó a pagar en efectivo lo que había consumido. Luciano Contreras era un periodista prángana y no podía derrochar su dinero en invitaciones, como si fuera un magnate. Afuera, liberado de la presión psicológica que le imponía el lugar, le dio un trago largo a su botella de Old Parr, se vio en el espejo retrovisor y desahogó su resentimiento pensando en voz alta: "No escribí nada, cabrones, pero soy su padre."

Cuando llegó al Sherry's, su segundo hogar, disfrutó como nunca el trato confianzudo del capitán Efrén, las bromas de los meseros, la sonrisa de Rosita la cigarrera. Complacido, saludó con la mano a las putillas vetarras que ocupaban las mesas más oscuras, donde mejor podían disimular sus flácidas carnes, y envió desde lejos un beso a Dora Elsa, que bebía champaña sentada en las piernas de un gordo de chamarra texana, con facha de cacique rural. Como suponía, el Chamula y el Borrego ya lo estaban esperando en la mesa más próxima al "nalgódromo" —la pasarela donde circulaban desnudas las bailarinas de table dance— con su habitual botella de coñac Napoleón. Enfrascados en un pleito de borrachos, ni siquiera lo vieron llegar.

—Delante de mí no vas a decir eso, cabrón. El comandante es mi amigo y me lo respetas —gritaba el Chamula, furioso.

—Yo digo lo que se me hinchan los huevos —insistía el Borrego—. Maytorena es un hijo de la chingada y tú eres un maricón que se arruga delante de él.

—El maricón eres tú por hablar a sus espaldas. —El Chamula se levantó empujando la mesa—. Ve y grítale en su cara lo que me estás diciendo, a ver si es cierto que eres tan macho.

—Párenle, cabrones —intervino Evaristo, separándolos—. Con esos gritos van a espantar a la gente. ¿Qué mosca les picó?

—Este hocicón, que se siente muy chingoncito y está levantándole falsos al comandante —dijo el Chamula.

—Que diga Evaristo quién tiene razón. —El Borrego se volvió hacia él, tomándolo como juez—. Ayer íbamos a hacer un cateo en un almacén de la Agrícola Oriental donde supuestamente guardaban coca unos hondureños. Cuando nos vieron llegar salieron de adentro con sus metralletas, y el pinche Maytorena que grita: órale güeyes, salgan a darles macizo, pero en vez de entrarle a la balacera, el culero se quedó escondido detrás de la Suburban. Y todavía éste se enoja porque le hablo mal de su pinche jefe.

—Maytorena te sacó de pobre —gritó el Chamula—. Si no fuera por él, estarías vendiendo chicles en un semáforo.

—Soy un explotado igual que tú. No seas pendejo, Chamula. ¿Cuánto le has dado a ganar desde que trabajas con él?

—Para mí el señor es como un padre, cabrón, y si no te callas te voy a callar a balazos.

—¿De veras le tienes tanta ley al maricón de tu jefe? ¿Nomás porque te regaló una casa con goteras y una silla de ruedas para tu mamá? Qué poco vales, mano. ¿Y los malos tratos? ¿Y las humilladas que te pone todos los días?

—¡Basta ya! —los calló Evaristo—. Al rato se dan en la madre allá afuera, pero aquí adentro esténse sosiegos.

—Yo estoy calmado. —El Chamula volvió a su silla—. El que me provoca es éste, con sus habladas.

—¿Habladas? ¿Vas a negar que Maytorena se quedó escondido en la balacera? Chale, te manda al matadero y todavía lo defiendes. Tanto amor ya me huele mal. Para mí que tú también te lo abrochas, como todas sus novias.

—¡Ya estuvo bueno! —estalló el Chamula, arrojando su vaso al Borrego, que se echó hacia atrás para esquivarlo y cayó al suelo con todo y silla.

Cuando iba a desenfundar su pistola, el Chamula sacó su escuadra y lo madrugó a quemarropa. Todo sucedió en cuestión de segundos. Cuando Evaristo quiso intervenir, el Borrego ya agonizaba en el suelo, con dos balazos en el estómago y uno en la frente. Al oír los disparos la orquesta dejó de tocar, las bailarinas de table dance se parapetaron detrás del nalgódromo y la clientela se escondió debajo de las mesas. El capitán Efrén trató de atajar en la puerta al Chamula, que le pegó un cachazo en la frente y salió corriendo a la calle. Aunque el Borrego ya estaba tieso y azul, Evaristo llamó a la Cruz Roja y le quitó su charola de judicial, para evitar el previsible periodicazo. Junto con la ambulancia llegaron dos policías de uniforme. Querían llevarse detenidos a los meseros, a los clientes, a las ficheras de mejor cuerpo y hasta al ciego que pedía propinas en el baño. Evaristo tuvo que amenazarlos con llamar al procurador para que soltaran a los detenidos. En la delegación Cuauhtémoc, donde levantaron el acta, se arregló por debajo del agua con el MP, viejo conocido suyo y cómplice de Maytorena en mil contubernios, para que presentara el asunto como una riña de borrachos ocurrida a las afueras del Sherry's y omitiera mencionar que la víctima era judicial. De ese modo evitó la posible clausura del antro, desquitando por fin la iguala que había cobrado por más de 15 años.

A las cuatro de la mañana, rendido de fatiga, llegó a su departamento sin Dora Elsa, que se había ido a un hotel con el gordo de la chamarra texana. Empezaba a acostumbrarse al calor de su cuerpo y al apagar la luz la cama se le hizo enorme. Un efluvio incesante de reflexiones lo mantuvo despierto hasta el despuntar de la aurora. La mirada incrédula del Borrego cuando le sustrajo la credencial del saco le había causado una tremenda impresión. Parecía sorprendido de que el Chamula se tomara tan a pecho una broma. Sin embargo, le repugnaba más aún el asesinato a traición que había presenciado minutos antes en el bar Trocadero, cuando Segura y Nieto habían apuñalado por la espalda a su amiga Perla Tinoco, después de elogiarla en público. Como asesino, el Chamula era indefendible, pero podía darle una lección de lealtad y honradez a los dos literatos, que vivían en un mundo de palabras, y sin embargo habían degradado el lenguaje hasta despojarlo de todo compromiso moral. ¿Cuántos escritores habrían sido víctimas de su retórica fraudulenta? El Borrego estaba muerto por decir lo que pensaba y el Chamula lo había matado por atreverse a decirlo, de acuerdo con un código de honor incomprensible para Nieto y Segura, que en materia de nobleza y hombría quedaban muy por debajo de cualquier gatillero. Hasta cierto punto, su conducta explicaba el anónimo del parabrisas: si el asesino de Lima era un hombre de letras, no podía esperar que se abriera de capa y jugara limpio.

—¿QUÉ TAL, EVARISTO? Habla el Gordo Zepeda para preguntarte si ya leíste mi libro. Perdona la insistencia, pero es que tu opinión me interesa mucho. Voy a estar aquí en mi oficina todo el día. Háblame, por favor, a ver si comemos juntos.

—Buenos días, tengo un recado para el señor Luciano Contreras de parte del maestro Rubén Estrella, del Instituto de Artes y Letras. Dice el maestro que ya regresó de Villahermosa y va a estar en su oficina hoy en la mañana, por si lo quiere ver. La dirección es avenida Revolución 1137, quinto piso, a la altura del Museo del Carmen.

—Buenos días, Evaristo, perdón, Luciano, se me olvidaba que tienes dos nombres. Ya me contaron que ayer estuviste en el bar Trocadero, metiendo la nariz donde no te importa ¿quién te has creído? Un simio como tú no puede ni debe asistir a esos sitios para gente culta. ¿O a poco me vas a decir que en la judicial leen a Jünger? Yo en tu lugar me andaría con cuidado, no vaya a ser que por andar de preguntón le pase algo malo a tu noviecita del Sherry's.

Con el estómago vuelto al revés, Evaristo apretó el botón de *save* y volvió a escuchar la amenaza de su perseguido perseguidor, que al parecer le llevaba siempre un caballo de ventaja. ¿Era alguno de los tipos que estaban en el bar? ¿Nieto o Segura? Si no era ninguno de ellos, ¿cómo lo podía seguir tan de cerca? Regresó la cinta dos veces más para estudiar el mensaje. La voz nasal, seguramente distorsionada con un pañuelo, no podía darle ningún indicio. Tampoco los ruidos del fondo, el típico ronroneo de motores que se escucha desde cualquier teléfono público. Una baja de presión lo obligó a sentarse. Ya no era él solo quien corría peligro. También Dora Elsa, y si algo malo le pasaba nunca se lo podría perdonar. ¿Qué le importaba Lima después de todo? Se había dejado llevar por un arrebato sentimental, creyendo ingenuamente que los unía una causa común, una supuesta afinidad entre almas gemelas. De ese error se derivaban todas las dificultades y riesgos que ahora debía sortear con sus gastados nervios de alcohólico. Era un fracaso como detective y no necesitaba un balazo en la sien para confirmarlo. ¿Qué esperaba para largarse a Los Ángeles?

Temiendo que su espía lo estuviera observando con un telescopio desde el edificio de enfrente, se levantó a cerrar la ventana que daba a Río Mississippi. Vestido con lo primero que encontró en el clóset, salió a desayunar al Sanborns del María Isabel. Compró el *Proceso* en la sección de libros, repleta de maricones en shorts que ligaban con el pretexto de la lectura, y se puso a hojearlo en el excusado, mientras evacuaba un cólico nervioso. Como temía, la revista daba una amplia cobertura al asesinato: ATRIBUYEN A UN JUDICIAL LA MUERTE DEL PERIODISTA ROBERTO LIMA, decía la cabeza del reportaje, ilustrado con el retrato hablado del presunto homicida, *según la descripción del periodista Mario Casillas, que horas antes del crimen fue intimidado en las oficinas de* El Matutino *por un sujeto de estas características, quien se presentó como agente de la* PJF *y en tono prepotente le exigió la dirección de Lima*. Por fortuna, el dibujo a lápiz era tan burdo que ponía en peligro de arresto a millones de mexicanos. El reportaje incluía fragmentos de varios artículos en los que Lima había insultado al presidente Jiménez del Solar y llamaba la atención sobre el misterioso informante que había telefoneado la noche del crimen a la redacción de *El Universal*: *Se presume que podría tratarse de un testigo presencial del homicidio, quien oculta su identidad por temor a las represalias.* En su declaración, destacada en un recuadro, Palmira Jackson responsabilizaba al presidente del crimen: *"Con éste ya son 36 periodistas asesinados en lo que va del sexenio. ¿Cuántos más deben caer para que el gobierno ponga un freno a la impunidad? Cada año, el presidente brinda con los periodistas el Día de la Libertad de Expresión, pero en México la censura existe y se ejerce a balazos. Es terrible escribir con la amenaza de que en alguna parte, oculto en la sombra, te acecha un matón con placa de policía."* Más que una escritora, la Jackson era una figura de autoridad moral. Desde su histórico reportaje novelado sobre la represión del movimiento ferrocarrilero, se había convertido en la conciencia de México. Todos los rebeldes, todas las víctimas de atropellos políticos o desastres naturales contaban con su apoyo incondicional. Era la defensora de los pobres, a quienes brindaba su pluma y su aval en contra de los poderosos. Evaristo la leía desde la adolescencia, le profesaba una admiración sin límites y no podía tomarse a la ligera sus acusaciones. Él estaba limpio de sangre, incluso había querido salvar a Lima, pero en el juicio público montado por la revista, donde Casillas interpretaba el papel del fiscal, él personificaba al siniestro "matón con placa de policía" que amenazaba a los periodistas independientes. Culpable en el papel, se sintió abochornado y dolido, casi culpable en la realidad, por resultarle sospechosa una institución tan venerable como Palmira Jackson.

El reportaje obró como un revulsivo moral que le hizo abortar la idea de viajar a Los Ángeles. De vuelta en casa, decidido a limpiar su nombre, buscó el número de Fabiola Nava en la agenda de Lima y la llamó por teléfono. Después de varios timbrazos le contestó una sirvienta.

—Acaba de salir en este momento, ¿quién le llama?

Sospechó que Fabiola se estaba negando. Dio su nombre falso y su número celular, sin esperanza de obtener una cita. Por lo menos algo estaba claro: la bella Fabiola tenía cola que le pisaran: por algo no quería recibirlo. Con la cabeza llena de conjeturas novelescas, oyó de nuevo el recado telefónico de Rubén Estrella y anotó la dirección de su oficina. Por salud mental no quiso volver a escuchar el mensaje del enemigo. Era evidente que pretendía desmoralizarlo, hacerle perder la cabeza, aunque su animosidad sugería que también él se sentía amenazado, lo cual era una buena señal, pues significaba que lo había puesto nervioso. Esta vez no le dio miedo salir a la calle, pero en el trayecto al Instituto de Artes y Letras tomó la precaución de llamar a Dora Elsa por el celular, para recomendarle que saliera lo menos posible de casa y cuando lo hiciera llevara su diminuta 22 en el bolso.

—¿Por qué tantas precauciones? ¿Pasa algo malo, mi amor?

—Luego te explico, pero de momento hazme caso. Y otra cosa, muñeca: ponte buza con los clientes del Sherry's. No te vayas al cuarto con ninguno que te hable de libros o tenga facha de escritor.

Al entrar al edificio del instituto —una torre de 28 pisos, con cuatro elevadores y una recepción palaciega donde había que identificarse para obtener un gafete de entrada—, Evaristo se sorprendió de que un país tan pobre como México tuviera esos elefantes culturales. Calculó que trabajaban ahí unas 2 mil personas. ¿Haciendo qué? Al bajar del elevador en el quinto piso le sorprendió el buen palmito de las secretarias, lujo insólito en una oficina pública, que daba una impresión de frivolidad y largueza presupuestal. Lo que no le sorprendió, por su semejanza con el ambiente laboral de la procuraduría, fue la parsimonia de los empleados, reunidos en alegres corrillos donde tomaban café con galletas. La única diferencia era que los burócratas de su oficina leían periódicos deportivos y los del instituto, más politizados en su ocio, devoraban *La Jornada* o el *Proceso* con una expresión grave y reconcentrada, robándole tiempo al estado opresor que les pagaba por calentar el asiento. Rubén Estrella lo llamó con señas desde su cubículo. Era el único empleado que hacía su trabajo en cien metros a la redonda.

—Siéntate, por favor. Nomás acabo de corregir estos cartones y platicamos.

Llevaba un chaleco floreado, camiseta de la última gira de Pink Floyd y tenis blancos muy sucios. En su brazo derecho, cerca del hombro, un tatuaje color turquesa con el dibujo de un mandala dejaba traslucir sus lecturas orientalistas. Con la luz del sol en la cara se veía más viejo, y por lo tanto, su atuendo juvenil resultaba más anacrónico. Evaristo lo estimaba desde su encuentro en Gayosso y sintió que podía confiar en él. Era evidente que venía de muy abajo y se había integrado con dificultades a un medio elitista. Pertenecían a la misma generación, su origen humilde los hermanaba, pero entre los dos existía una barrera moral infranqueable que lo disuadió de revelarle su identidad: si Estrella pensaba como se vestía, si conservaba sus ideales de sesentero, jamás confiaría en un agente de la judicial.

—Ahora sí ya terminé. Perdóname, pero es que los lunes me toca cerrar edición. ¿Conoces la revista del instituto?

93

—Estrella le mostró uno de los cartones—. Yo no sé para qué hacen esta chingadera, si nadie la lee. Tiramos 40 mil ejemplares, pero el 90 por ciento de la edición se queda en la bodega.

Evaristo quería romper el hielo antes de entrar en materia.

—¿Cómo estuvo el congreso de escritores en Villahermosa?

—Pinchísimo. No sabes qué difícil es convivir tres días con puros ególatras. Acabas con el hígado hecho puré. O te vuelves hipócrita y le entras al intercambio de elogios falsos o quedas como mamón. Yo nomás llegué, leí mi ponencia y al día siguiente me largué a Palenque. Por suerte no había turistas y me pude dar un toquecito en el Templo de las Inscripciones, con toda la selva enfrente. A la bajada me di un madrazo en la escalera, pero el alucine estuvo de poca madre.

—Pues yo quería hablar contigo sobre Roberto...

—¿Cómo va tu reportaje? La judicial se está haciendo pendeja con la investigación. Quieren que pase el tiempo y la gente se olvide del asunto, pero esta vez se la van a pelar. ¿Ya viste el *Proceso*? Publicaron el retrato hablado del judicial que lo asesinó.

—Para mí que no lo mató él.

—¿Entonces quién? ¿Tienes algún sospechoso?

—Todavía no, pero ando tras una pista. El viernes me tomé unos tragos con Daniel Nieto y Pablo Segura. Ellos me contaron que Fabiola Nava, la última amante de Lima, lo había dejado por su peor enemigo.

—No mames. ¿A poco crees que ella...?

—No lo sé, pero quiero salir de dudas. Por eso te vine a ver. ¿Sabes cómo fue la ruptura?

Estrella negó con la cabeza.

—El Robert era muy reservado para hablar de sus viejas. Nunca te hacía confidencias, ni cuando estaba pedo. A Fabiola nomás la vi un par de veces, en presentaciones de libros. Sé que era actriz de teatro infantil y Robert la conoció en su taller de cuento, pero apenas si crucé palabra con ella. Cuando tronaron el Robert andaba muy deprimido. Lo vi tan mal que mejor no le pregunté nada.

—¿No sabes quién se la bajó? Segura y Nieto dicen que es un funcionario con mucho poder.

—Se llama Claudio Vilchis y es el segundo de a bordo en el Fondo de Estímulo a la Lectura. Yo no sé qué le vio Fabiola, seguramente la cartera, porque el cabrón está horrible.

Evaristo recordó que Lima lo había mencionado en su perorata.

—¿Lima tuvo alguna pelea con él por causa de Fabiola?

—Sí, hubo una bronca muy fuerte, pero no sé si deba contártela. —Estrella hizo girar su lápiz sobre la mesa, receloso y dubitativo.

—Puedes hablar con entera confianza. En el reportaje no voy a mencionar fuentes.

—Bueno, pero te advierto que si mencionas mi nombre voy a negarlo todo. No quiero broncas con Vilchis. Es un tipo muy vengativo y puede ordenar que me corran mañana mismo... La bronca fue en un coctel en la Manuel M. Ponce, cuando vino a México Bioy Casares. Al terminar la conferencia, Vilchis y el Robet coincidieron en los baños de Bellas Artes, quién sabe qué se dijeron y el caso es que se agarraron a cates. Si no llegamos a separarlos, el Robert de seguro lo mata. Le había roto el tabique a Vilchis, y cuando entré al baño lo estaba ahogando en el excusado. Fabiola por poco se desmaya del susto. Andaba por los pasillos muy compungida, pidiendo un doctor para su camote. Me dieron ganas de agarrarla y decirle: ¿ya ves lo que provocas, pinche puta?

—¿Hace cuánto de esto?

—Como dos meses.

—¿Y no crees que Vilchis se haya vengado de la madriza matando a Lima?

—No creo. Para matar se necesita cierta grandeza de alma, que Vilchis nunca ha tenido, ni como escritor ni como persona. Las ratas como él no matan de frente: matan desde lejos con la firma de un memorándum.

—Tengo entendido que Lima ya había tenido una dificultad con él, cuando trabajaba en el Fondo...

—Veo que estás bien informado. —Estrella lo miró con suspicacia y Evaristo se preguntó si no habría metido la pata, por abrir sus cartas demasiado pronto—. Vilchis lo corrió porque el Robert le había pegado con tubo en una reseña. Con sus ínfulas de consagrado no pudo soportar que alguien lo pusiera en su sitio.

—¿Y de verdad es un consagrado?

—En su mafiecita, sí. Fuera de ella nadie lo pela. Es el típico literato exquisito, de ceja muy alzada, que se considera clásico en vida, cuida su prosa hasta el engolamiento y sólo escribe sobre autores desconocidos en México, para deslumbrar al vulgo. En sus ensayos jamás podrás encontrar una idea propia, aunque la busques con lupa.

—Pero si es tan chafa, ¿cómo ha llegado hasta donde está?

—Por sus amistades. Los políticos no saben quién es quién en el mundo de la cultura y se dejan guiar por las apariencias. Vilchis les ha hecho creer que es un intelectual de prestigio porque siempre se le cuelga del brazo a las figuras internacionales cuando vienen de visita a México. Sin el resplandor ajeno sencillamente no existe. En la redacción de la revista hemos reunido un archivo enorme con fotos de escritores y artistas. El otro día busqué una de Vilchis y no encontré ninguna donde esté solo. En cambio tenemos varias donde aparece con Harold Pinter, con Gabo, con Vaclav Havel, estirando el cuello para salir en la foto. Esto te dará una idea de quién es.

—Lo que no entiendo es cómo Fabiola pudo andar con Lima y luego con Vilchis, que son como el agua y el aceite.

—También yo lo quisiera saber. ¿Por qué no se lo preguntas a ella? En el velorio la vi muy tronada. Dicen que ahora está arrepentida por haber abandonado al Robert. Si la encuentras de buenas, a lo mejor te suelta la sopa.

Evaristo iba a responder que Fabiola se estaba escondiendo cuando sonó su teléfono celular y creyó advertir una mueca burlona en los labios de Estrella. Segundo error consecutivo: Luciano Contreras ganaba una miseria y no podía tener un celular. ¿Por qué no lo había dejado en el carro? Para colmo, la llamada era de Maytorena:

—¿Qué pasa contigo, pinche intelectual? Llevas cuatro días en la pendeja y no has hecho nada.

—Cómo no, jefe, ya voy muy adelantado. —Evaristo hizo una seña de "espérame tantito" a Rubén Estrella—. Tengo una información que a lo mejor le sirve...

—No quiero informaciones, quiero al asesino de Lima. ¿Ya viste el *Proceso*? Te están echando la culpa, imbécil. Esta mañana el procurador me pidió que busque al güey del retrato.

—Necesito unos días más para acabar la investigación. He descubierto cosas que le van a interesar mucho.

—Más te vale, porque tenemos la soga en el cuello. Esto nos puede costar muy caro a los dos. Hoy por la noche te espero en La Concordia, para saber cómo vas.

—Claro que sí, jefe, ahí estaré.

—No cuelgues. Te manda un recado el Chamula: que muchas gracias por el paro que le hiciste en el Sherry's.

—No hay de qué, para eso son los amigos. —Apagó el celular y se volvió a Estrella con una sonrisa disculpatoria—. Era mi jefe. Vio la nota del *Proceso* y me está presionando para que le entregue el reportaje. Es lo malo de traer esta chiva, dondequiera te están fregando.

—La renta sale muy cara, ¿verdad? —Evaristo percibió un fulgor de envidia en los ojos de Estrella.

—No sé, me la paga el periódico —se escabulló—. ¿En qué nos habíamos quedado?

Estrella retomó el asunto de Claudio Vilchis, pero se limitó a insultarlo con mayor denuedo, sin aportar nueva información sobre sus querellas con Lima. Evaristo se había puesto nervioso con la llamada y sintió que estaba perdiendo el tiempo:

—Ya es hora de que me vaya —lo interrumpió—. Tengo que irme corriendo a una conferencia de prensa en el Museo de Antropología. Gracias por el tip de Vilchis.

—Si quieres te cuento cómo empezó su carrera de lambiscón desde que estaba en la facultad —le ofreció Estrella, embebido en el desollamiento.

—Me encantaría, pero orita no puedo, gracias. Otro día nos echamos un café para hablar con más calma.

En la calle, frente al sobrecalentado volante de su Spirit, que ardía como un aro en llamas, marcó el celular del Chamula y le preguntó si la dirección de Fabiola Nava venía en la agenda de Lima. Tuvo suerte: la enigmática beldad encabezaba la letra N y vivía en Atlixco 163, departamento 601, colonia Condesa. Para rendirle cuentas a Maytorena necesitaba algo más concreto que una simple sospecha y ella era su mejor carta para no llegar a la cita con las manos vacías. Sin tener claro cómo la abordaría, se encaminó por el eje vial de Patriotismo hacia el norte. Media hora después, tras haber comprobado que Fabiola no estaba en casa, montó guardia frente a su edificio, un condominio de lujo con jardineras en los balcones. La esperó más de una hora con el radio sintonizado en Radio Capital, que transmitía "La hora de los Doors". Era extraño: su gusto por el rock había renacido desde que era hombre con iniciativas propias. Escuchaba "L.A. Woman" recordando sus tiempos gloriosos de chavo funky, cuando la vio por el espejo retrovisor, esbelta y dorada como una modelo de comerciales, bajando de un Volkswagen conducido por una amiga que le había dado aventón. Era la Venus angelina de los Doors trasplantada a Tenochtitlan. Rejuvenecido por su aparición, se bajó del coche con ímpetus de ligador.

—Buenas tardes. Nos conocimos en el velorio de Roberto Lima. ¿Se acuerda de mí?

D.F. Woman se quitó los lentes negros y lo examinó de arriba abajo con displicencia.

—No lo recuerdo. ¿Cómo se llama?

—Luciano Reyes, para servirle.

—Ah, ¿usted es el reportero que habló en la mañana? —Fabiola hizo un gesto de enfado—. Pues no quiero dar entrevistas, y menos sobre Roberto.

—Piénselo bien. Sería una buena oportunidad para defenderse de los rumores.

—¿Qué rumores?

—Se comenta que el asesinato de Lima fue un crimen pasional.

—Pues que digan misa. —Fabiola empalideció—. No voy a perder mi tiempo en desmentir chismes.

—¿Qué le cuesta responder a unas preguntitas?

—Vengo muy cansada, no insista.

Fabiola sacó las llaves de su bolso y abrió la puerta del condominio. Evaristo interpuso su pie derecho para detener el portazo.

—Usted lo quería mucho, ¿verdad?

—No se meta en lo que no le importa. —Fabiola empujó la puerta, furiosa.

—Estoy investigando quién lo mató. Creí que usted estaría interesada en saber la verdad —Evaristo logró colar un brazo por el quicio de la puerta.

—Ya sé la verdad: lo mataron por sus artículos.

—Sus artículos eran inofensivos. ¿Usted los leía? —Fabiola negó con la cabeza, apenada—. ¿Qué ganaba el gobierno con matar a un orate al que no leía ni su novia? Lima no representaba ningún peligro para el poder. El verdadero móvil del crimen es otro: ayúdeme a descubrirlo.

Disgustada todavía, pero con una sombra de duda en el rostro, Fabiola se ablandó y lo dejó pasar al vestíbulo.

—Está bien, pero no se cuelgue con las preguntas. A las cinco tengo clase de expresión corporal.

En el elevador, Evaristo se puso nervioso por la cercanía de Fabiola, que llevaba una blusa muy ligera sin brasier debajo. El tono ambarino de su piel era una invitación a darle un mordisco de vampiro en el cuello. Tenía los pechos erguidos, piernas largas y torneadas, labios desafiantes y una mirada abrasiva que perforaba el alma. Evaristo se preguntó para qué tomaba clases de expresión corporal, si su cuerpo hablaba en 14 idiomas y en todos decía lo mismo: "Tómame."

—Perdón por el tiradero —se disculpó cuando entraron al departamento—. Sírvase un trago, por favor, en la vitrina están las botellas. Enseguida estoy con usted: voy a cambiarme porque vengo sofocada del calor.

La pequeña estancia, alfombrada de beige, con muebles modernos de elegante diseño y pinturas originales, sugería que

Fabiola, si no era rica, disfrutaba de una situación económica holgada. ¿Qué hacía con un paria de las letras como Roberto Lima? ¿Admiración literaria, dependencia neurótica o simple masoquismo? Por su biblioteca, variada y caótica, dedujo que se había propuesto estudiar al mismo tiempo filosofía, historia de las religiones, ciencia política y literatura inglesa, sin hincarle el diente a nada. Observando los libros de cerca notó que muchos de ellos estaban intactos: tal vez los compraba por kilo. Un cartel de *Notre Dame des Fleurs* en la versión teatral de Lindsay Kemp daba un toque chic al desayunador: la mística de la sordidez convertida en objeto decorativo. ¿Le habría explicado Lima quién era Genet? No quería prejuzgarla, pero todo parecía indicar que la cultura en ella no era un alimento, sino un vestido. Quizá fuera una de esas niñas bien aburridas de su familia, del yate y de los viajes a Europa, que adoptaban el disfraz intelectual como una segunda personalidad, como un perfume volátil que se les quedaba en la superficie del alma. ¿O veía moros con tranchetes por no poder admitir que se cayera de buena y al mismo tiempo fuera culta y sensible? Se sirvió un etiqueta negra, fue a la cocina por hielo y al volver encontró a Fabiola en la sala, con el pelo mojado y un provocativo short de mezclilla.

—Sírvame uno igual, por favor. —Le tendió un vaso a Evaristo—. Me dejó intrigada: ¿Cómo está eso del crimen pasional?

—Es un rumor que circula entre periodistas, y quizá ya se filtró hasta la policía. Mejor que esté prevenida, por si los judiciales la vienen a interrogar.

—No me haga suspensos, vamos al grano.

—Meses antes de morir, Lima tuvo un pleito con Claudio Vilchis en los excusados de Bellas Artes, y según se dice, el motivo de la bronca fue usted.

—Ésa es una verdad a medias —protestó Fabiola—. Ellos ya se odiaban desde antes...

—Pero usted había terminado con Lima y estaba saliendo con Vilchis. Por eso los dos andaban de pique, ¿no es cierto? —Fabiola asintió—. En el medio literario Vilchis tiene fama de rencoroso, y Lima lo humilló delante de mucha gente, de manera que no es tan descabellado pensar en una venganza. ¿Usted sabe dónde pasó la noche del crimen?

—Durmiendo con su santa esposa, seguramente. Claudio nunca pasaba una noche fuera de casa.

—¿Pero alguna vez le manifestó su propósito de vengarse?

—No me obligue a hablar de ese reptil. —Fabiola torció la boca en un gesto de repugnancia—. Para mí está muerto y enterrado.

—Creí que ustedes eran...

—¿Amantes? —Fabiola dio un sorbo largo a su whisky—. No le tenga miedo a las palabras. Hay que decir las cosas como son. Sí, fuimos amantes y no sabe cuánto me arrepiento de haber estado tan ciega. Caí con él por admiración. Lo veía como las chavas de secundaria ven a sus profesores. Creí que era un gigante, un chingón, y me daba orgullo que se hubiera enamorado de mí. Luego descubrí que sólo me quería utilizar, pero mejor cambiemos de tema. Hay cosas de las que más vale no hablar.

Fabiola clavó la mirada en el fondo del vaso, luchando por contener el llanto. Evaristo guardó silencio mientras ella recobraba el aplomo.

—Su hipótesis tiene una falla —continuó Fabiola, sollozante—. Roberto sí hubiera matado por mí, Claudio nunca.

—Perdóneme que me meta en su vida privada, pero hay algo que no entiendo: ¿Por qué terminó con Lima?

—Eso ya es harina de otro costal. Roberto era muy tierno, un loco maravilloso, pero tenía un defecto muy grave: el machismo. Lo conocí en el taller literario que daba en el Carrillo Gil, hace como dos años, y me gustó por acelerado. Se ponía a hablar de literatura y era como un volcán escupiendo fuego. No te convencía con razones: te contagiaba su entusiasmo por los libros que según él le habían cambiado la vida. No lean por leer, nos decía, vivan su propia novela. Yo sólo estaba en el taller para ver qué onda, pero él me animó a escribir en serio: tienes imaginación, me decía, sólo necesitas agarrar un poco de oficio. Para entonces mi carrera de actriz ya me tenía un poco harta. El teatro universitario está lleno de maricones que odian a las mujeres. Los directores sólo me daban papeles de árbol parlante en obras infantiles, y no es que yo fuera muy ambiciosa, pero me sentía frustrada por no poder trabajar en algo que me llenara. Gracias a Roberto descubrí mi verdadera vocación y quién sabe cómo nos empezamos a enamorar. La literatura fue nuestro Cupido: en vez de decirnos mi vida o mi cielo discutíamos de libros hasta quedarnos afónicos. Un día se me ocurrió escribirle una carta de amor, y cuando se la di a leer, me corrigió párrafo a párrafo todas mis fallas de redacción.

La interrumpió un acceso de llanto. Avergonzado de haberle reabierto una herida que todavía no cicatrizaba, Evaristo sólo atinó a llenarle el vaso de whisky, que Fabiola se había bebido como agua, y a ofrecerle un cigarro, sin saber qué decir. El teléfono intervino en su ayuda.

—¿Bueno?... Sí, ella habla... ¡Pero qué sorpresa! Creí que te habías olvidado de mí... ¿Hoy en la noche?

Fabiola caminó hacia el balcón con el teléfono inalámbrico, entre risitas de júbilo. Al parecer, no era una viuda muy difícil de consolar. Por los trozos de charla que oyó desde lejos, Evaristo dedujo que había reemplazado muy pronto a Lima y a Claudio.

—¿Y por qué no vamos al Meneo? Dicen que toca un grupo colombiano buenísimo... Pero hay que llegar temprano para agarrar mesa... Bueno, entonces te espero a las nueve y media.

De vuelta en la sala, como si entrara en escena después de payasear en su camerino, Fabiola adoptó la expresión compungida que tenía antes de la llamada y continuó su relato en voz baja, como una pecadora en el confesionario.

—Roberto era un ermitaño. No le gustaba hacer vida social, pero yo me clavé como idiota en el mundo literario, luchando por colocar en alguna editorial mi primer libro, una colección de cuentos que se llama *Los golpes bajos*. A Roberto le molestaba que yo taloneara tanto: las relaciones públicas son para los mediocres, me gritaba en sus borracheras, escribe algo bueno y verás que los editores te corretean. De tanto sufrir rechazos en editoriales, llegué a sentirme devaluada como ser humano. Roberto me obligó a escribir el libro tres veces. Cuando leyó la cuarta versión dijo que había empeorado en vez de mejorar. Entonces pensé que me quería cortar las alas para no quedar en desventaja si yo triunfaba como escritora, como Salieri con Mozart. Le quité el manuscrito de un manotazo y lo corrí a gritos de mi casa. Las rivalidades matan el amor. Nunca debí permitir que surgieran entre los dos, pero ahora ya es tarde para pedirle perdón.

—Ya voy entendiendo. —Evaristo cruzó la pierna—. Fue entonces cuando usted se arrojó por despecho en brazos de su peor enemigo.

—Sí, tenía la cabeza llena de humo, y me propuse demostrarle que yo valía como escritora más que él. Ya no se trataba de una satisfacción personal, sino de una venganza, ¿me entiendes?

Fabiola encendió un cigarro y continuó relatando sus vicisitudes para abrirse camino en el medio literario. Para una escritora en ciernes, la belleza era más obstáculo que ayuda. Los editores que trataban de ligársela en los cocteles sólo tenían ojos para sus piernas y cambiaban rápidamente de tema cuando les mencionaba el libro de cuentos. Pero al fin, cuando estaba a punto de volver derrotada al teatro infantil, apareció un tipazo encantador que se fijó en su talento. Ese tipazo fue Claudio Vilchis. Lo conoció en el Centro Cultural San Ángel, cuando Claudio impartió una conferencia magistral sobre Pierre Reverdy, a la que ella asistió sin saber una palabra del tema. Llevaba un ejemplar de *Contraseñas*, el más reciente libro de Vilchis, que tampoco había leído, y al final de la conferencia le pidió una dedicatoria, con una timidez calculada para darle un reflejo amplificado de su importancia. Claudio le hizo conversación, se tomó con ella el vino de honor y al salir del auditorio la invitó a cenar a La Petite France, donde pudieron hablar con más libertad. Animada por la segunda botella de vino, le confesó que ella también escribía y entre risas nerviosas le dio a leer un cuento sobre la extinción de las ballenas, que casualmente llevaba en el bolso. A media semana, Claudio la llamó para felicitarla ("Eres una escritora de garra") y ella le agradeció sus palabras de aliento en un motel de Cuernavaca donde pasaron el fin de semana, ahítos de whisky, sexo y literatura.

Con sus ojos de sapo, que le daban cierto parecido con Diego Rivera, su cabello grasiento, y su flácida barriga de cuarentón, Claudio no era lo que se dice un hombre guapo, ni siquiera varonil, pero compensaba su falta de atractivo con una personalidad de aristócrata. Educado en colegios extranjeros desde los siete años, hablaba el francés como lengua materna, reconocía una ópera por los primeros acordes de su obertura, era experto en arte colonial, en vinos, en cerámica egipcia, y cuando se bebía unas copas le daba por cantar canciones provenzales de la edad media.

Casado y con tres hijos, no podía mostrarse con ella en público y se limitaba a verla en citas clandestinas, inconveniente que no le importaba sobrellevar a cambio de lo mucho que aprendía con él. Su cultura enciclopédica le abrió un mundo nuevo, pero lo que más disfrutaba de Claudio era el olímpico desprecio que sentía por Roberto, a quien tildaba de "gacetillero lumpen" y "resentido profesional". Así lo veía ella también, desde la posición exquisita y sofisticada que compartía con su nuevo amante, sin poder explicarse cómo se había enamorado de un hombre en el que todo era vulgar, desde sus crónicas urbanas color de hollín hasta su bohemia autodestructiva. Sin embargo, y aunque sintiera como propia la superioridad de Claudio, necesitaba refrendarla ante Roberto y ante sí misma con la publicación de *Los golpes bajos*.

Desde su primer encuentro en Cuernavaca, había tratado el asunto con Claudio, pidiéndole una opinión sincera para saber si el libro tenía salvación o debía tirarlo a la basura, como le había aconsejado Roberto. Claudio lo leyó de un tirón ese fin de semana, recostado a la orilla de la alberca, y si bien le corrigió algunas fallas de ortografía y sintaxis, aprobó el libro en términos generales: "Para ser de una principiante no está nada mal." Inflamada de júbilo y despecho, esa misma noche llamó a Roberto para informarle con un tono vengativo que Vilchis había elogiado sus cuentos, estupidez de la que ahora se arrepentía, pues en gran medida provocó el pleito en Bellas Artes. En las siguientes semanas, Claudio se desentendió del libro, pero ella no quitaba el dedo del renglón, quejándose a cada momento del viacrucis que los nuevos valores debían recorrer para publicar, "en especial si son tímidos como yo". Después de muchas lamentaciones logró que al fin se diera por aludido y le ofreciera proponer *Los golpes bajos* al consejo editorial del Fondo de Estímulo a la Lectura. Como Claudio era secretario del consejo, dio por hecha la publicación de su libro y el consiguiente entripado de Roberto. Publicar en el Fondo significaba dejarlo muy atrás, hundido en las catacumbas de la marginalidad, mientras ella ascendía con fanfarrias de honor al Olimpo de la Alta Literatura. Ilusionada hasta la ceguera, no pudo ver la nube negra que se había posado sobre su cabeza, hasta que la lluvia de lodo empezó a caerle encima.

Su principal error fue hacerse de la vista gorda ante las bajezas de Claudio. Tuvo múltiples evidencias de que no era un tipo de fiar, pero las había ignorado para evitar un enfrentamiento que le podía costar la publicación del libro. Vilchis era un arribista convenenciero. Se juntaba con los escritores que en algún momento dado podían servirle de algo, así tuviera de ellos la peor de las opiniones, y para tenerlos en la bolsa les hacía un favor no pedido, que más tarde se cobraba con réditos. Como su puesto le permitía hacer favores a granel, no había literato que no le debiera algo. Pasaba tardes enteras colgado al teléfono, realizando complejas maniobras políticas para mantener en pie su red de complicidades: te incluyo en mi antología si me llevas en la próxima excursión de intelectuales a Europa, dime que soy genial y te devuelvo el piropo con dos adjetivos más, sácame una entrevista larga en tu periódico y te meto en la colección de Clásicos Modernos. Para Claudio todo eran transacciones, pero con ella cometió una estafa, porque se había cobrado en la cama, cuantas veces quiso, un favor que no pensaba cumplir.

Empezó a olerse el engaño por sus evasivas. Cuando le preguntaba si el consejo editorial finalmente había aprobado su libro, respondía de mala gana: "No comas ansias, mi amor, esas cosas tardan", o bien la callaba con hipócritas besos de Judas. Pasaron tres meses de estira y afloja sin que ella se cansara de preguntar ni él de salirse por la tangente. En su afán por sobresalir se había ufanado de la inminente publicación con sus compañeros del taller literario, y ahora ellos no cesaban de preguntarle por el libro, con una insistencia burlona que denotaba incredulidad. Cansada de hacer el ridículo, acudió personalmente al Fondo de Estímulo a la Lectura para pedir el dictamen, aprovechando un viaje de Vilchis a la feria de Frankfurt. La secretaria del consejo editorial, una viejita argentina de bufanda y lentes, revisó con lentitud un archivero, sacó fólders, volvió a guardarlos, y al fin, negando con la cabeza, le aseguró que ni ella ni los miembros del consejo habían recibido el original de *Los golpes bajos*. "No puede ser —protestó—, el señor Vilchis lo trajo personalmente." "Pues lo habrá traspapelado en su escritorio —respondió la vieja—. ¿Por qué no habla con él cuando vuelva?" De golpe, como si le quitaran una venda de los ojos, comprendió que Claudio también había negociado con ella, usando la publicación del libro como una carnada para tenerla rendida a sus pies. Tras un momento de indignación, en el que pensó delatarlo con su mujer, cayó en un estado de catatonia televisiva que se prolongó más de 15 días. Claudio le dejó un millón de recados en la contestadora, primero alegres, luego intranquilos, después furiosos, recriminándola por haber vuelto con el "gacetillero lumpen". Harta de sus reproches, lo citó un lunes por la tarde en el café de la librería Gandhi, donde le puso un cuatro, preguntándole cómo iba el asunto del libro. Para variar, Claudio salió con sus evasivas, pero esta vez le arrojó un capuchino hirviente en su fino saco de casimir. "¡No me mientas, hijo de la chingada! Ya sé que tienes guardado el libro en un cajón. ¿No que tengo mucha garra para escribir? ¡Voy a pedirle a Roberto que te vuelva a romper la madre!"

Actriz inconsciente, Fabiola gritó como si tuviera delante a Claudio y luego se quedó pensativa, con la mirada fija en un punto de la pared, en una de esas distracciones teatrales que sólo se le toleran a un loco o a un genio. Evaristo carraspeó para despertarla.

—Así que usted lo amenazó con aventarle a Lima...

—Eso dije para sacarme la espina —reaccionó Fabiola—, pero después lo pensé mejor y no quise provocar otro pleito. A mí los rencores me duran una semana. Después del numerito en Gandhi, me olvidé por completo de Claudio. No quería saber nada de ningún hombre, pero como una es masoquista y necia empecé a extrañar a Roberto. Era la única gente que me podía alivianar en ese momento. Por amor propio tardé mucho en llamarlo, pero un día que estaba tomando sola mandé al carajo el orgullo y le pedí que viniera a verme. Nadie lo sabe, pero una semana antes de morir, Roberto había vuelto conmigo. Estuvo durmiendo aquí algunas noches, más amoroso que nunca, y me dejó de recuerdo el diario que había escrito cuando nos peleamos. Ahora lo leo y se me pone la carne chinita...

—¿Podría facilitarme una copia?

—Por supuesto que no —se ofendió Fabiola—. Tiene cosas íntimas, secretos de nosotros dos que no le interesan a nadie más.

—Pero a lo mejor nos puede dar una pista sobre el asesino.

—Mejor no insista porque me voy a enojar. Usted parece detective más que periodista.

—Perdóneme. Sólo quiero hacerle una última pregunta. ¿Vilchis supo que usted había regresado con Lima?

—¿Y eso qué importa?

—Tal vez no se haya resignado a perderla. Quizá buscó a Lima en su madriguera para ajustar cuentas con él.

Usted es la clase de mujer por la que un hombre es capaz de matar...

—Gracias por el piropo —sonrió Fabiola—, pero ya le dije que Claudio no es un hombre, es un reptil. Si no se arriesgó a publicar mi libro porque le daba pena balconear nuestra relación con sus compañeros del Fondo, ¿usted cree que iba a matar por mí? No me haga reír, por favor...

En ese momento sonó el timbre y Fabiola corrió a la cocina para descolgar el interfón. Volvió a la sala demudada y nerviosa.

—Es Claudio. No sé por qué me viene a visitar... Hace un mes que no lo veo para nada.

—A lo mejor ya lo interrogaron los judiciales y viene a pedirle ayuda —conjeturó Evaristo, suponiendo que el Chamula había cumplido su orden.

—Espera —lo detuvo Fabiola—. No tiene que irse corriendo como si Claudio fuera mi esposo y usted el amante que me visita a escondidas. Por lo menos déjeme presentarlos...

Evaristo se quedó atornillado en el sofá, incómodo por la situación. Sospechaba que Fabiola le había mentido sobre Vilchis. No podía confiar en una prostituta cultural capaz de vender a su madre con tal de publicar un libro. La clave de todo podía estar en el diario de Roberto, que sin duda contenía algo comprometedor para ella. Quizás era cómplice o autora intelectual del crimen, ¿cómo saberlo? Pero lo que más le perturbaba no era la posible culpabilidad de Fabiola, sino el temor de que, llegado el momento de tratarla con mano dura, caería rendido a sus pies a la menor insinuación erótica de su parte. No podía enfrentarse con decisión a una mujer que sólo necesitaba tronarle los dedos para convertirlo en esclavo.

—Qué tal, Claudio. Espero que vengas en son de paz.

—Fabiola recibió con frialdad a la inesperada visita—. Te presento a Luciano Contreras, un periodista que está investigando la muerte de Roberto. Ya se iba cuando tocaste...

Evaristo se levantó a darle la mano, cimbrado por una violenta descarga de adrenalina. Como Fabiola se lo había descrito, Vilchis era un batracio de párpados caídos, un literato viscoso y gentil a quien jamás hubiera creído capaz de matar una mosca, a no ser por el puro que llevaba en la boca.

Situado en la Plaza Melchor Ocampo, bajo el paso a desnivel de Río Mississippi, La Concordia era un tugurio con pretensiones de club exclusivo, frecuentado por narcos, judiciales, funcionarios de medio pelo y niños bien de sexualidad conflictiva, donde las putas jóvenes ganaban en un día lo que un cajero de banco en tres meses. Recibido en el vestíbulo por un capitán de levita azul, Evaristo atravesó un amplio salón con mesas doradas y sillones de terciopelo rojo, entre ficheras adolescentes con el pecho al aire y borrachos que las mecían en sus piernas, en un simulacro de cópula. El contraste de su párvula desnudez con la torva catadura de los clientes jineteados le produjo náusea. Absortos en los televisores de pantalla gigante que pasaban películas porno, los compradores de sexo virtual apenas si veían de reojo a las ninfas de alquiler que les pasaban por la cara las tetas y el coño. Al llegar al reservado de Maytorena, separado del bar por un biombo de espejos, un pistolero que no conocía lo pasó a la báscula.

—Soy gente del comandante. —Evaristo le mostró su charola de la judicial.

Para hacerse oír por encima de la música, el pistolero le informó a gritos que "el comandante" la había agarrado fuerte desde el día anterior. Malas noticias: eso quería decir que lo encontraría con mal genio. Dispuesto a recibir una carretada de insultos, Evaristo traspuso el biombo del reservado y encontró a Maytorena más tranquilo y fresco de lo que esperaba, en pleno faje con un travesti rubio que a juzgar por su maquillaje descorrido y por los cañones que empezaban a despuntar en su afilado mentón, se había fletado con él toda la parranda. Las únicas huellas de la borrachera que notó en Maytorena eran las manchas de cocacola en sus pants blancos. Junto a ellos, el Chamula se había ovillado como un perro guardián en la alfombra agujereada por las quemaduras de cigarro, con la pistola en la mano para prevenir que lo madrugaran.

—Siéntate, intelectual, y pide algo fuerte, a ver si me alcanzas. Te presento a Marilú. ¿Verdad que es un bombón?

Evaristo asintió con una sonrisa. Por su larga experiencia como lacayo de Maytorena, sabía que un chiste sobre Marilú, o la menor alusión al arma secreta que guardaba bajo la falda, le podía costar un tiro en la sien, como a muchos ingenuos que lo habían prevenido contra los "engaños" de sus amigas. Advertirle que estaba con un travesti significaba poner en duda su hombría, y la hombría para Maytorena era un asunto de vida o muerte. Por eso nunca frecuentaba los bares de homosexuales, donde hubiera descuartizado al primer joto que le guiñara el ojo. Su línea eran las vestidas que fichaban en bares para putas, donde siempre podía imputar el equívoco a la embriaguez, aunque llevara 30 años de equivocarse adrede. Ningún subordinado debía estropearle esa coartada psicológica, por más inverosímil y reiterativa que fuera. En esas circunstancias, lo mejor era hacerse el desentendido, seguirle el juego, consecuentar al gavilán con vocación de paloma.

—Pues te decía, güera —Maytorena volvió a ceñir el talle de Marilú—, aquí donde me ves tan cabrón y tan mujeriego, para mí la familia es lo más importante del mundo. Por mis hijos me parto el alma todos los días. Ellos son mi razón de vivir, como dicen en las pinches telenovelas. Y si de algo me siento orgulloso es de lo bien que me han respondido. No te imaginas la satisfacción que me da tener hijos decentes, limpios de corazón y con título universitario. Cuando seas madre me entenderás: uno siente que valió la pena chingarse tanto, que sembró una semilla y la semilla dio frutos.

Con la voz quebrada por la emoción, Maytorena sacó la cartera y le mostró a Marilú las fotos de su estudiosa prole.

—Éste es Genaro, el más aplicado de todos. Habla inglés y francés y trae un Corvette que le regalé el año pasado. ¿Verdad que está carita? Estudió relaciones internacionales en la Universidad Anáhuac, y ahora quiere entrar al Servicio Exterior. Ella es Laura, mi consentida. Tiene 22 años y ya mero se recibe de licenciada en hostelería. Pa mí que es la más chingona de los tres, pero como es mujer al rato se casa y deja arrumbado el título. Éste es Joaquín, el más chico, que está terminando leyes. ¿A poco no se parece a mí? Cuando algún pendejo farolón me pregunta, ¿cuánto dinero tienes?, ¿cuántas casas te has comprado? Yo saco estas fotos y le digo: aquí está mi fortuna. Ellos son mi tesoro. Porque el dinero va y viene, pero un hijo nunca te abandona. Por eso no le tengo miedo a la muerte, que venga por mí cuando quiera. Me puedo morir mañana porque ya cumplí en esta pinche vida...

Conmovido por su oda a la familia, Maytorena se recargó a llorar en el hombro de Marilú, que dirigió una mirada suplicante a Evaristo, como pidiéndole un quite, pero él se encogió de hombros, porque sabía que interrumpir al jefe en un momento de catarsis emocional era como jalarle la cola a un tigre. Resignada, Marilú esperó en silencio a que Maytorena terminara de desahogarse y cuando por fin recobró el aplomo le pidió un pase de coca. Maytorena despertó al Chamula de una patada en la espalda.

—¡Arriba, huevón! Sírvele polvito a mi vieja, y dale también al intelectual, a ver si con el perico se le quita lo menso.

Adormilado, el Chamula esparció la coca sobre la mesa en dos líneas. Marilú hizo un popote con un billete de a 100 dólares y absorbió como un reactor nuclear las dos hileras de nieve. El Chamula espolvoreó otras dos líneas, pero Evaristo las rechazó, porque tenía un trabajito pendiente para esa noche y no quería seguirse de frente.

—No, gracias, tengo las narices muy irritadas.

—Pues allá tú, entre menos burros más olotes —dijo el comandante, y aspiró las dos líneas con el billete.

Tras una momentánea parálisis facial en que parecía víctima de un infarto, las venas de su cuello se distendieron, y los colores le volvieron al rostro.

—Ve por el mesero y dile que se traiga otra de champán —ordenó al Chamula, repentinamente sobrio.

Acostumbrado a la ciclotimia de Maytorena, Evaristo sabía que después de la euforia le venía el bajón de la coca, en el que mentaba madres contra todo y contra todos, empezando por sus compañeros de alcoholes. Tenía que hablarle ahora que estaba de buenas o exponerse a una reprimenda feroz.

—Le pedí la cita porque tengo buenas noticias, jefe. No podía decírselo por teléfono, pero me falta poco para saber quién mató al periodista.

—Más te vale, cabrón, porque el licenciado ya está que trina. — Maytorena por fin se despegó de Marilú y le prestó atención—. Lleva una semana chingue y chingue con que quiere ver detenidos para callar a los periodistas.

—Pues hay un sospechoso que ayer se echó de cabeza él solo: es un intelectual que andaba de pleito con Lima por una vieja.

—¿Cómo se llama?

—Claudio Vilchis. Tendrá 40 o 45 años y es el subdirector del Fondo de Estímulo a la Lectura.

—Toma nota, Chamula. —Maytorena se arremangó la camisa en un gesto pandilleril—. Y tú, mi vida, ¿por qué no te vas a polvear al baño? —pidió a Marilú—. Éstas son cosas de hombres que no te conviene oír...

Marilú se guardó el billete de 100 dólares en el brasier y salió del reservado con un obsceno contoneo de caderas.

—Ahora explícame, intelectual. ¿Cómo sabes que ese cabrón es el asesino?

—La noche que mataron a Lima, los vecinos de su edificio vieron a un fumador de puro en las escaleras —mintió Evaristo, que no podía presentare como testigo ante Maytorena—. De toda la gente que tenía motivos para matar a Lima, Vilchis es el único que fuma puro. Acabo de verlo en el departamento de Fabiola Nava, la vieja que le ponía con los dos.

—¡Pues ya se lo llevó la chingada! —Maytorena se volvió hacia el Chamula—. Mañana mismo vas por él a su oficina, le das una calentada en el coche para que se vaya ablandando y te lo llevas a los separos.

—Un momento, jefe —se alarmó Evaristo—. Vilchis es el principal sospechoso, pero no tenemos pruebas para detenerlo.

—De las pruebas que se encarguen los leguleyos. Mañana ese cabrón confiesa porque confiesa, ya verás. Luego le sacamos una foto con el purote en la boca y se lo llevo al procurador para que haga una conferencia de prensa. Pinche Tapia, se va a parar el cuello en los noticieros y a lo mejor ni las gracias me da.

—Pero es que Vilchis a lo mejor no lo mató. Me falta investigar si tiene coartada. Lo del puro puede ser una coincidencia...

—No mames, intelectual —lo interrumpió Maytorena—. Estás viendo muchas series gringas de policías. ¿No dices que el mono del puro se andaba cogiendo a la vieja de Lima y es el único sospechoso? —Evaristo asintió—. Pues con eso tenemos para meterlo a la cárcel. Destápate la botella, Chamula. Vamos a brindar por las nalgas de Marilú.

Resignado, Evaristo alzó su copa con un rictus de falso júbilo y probó la champaña, que le supo a estricnina. Maytorena estaba demasiado contento. Era imposible hacerlo entrar en razón, y si continuaba insistiendo en recomendarle cautela sólo conseguiría exasperarlo. Marilú volvió del baño remozada con una plasta de maquillaje que ocultaba su naciente barba. Maytorena le hizo una caravana burlesca y la obligó a beber directamente de la botella, vertiéndole champaña por el escote. Empezaba la etapa negra de su borrachera, el eclipse total de conciencia en que hacía números de strip-tease con gestos de perra en brama, echaba tiros al aire y se orinaba en los pantalones invocando a su jefecita santa. Evaristo no quería formar parte de su público ni sacarlo a rastras con los pants vomitados:

—Bueno, jefe —se levantó de la mesa—, me gustaría quedarme a la champañiza pero tengo un compromiso al que no puedo faltar.

—Ni madres, intelectual, a mí nadie me deja tomando solo —farfulló el comandante, disgustado, y en un tono más afectuoso le preguntó—: ¿Dónde vas que más valgas?

—Es que mañana son los 15 años de mi hija Chabela —mintió Evaristo—, y quiero llegar en buenas condiciones para bailar el vals.

118

—Ah, bueno —se conmovió Maytorena—. Si es por tu familia entonces ni hablar. Ya sabes que para mí primero son los hijos y luego el desmadre.

Satisfecho por haber encontrado una buena evasiva, Evaristo se dio la media vuelta para salir del reservado, pero antes de cruzar el biombo lo detuvo la cavernosa voz del comandante.

—Espérate, intelectual. —Maytorena se sacó del pantalón un grueso fajo de dólares arrugados—. Toma, para que le compres un buen regalo a tu chamaca. Salúdala de mi parte y dile que le mando una bendición.

Afuera, mientras esperaba que el valet le trajera el coche, la cabeza cubierta con el saco para protegerse de la llovizna, pensó con un escalofrío en la suerte de Vilchis. Deseaba que fuera culpable, pero un culpable verdadero, no fabricado por Maytorena, que podía endilgarle bajo tormento hasta el asesinato de Kennedy. Ya era tarde para salvarlo del arresto y de la consiguiente madriza, pero aún tenía tiempo de respaldar la acusación con una prueba más tangible que el aroma dulzón de su puro. Al tomar el volante miró su reloj: era la una y media. A esa hora Fabiola Nava debía estar en pleno reventón con su nuevo amante. Era el momento más oportuno para inspeccionar su casa en busca de alguna evidencia, aunque eso significara cometer un allanamiento. Rebasó la doble hilera de coches que desfilaban a vuelta de rueda frente a las putas emparaguadas de Melchor Ocampo y tomó el Circuito Interior en dirección al sur. El niño bueno de la película se había cansado de hacer preguntas. Después de todo estaba lidiando con hijos de la chingada —muy cultos, eso sí, pero igual de cabrones que Maytorena— y la situación exigía saltarse todas las trancas.

Al estacionarse frente al edificio de Atlixco 163, echó un vistazo a la fachada y observó con gusto que ninguno de los departamentos con vista a la calle tenía la luz encendida. Para cerciorarse de que Fabiola no estaba en casa tocó su timbre. Como lo había previsto, no hubo respuesta por el interfón. Sacó de la guantera una ganzúa italiana, miró a los dos lados de la calle como un detective de la vieja escuela y se deslizó hacia la entrada del edificio, providencialmente oscura, pues el foco del vestíbulo estaba apagado. Nunca había sido cerrajero ni ladrón, pero de tanto dejar las llaves dentro del coche, había aprendido a abrirlo con pasadores. Mientras hurgaba con la ganzúa en el interior de la cerradura pensó en la suave y húmeda vagina de Dora Elsa, que tan fácilmente se abría al embate de su lengua. Era una invocación fetichista, una forma de darse valor y confianza para abrir la hermética vulva de metal. A media operación pasó por Atlixco un camión de redilas y se tiró al suelo, creyendo que lo habían descubierto al echarle las luces. Pasado el peligro, la calle volvió a la tranquilidad. Reinaba un silencio provinciano y angustioso en el que los ruiditos de la ganzúa parecían amplificados por un magnavoz. Al cabo de 15 minutos de arduo trabajo y copiosa transpiración, la cerradura por fin entregó su virginidad. Caminando de puntillas tomó el elevador, impregnado por el perfume de Fabiola, bajó en el cuarto piso y en la puerta del departamento 401 volvió a utilizar la ganzúa, con el terror adicional de que algún vecino se asomara al pasillo y lo sorprendiera *in fraganti*. Por si querían hacer panchos llevaba la Magnum al cinto, pero no le agradaba la idea de vérselas con patrulleros, a pesar de que su charola podía sacarlo de cualquier bronca. El picaporte cedió a las primeras de cambio, pero Fabiola era precavida y tenía otra chapa de seguridad enorme que no daba de sí ni un milímetro. Luchaba por hacerla girar cuando salió del elevador un vecino de traje y corbata, rechoncho y abotagado, que pasó junto a él haciendo eses. Venía tan ebrio que lo saludó con un "buenas noches, licenciado" y sin reparar en la ganzúa se metió a su departamento. "Gracias a dios que Fabiola es una putona —pensó—. Los vecinos ya se acostumbraron a ver entrar y salir hombres de su casa." Repuesto de la impresión, que le había dejado un molesto cosquilleo en la palma de la mano, volvió a probar suerte con la ganzúa, pegando la oreja a la puerta como los ladrones profesionales de cajas fuertes. Al escuchar el anhelado "clic" empujó la puerta con suavidad. ¡Albricias! No había pestillo por dentro.

Orgulloso de su límpida profanación, cayó rendido en el sofá de la sala y subió los pies a la mesa de centro, donde Fabiola tenía apilados como al descuido sus libros de arte más lucidores: Topor, los desnudos de Maplethorp, un catálogo de pinturas objeto de Joseph Beuÿs, frescos italianos del Quattrocento. ¿Se trataba de impresionar a las visitas o eran sus libros de cabecera? Al igual que el cartel de *Notre dame des fleurs*, parecían cumplir una función ornamental, como si Fabiola se empeñara en dejar por doquier huellas "accidentales" de su vasta cultura. Sin duda le daba una enorme importancia al aparador intelectual donde se vendía como escritora. Tal vez había sido capaz de matar con tal de sostener su imagen de literata, que en ella no era sólo un adorno, sino una segunda naturaleza. Evaristo se estremeció al pensar que Lima pudo haber muerto por lastimar el ego de Fabiola. Como mujer podía tolerar desengaños pero como escritora no admitía ni el más leve rasguño. Lo había notado esa tarde, al oír su historia sobre la traición de Claudio Vilchis, en la que no contemplaba ni por asomo la posibilidad de que su libro fuera una mierda. De una mujer tan soberbia se podía esperar cualquier cosa, ¿pero qué papel había desempeñado Claudio en el crimen? ¿Estaba tan enculado que mató a Lima para cumplirle un capricho? Su repentina aparición había puesto en evidencia que Fabiola y él todavía eran amantes, aunque Claudio le hubiese fallado con la publicación del libro. Llegaba sin avisar porque era el señor de la casa y podía visitar sus dominios cuando le daba la gana. Fabiola se había hecho la sorprendida para sostener el teatrito que los dejaba limpios de culpa, sin sospechar que Claudio iba a presentarse con el puro en la boca frente al único testigo que lo había olfateado en las escaleras del edificio. "Ya te chingué, mi reina —pensó Evaristo—. Vilchis y tú van a poner su taller literario en Almoloya de Juárez. Sólo me falta el diario de Lima, que debes tener escondido en alguna parte."

Ansioso por encontrarlo, se levantó a inspeccionar el estudio de Fabiola. Por fortuna, la ventana del estudio no daba a la calle y pudo encender la luz sin temor a que Fabiola lo sorprendiera al llegar. Hurgando en los cajones de su coqueto secretaire encontró una libreta de aforismos estilo Cioran, documentos personales, notas de la tintorería, una cajita de condones Trojan y fotocopias engargoladas de la obra infantil *Juguemos a soñar*, original de Jazmín Bolaños, que devolvió al cajón con la punta de los dedos, como si fuera material radiactivo. En los anaqueles repletos de libros había carpetas y fólders empolvados, con apuntes y fotocopias de los tiempos en que Fabiola era estudiante de teatro. Estaba perdiendo el tiempo revisando papeles sin importancia y ni siquiera tenía la certeza de que el diario de Lima existiera. Tal vez no se había reconciliado jamás con Fabiola y, en consecuencia, tampoco había regresado a vivir con ella antes de morir. Quizás el diario fuera una más de las mentiras con que Fabiola y Vilchis habían armado su indestructible coartada. Y él, pendejo impulsivo, estaba arando en el desierto, con su infalible talento para seguir pistas falsas.

Abandonó la búsqueda científica del diario para entrar a saco en la recámara de Fabiola, donde revolvió sin contemplaciones el clóset, la cómoda y el armario, alumbrado por una lamparita de buró, cuya luz era demasiado tenue para verse desde la calle. Al tropezar con la lencería íntima no pudo resistir la tentación de olisquear unas pantaletas y guardárselas en el saco, para futuras masturbaciones. A un lado de los brasieres había un cuaderno profesional de tapas gruesas, forrado con papel periódico. A la luz de la lámpara, sentado en la cama de Fabiola, reconoció con júbilo la letra de Lima: no sería Philip Marlowe, pero tampoco era una nulidad como detective. No era un diario convencional sino un cuaderno de apuntes, algunos literarios, otros confesionales, yuxtapuestos en desorden, como le venían llegando a la cabeza. A la primera hojeada encontró un poema erótico sin título fechado en noviembre del 94, que por sí solo explicaba la renuencia de Fabiola a mostrar el cuaderno:

*Gruta encendida como un tizón, hospitalario infierno,*
*túnel que mi lengua recorre entre emanaciones de lava,*
*perímetro solar, Helio escondido*
*bajo un halo de fibras vaporosas.*
*Llueve ceniza a orillas de tu cuerpo,*
*se funde mi arma dura y en la hoguera*
*donde el agua crepita me confundo.*

Por lo menos una cosa estaba clara: Lima no se había pasado tan mal sus últimos días. El caldeado poema desbarataba la supuesta complicidad entre Fabiola y Vilchis: ella no podía estar involucrada en el crimen, a menos que se hubiera entregado a Lima para envolverlo en su telaraña. ¿Sería tan hija de la chingada? Sin descartar del todo esa posibilidad,

Evaristo se inclinó por otra más verosímil: tal vez Claudio había actuado solo en un ataque de celos, enfurecido por la reconciliación de Fabiola con su peor enemigo, el gacetillero lumpen que le había floreado el hocico en los baños de Bellas Artes. Vilchis podía ser un cretino pagado de su cultura, pero eso no lo eximía de tener pasiones. Cegado por el despecho, debió creer que Lima le había metido dudas a Fabiola sobre la publicación de *Los golpes bajos*. Después de todo, él era el principal interesado en que tronaran y sabía cuánto se ofendía cuando la ninguneaban como escritora. Bastaba una sospecha como ésa, convertida en certidumbre por su imaginación afiebrada, para despertar al homicida que todos llevamos dentro. Se lo imaginó dando vueltas en su coche por las callejas del Peñón de los Baños, con una botella de whisky en el saco para avivar su odio, esperando luego en el rellano de la escalera la partida del inoportuno visitante, con quien habría chocado en la oscuridad antes de tocar a la puerta: "Quihúbole, Roberto, soy Claudio Vilchis —diría—. Vengo en son de paz a echarme un trago contigo, ¿me dejas pasar? Quiero que hablemos como cuates. Lo de Fabiola ya está olvidado." Predispuesto por la borrachera a creer en la buena fe de los hombres, Lima lo habría recibido sin reprocharle nada, se disculparía quizá por la bronca de Bellas Artes, le daría la espalda para cambiar un disco y de pronto ¡madres!, el tabicazo en la nuca y el apagón eterno. El empleo del diccionario de sinónimos y contrarios era una prueba más contra Claudio, porque sólo un intelectual retorcido como él podía convertir el acto de matar en un gesto de humillación literaria.

Sintiéndose a un paso de la verdad, Evaristo buscó y rebuscó entre las páginas de tinte confesional algún comentario que pudiera comprometer a Vilchis. Pero Lima no lo mencionaba por ningún lado. En sus exámenes de conciencia no había lugar para los demás: *Voy a cumplir 40 años y he visto la vida tras un burladero. Como los avestruces que meten la cabeza bajo tierra cuando están en peligro, yo me enterré desde joven entre los libros, porque me daba miedo existir [...] Soy vanidoso hasta en el amor. Cuando salgo con Fabiola me gusta que se vuelvan a verla; la llevo de la mano como un trofeo. No soportaría tener que amarla en secreto. ¿La querré de verdad o estoy idealizando una proyección de mi ego?...* El cuaderno era un documento invaluable para conocer el carácter de Lima, pero Evaristo necesitaba información más concreta sobre sus últimos días. ¿A quién había frecuentado antes de morir? ¿tuvo algún encuentro previo con Vilchis? Empezaba a sentirse frustrado por no encontrar ningún elemento de prueba cuando encontró un comentario escueto y perturbador que rompía con el tono reflexivo de los apuntes: *...Ayer me encontré a Osiris en El Hijo del Cuervo y me quiso cobrar a lo chino. Estaba tan emputado que me amenazó de muerte. Lo calmé con la promesa de pagarle la semana que entra, pero no sé de dónde voy a sacar la lana. En El Matutino no cobro hasta fin de mes y ni modo de darle otro sablazo a Fabiola, ya le debo mucho y va a decir que soy un padrote. Pinche Osiris: ya se le olvidó que yo le publiqué su primer poema, cuando no era nadie...* Evaristo interrumpió la lectura con un escalofrío al oír el ruido de una llave que abría el departamento. Apenas tuvo tiempo de apagar la luz y ocultarse detrás de la puerta de la recámara, donde contuvo la respiración mientras intentaba ver hacia la sala por una rendija. La voz de Fabiola le erizó la piel:

—¿Verdad que ese grupo colombiano es un tiro?

—Sí, mi amor, pero no me vuelvo a sentar en mesa de pista —respondió una mujer acezante—. Por poco y se me revientan los tímpanos.

—¿Quieres un whisky?

—Muy suavecito, por favor. Mañana tengo que dar una conferencia en la universidad. Qué bonito departamento.

—¿De veras te gusta?

—Casi tanto como su dueña...

Por el quicio de la puerta, Evaristo alcanzó a ver a Fabiola sirviendo los tragos, con el brazo de su amiga rodeándole la cintura. Se moría de ganas por saber quién era, pero un jarrón con flores le tapaba la cara.

—Ya me tenían harta esos pendejos del Meneo que no paraban de sacarte a bailar, como si yo estuviera pintada —refunfuñó la amiga—. ¿Por qué serán tan necios, carajo? Nos vieron bailando juntas toda la noche.

—A lo mejor creían que íbamos a ligar.

—Ligar, mis huevos. Lo que pasa es que tienen espíritu joditivo. Ni siquiera en la pista nos dejaban en paz. Pero eso sí: luego te los llevas a la cama y se duermen al primer palo.

—Con tu permiso, me voy a quitar los tacones. —Fabiola los arrojó a la alfombra, se recostó en el sofá y apoyó la cabeza en las piernas de su amiga—. ¿Hazme piojito, no? Me está entrando un sueño muy rico.

—La próxima vez te llevo a un lugar de ambiente, para estar más a gusto.

—Ay, no, los bares de lesbianas cadeneras me chocan —protestó Fabiola—. Te ven como bicho raro si no perteneces al gueto.

—A ti nadie te ve feo en ningún lado, mi amor. Se te quedan viendo porque les gustas.

Enternecidas, Fabiola y su amiga se besaron en la boca. Evaristo forzó la vista tratando de distinguir entre las flores del jarrón las facciones de la feliz coronela, cuya voz le sonaba familiar. Llevaba un conjunto de seda azul marino, botas de gamuza, pañoleta a cuadros y en su brazo visible resplandecía una pulsera de oro. Se despegaron y Fabiola exhaló un suspiro.

—Mañana dan la última de Greenaway en la muestra. ¿No quieres venir?

—Acabo de verla en Nueva York.

—¿Y qué tal está?

—So-ber-bia, ma-gis-tral, in-cre-í-ble, pero con un humor posmoderno que los críticos de México no van a entender. Es demasiado sutil para ellos. Cuando empieza la película crees que va a ser una farsa trágica, luego un melodrama psicológico y al final se vuelve un auto sacramental. No sabes cuánto me reí. Es lo mejor que ha hecho Greenaway desde *The Architect's Belly*.

—Pues mañana sin falta la veo. Lo que me choca de ir al cine aquí son los subtítulos. Cuando no saben traducir algo, lo inventan.

—Y en el teatro es peor. Ayer fui a ver *El loco y la monja* de Witkiewicz en Cultisur y no sabes el coraje que hice. Le encargaron la traducción a un imbécil que no sabe una palabra de polaco. Aquello era un desastre. Yo tenía muy fresca la obra porque acababa de leer el original.

—Préstamelo, no seas mala.

—Claro, mañana te lo mando con el chofer. Pero te digo: no entiendo cómo ponen a traducir una obra tan difícil a un señor que no ha viajado a Europa ni en esos tours para quinceañeras donde recorren una ciudad por día. Hasta ganas me dieron de mandar una carta al periódico.

—¿Pero de qué te sorprendes, si en este país cualquiera se cree intelectual? En el taller literario donde yo me inscribí, todos los dizque escritores eran unos nacos que no habían pasado de José Agustín. Les hablabas de Klossowsky, de Michel Tournier, de Thomas Bernhard y se quedaban viendo visiones. No saben ni pedir la hora en inglés, pero eso sí, hasta el más bruto se ha ganado algún premiecito en Cuautitlán o en Celaya.

—Agradece que el vulgo conserve su feliz ignorancia. —La amiga carraspeó como si tuviera atorado un gargajo—. En este país la clase intelectual siempre ha sido pequeña: 50 personas a lo mucho, y así está muy bien. ¿O quieres que el medio se llene de advenedizos?

—Si te oyeran dirían que eres una burguesa elitista.

—Elitista no, aristócrata, que es distinto. Eso de que la cultura se divulga es un invento de los políticos demagogos. La cultura se hereda, se transmite de generación en generación. Es un patrimonio exclusivo de la gente con clase, algo que la masa nunca tendrá, por más que la obliguen a leer. Si yo dirigiera un taller literario invitaría a todos los alumnos a cenar a mi casa para ver si saben usar los cubiertos. Y al que me confundiera el cuchillo de las carnes con el del pescado, lo corría sin contemplaciones.

La aristócrata se puso de pie para echarle más hielo a su trago. Al erguir la cabeza por encima del florero entró en el campo de observación de Evaristo, que la reconoció con un sobresalto: ¡Era Perla Tinoco, alias Perla Tinaco, la poetisa cincuentona y entrada en carnes que tenía un puestazo en el Conafoc! Sin duda, Fabiola quería sacarle algo, pues era imposible que se acostara por gusto con una mujer que le doblaba la edad y el peso. ¿La estaría chichifeando por dinero? ¿Se había decepcionado de los hombres tras los descalabros con Lima y Vilchis?

—Por cierto, nunca me contaste cómo te fue en la presentación de tu libro —comentó Fabiola—. Leí una nota en el *Reforma*. ¿Qué tal estuvo, eh?

—La presentación bien, lo malo fueron los presentadores. Tuve la maldita ocurrencia de invitar a dos cretinos que se llaman Daniel Nieto y Pablo Segura, ¿los conoces? —Fabiola negó con la cabeza—. Pues no te has perdido de nada. Son las típicas larvas de suplemento que andan de aquí para allá buscando a quién hacerle la barba. Me habían estado rogando que les dejara presentar un libro mío y en un momento de flaqueza acepté. Los pobres deben haber pensado que se les iba a pegar mi prestigio por acompañarme en la mesa, pero el compromiso les quedó grande. ¡No sabes cuántas tarugadas dijeron de mí! Yo los oía y pensaba: ¿pues qué leyeron estos imbéciles? Pero ni modo de ponerlos en ridículo delante de todo el mundo. Hubiera sido una grosería. Tuve que apechugar y al final hasta les di las gracias, como buen caballero que soy.

—Cuando escribas otro libro, ¿me dejas que te lo presente?

—Por supuesto, mi amor, y además va a estar dedicado a ti. —La Tinoco deslizó un dedo juguetón en el escote de Fabiola.

—¿Aunque no sepa usar los cubiertos?

—Contigo haré una excepción, porque me gustas mucho. —Del escote bajó a los muslos, trazando una raya imaginaria en el cuerpo de Fabiola—. Las niñas malas como tú pueden comer hasta con las manos...

Se besaron en la boca, o más bien Fabiola se dejó besar, indolente y rígida, con una reserva que la delataba como primeriza pero consintiendo que la Tinoco le alzara la falda y se adueñara de su entrepierna. Evaristo sólo podía ver la mano de la poetisa bajo las mallas negras de la muchacha, lo que bastaba para producirle una mezcla de rabia y excitación. Hubiera querido hacerse presente, apartar a la Tinoco de un manotazo, quítese de aquí, pinche tortillera, ya llegó un hombre de verdad, y ocupar su sitio para darle a Fabiola una señora cogida, pero en ese momento, agazapado detrás de la puerta, era un testigo condenado a ver y callar, un fantasma corpóreo que ni siquiera podía filtrarse por las paredes. Venciendo su timidez, Fabiola se sentó a horcajadas sobre las piernas de la Tinoco, que atacó sus pezones como una golosa lactante, sin dejar en ningún momento de juguetear con su clítoris. La ropa empezaba a pesarles y Fabiola se quitó la blusa, quedando con los pechos al aire. Acalorada, la Tinoco arrojó su pañoleta sobre la alfombra y prosiguió con su aplicada tarea, mientras Fabiola, cerrados los ojos, pasaba de los gemidos a los jadeos y arrojaba sus tacones sobre la mesa. Por su expresión de beatitud, que dejaba traslucir un intenso placer, Evaristo dedujo que Perla le estaba haciendo un trabajo manual de alta escuela. Impaciente quizá por ir más allá de los escarceos, la Tinoco cargó a Fabiola como si fuera una pluma, le plantó un beso de recién casadas y la llevó a su recámara en brazos.

Al verlas venir hacia él, Evaristo desenfundó la Magnum por acto reflejo, dispuesto a amedrentarlas con algunos disparos al aire, pero la Tinoco empujó la puerta del cuarto sin advertir que había un hombre detrás, urgida de zambullirse en la cama con su preciosa carga. Expuesto a ser descubierto si alguna de las dos miraba en dirección a su escondite, Evaristo contuvo la respiración con la pistola en alto. La Tinoco encendió la lamparita del buró para ver al desnudo el cuerpo de Fabiola, y el cono de luz entró como una puñalada por detrás de la puerta. "Ahora sí ya me vieron", pensó, oprimido contra la pared. Estaba de buenas, porque Perla y Fabiola siguieron en lo suyo, ausentes de la realidad, trabadas en un candado de piernas que Evaristo ya no podía ver, pero componía en la imaginación excitado por sus murmullos. El sudor frío del miedo y el sudor caliente de la lujuria confluían en sus sienes palpitantes, que marchaban al unísono con los jadeos de las dos mujeres. Entre el dúo de respiraciones oyó una especie de sorbo largo, como de niño malcriado que hace burbujas con un popote. ¿Era la infame y lenguaraz campeona del nixtamal en su faceta de lamecoños? Por más que se concentraba en imágenes deprimentes, no podía aplacar su erección ni quitarse del pensamiento la vulva de Fabiola, que veía ante su cara haciéndole guiños, abierta como una orquídea. Su martirio se agravaba por el olor a salmuera que le llegaba desde la cama, particularmente obsceno por emanar de dos intelectuales, a quienes Evaristo, con su fe supersticiosa en los poderes de la cultura, se había imaginado inodoras y etéreas, redimidas de cualquier secreción animal. El aroma a pescadería lo torturaba tanto como el dolor de testículos y recrudecía su sensación de impotencia, más hiriente a medida que Fabiola, exangüe y desmorecida, se acercaba al paroxismo con una secuencia de gritos cortos y agudos primero, largos y roncos después, que culminó con un prolongado lamento de cante jondo, la rúbrica sonora de un orgasmo espectacular.

Evaristo se relajó como si le hubieran tocado migajas del placer que entibiaba la habitación. Oyó el chasquido de un encendedor seguido de un largo suspiro y aspiró el humo de un cigarrillo. Felices ellas que podían fumar. Ahora corría más peligro que antes, porque en el silencio de la recámara su respiración era más audible y cualquiera de las dos podía verlo detrás de la puerta.

—Este cuarto huele a hombre —dijo la Tinoco, asqueada—. ¿Sudaba mucho el escritorcete con el que vivías?

—Yo no huelo a nada. Son imaginaciones tuyas.

—Mira, niña, tengo un olfato de sabueso y conozco muy bien ese olor. Es idéntico al de mi esposo cuando se quita los calcetines... ¡Mi esposo! —La Tinoco soltó un alarido—. Hoy regresaba de un congreso de arquitectos y me pidió que lo recogiera en el aeropuerto. ¿Qué hora es?

—Las dos.

—¡En la madre! Ya se me hizo tarde por andar de mujeriega.

Con agilidad felina saltó de la cama y recogió a tientas su ropa, confundida en un promiscuo revoltijo con la de Fabiola, que la ayudó a ponerse el brasier y a subirse el cierre del pantalón.

—Me falta el otro zapato. ¿Dónde carajos lo habré tirado?

Hizo un mohín de disgusto al no encontrarlo bajo la cama y atravesó la recámara a gatas en dirección a la puerta donde Evaristo la esperaba sin parpadear, apretando las mandíbulas como un desahuciado. Vio la sombra de Perla cada vez más grande, la mano que tomaba el picaporte de la puerta, su cabello despeinado asomando por el dintel...

—¡Aquí está! Lo aventaste debajo del tocador —gritó Fabiola.

La Tinoco dio media vuelta sin haber movido la puerta, se puso el tacón y premió a su amante con un beso eufórico.

—Ahora sí ya me voy. Te hablo el martes para ver si vamos a cenar.

Salieron de la recámara y Evaristo suspiró de alivio. Pero el vodevil no había terminado: Fabiola detuvo a la Tinoco en la puerta, cuando ya iba disparada hacia el elevador.

—No te vayas, Perla, se me olvidó decirte una cosa.

—Dímela el martes, ahorita no tengo tiempo.

—Espérate, por favor, a esta hora no hay un alma en la ciudad y en 10 minutos llegas al aeropuerto.

—Está bien. ¿Qué quieres?

—Ya te dije que escribo, pero no te había dicho que tengo un libro de cuentos inéditos. Se llama *Los golpes bajos*, la mayoría son relatos de contenido social, pero escritos en prosa poética. Quería pedirte que lo leyeras, y si te gusta, me ayudes a publicarlo en el Conafoc.

—Te urgía pasarme la factura, ¿verdad? —bromeó la Tinoco—. Está bien, mi reina, llévame el libro a la oficina. Voy a leerlo con mucho gusto, pero no te prometo nada, ¿eh? Las publicaciones del consejo las deciden otras personas.

Tras el último beso de despedida, Fabiola volvió a su recámara con una mueca de disgusto y Evaristo la oyó imitar la voz nasal de la Tinoco frente al espejo del tocador:

—No te prometo nada, ¿eh? Las publicaciones del consejo las deciden otras personas... Pinche cerda malagradecida.

En un elegante ademán de princesa dejó caer su bat sobre la alfombra y se metió al baño desnuda. Evaristo esperó hasta escuchar el ruido de la ducha para salir de su escondrijo. Apretando contra el pecho el cuaderno de Lima, caminó de puntillas hacia la anhelada puerta de la libertad, que abrió y cerró con extrema delicadeza. La ciudad estaba desierta y en pocos minutos llegó a su casa. Después de un día tan ajetreado, le entusiasmaba la idea de ponerse la pijama y leer el cuaderno de Lima entre sorbos de whisky, en busca de mayor información sobre Osiris. ¿Quién era ese nuevo sospechoso, que venía a enredar más aún la maraña de hipótesis sobre el crimen? ¿Qué clase de negocios tenía con la víctima y por qué lo había amenazado de muerte? Ante el reto que significaba el nuevo enigma, las vilezas de Fabiola pasaban a segundo plano: eran la parte incidental y decorativa de la comedia, un entremés de pornografía barata que no debía distraerlo de su tarea deductiva. Subió con

dificultad las escaleras del edificio, jalando aire en cada rellano sin quitarse de la boca el cigarro, que aspiraba con
devoción después de la abstinencia obligada en casa de Fabiola. En el tercer piso, cuando buscaba la cerradura a tientas, oyó a sus espaldas un carraspeo, vio una silueta con gabardina en la oscuridad y creyó que era su vecino de piso.
Al volver la cabeza para darle las buenas noches recibió un
golpe seco en el parietal que lo arrojó de bruces al limbo, a
un abismo de consistencia uterina, húmedo, acojinado y
negro, donde vio extinguirse a lo lejos la brasa de su cigarro, mientras flotaba a la deriva como un pez muerto.

UN PERFUME FAMILIAR, UNA ESPADA de luz rasgando la penumbra, como si el arcángel san Gabriel se posara en sus párpados, aletear de pensamientos renacidos, la frialdad del mosaico allá abajo, el cuerpo machacado, cosquillas en las sienes, una mano suave y maternal que le acariciaba la frente, y al abrir los ojos, la sensación de haber pasado una temporada en el Mictlán o en el hondo Erebo. Dora Elsa le sonrió sin poder ocultar su angustia, como las enfermeras que tratan de animar a los pacientes con cáncer. Por un momento Evaristo creyó que estaba en la cama y había despertado en brazos de su amante, pero al ver el cubo de la escalera recordó con coraje al hombre de la gabardina. Por acto reflejo se palpó el cuerpo, temeroso de haber perdido una pierna o un brazo. Estaba completo, no le habían robado la cartera ni las llaves del coche y sin embargo sentía que algo le faltaba.

—El cuaderno, ¿dónde está el cuaderno? —preguntó a Dora Elsa, tomándola por los hombros.

—¿Qué cuaderno? ¿De qué me estás hablando?

—Anoche traía un cuaderno. Lo encontré en casa de Fabiola Nava y me lo bajé del coche. —Evaristo se quiso levantar bruscamente y sintió una estocada en la cabeza—. Me duele, me duele mucho, creo que un cabrón me descalabró.

—Tienes un chichón del tamaño de una pelota. Voy por unos hielos. No te levantes, mi vida.

Dora Elsa entró con su llave al departamento y dejó abierta la puerta. Al ver la cerradura intacta, Evaristo comprendió que el agresor había ido a lo suyo: quería el cuaderno y nada más. Quizá lo había seguido desde casa de Fabiola, o antes, desde que salió de La Concordia, perdido entre la lluvia y el tránsito, imperceptible para un detective de pacotilla como él, que no sabía cuidarse la espalda. La culpa era suya por haberse confiado, no obstante saber que alguien lo vigilaba. El autor de los anónimos y el hombre de la gabardina eran sin duda la misma persona, pero ¿cómo identificarla si nunca dejaba huella? El aguijón que tenía clavado en el cráneo le recordó con una punzada que no estaba para esfuerzos mentales. Y quizá le conviniera más no pensar: cada vez que pensaba sólo se confundía más y ayudaba con sus torpezas al asesino, que a esas alturas debía considerarlo un aliado. ¿No era una gentileza de su parte haber allanado la casa de Fabiola para entregarle el cuaderno de Lima, que sin duda lo comprometía?

—Alza la cabeza, mi amor, y ponte esta bolsa para que se te baje la inflamación. ¿Quién fue el desgraciado que te pegó?

—Ojalá supiera. —Quemado por el ardor del hielo, Evaristo reprimió un gemido—. Me atacó por la espalda y nunca le vi la cara.

—Eso te pasa por andar solo en la calle. —Dora Elsa se enjugó una lágrima que le había descorrido el rímel—. Todos los judiciales van en parejas o en grupos, pero tú te sientes muy macho. Un día de éstos te voy a encontrar muerto en el pasillo...

—Regaños no, por favor, que ya estoy grandecito. Mejor ayúdame a levantarme, no seas gacha.

Evaristo logró incorporarse recargado en el hombro de Dora Elsa, que lo llevó a paso lento hacia su recámara, donde le quitó los zapatos y el saco.

—Ahora acuéstate, pero no te quites la bolsa de hielo. Voy a prepararte un café con leche.

La cama era una bendición para sus huesos molidos, que parecían haberse cuarteado tras la noche pasada en el suelo. Ya no le dolía pensar. Aflojó los músculos del cuello y sintió que su bienestar corporal (como la luz del sol) emanaba de Dora Elsa, el hada buena en la doble acepción de la palabra —por serlo y estarlo— que había llegado a rescatarlo de las tinieblas, a demostrarle con hechos que para ella su amor no era una simple aventura. "Sí me quiere", pensó, mirándola trabajar en la cocina, con el pelo recogido en una red y el vestido de terlenka cerrado hasta el cuello que ocultaba sus formas provocativas y le daba un aire de señora decente. Era el disfraz mañanero que se ponía para llevar a la niña a la escuela, pero en ella funcionaba como una máscara de carnaval que revelaba su verdadero ser en vez de ocultarlo, pues Dora Elsa conservaba un fondo de honestidad, un elemental respeto por los demás que habían perdido Fabiola Nava, Perla Tinoco y demás brujas de su calaña. ¿Qué habría hecho Fabiola si hubiera encontrado inconsciente a cualquiera de sus amantes? ¿Rematarlo de un botellazo? ¿Escupirle en la cara y aprovechar la ocasión para saquear su departamento? Al menos él tenía una amiga leal y derecha que no se prestaba a dobles juegos ni le clavaría un puñal por la espalda. En su papel de madre con hijo enfermo, Dora Elsa puso el café con leche sobre la mesita de noche y recogió el saco del suelo para colgarlo en una percha, silbando "La diferencia" de Juan Gabriel. Evaristo la seguía con la mirada y notó que después de meter la percha en el clóset, su rostro se contrajo en una mueca de repugnancia.

—¿Se puede saber quién es la dichosa Fabiola? —le preguntó en un tono despectivo que presagiaba tormenta.

—Una escritora a la que estoy investigando.

—La estarás investigando muy a fondo, porque te quedaste con sus calzones. —Dora Elsa le arrojó la prenda a la cara—. ¡Hijo de la chingada! ¡Te rompen la cabeza por andar cogiendo con esa puta y aquí está la pendeja que te viene a curar las heridas!

El ángel se había convertido en dragón y saltó a la cama par abofetear a Evaristo, que al esquivarla derramó el café con leche en la sábana. Con las mandíbulas tensas y el rostro desencajado, Dora Elsa lanzaba golpes y arañazos al aire, mientras él intentaba sujetarle los brazos.

—Cálmate, por favor. Yo con esa tipa no he tenido nada.

—¿Entonces, de quién son las pantaletas? ¿Fue un pajarito el que las dejó en tu saco?

Vencida por los puños de su amante, que le apretaba las muñecas en defensa propia, Dora Elsa fue cediendo poco a poco hasta prorrumpir en sollozos, con la cabeza hundida bajo la almohada. Evaristo se sintió culpable por haberla engañado, aunque sólo fuera con el pensamiento. No había hecho el amor con Fabiola, pero la deseaba, y eso ya era un principio de infidelidad.

—No llores, mi vida, déjame explicarte lo que pasó.

—Explícaselo a tu abuela, yo de ti no quiero saber nada, ¿me oyes? ¡Nada! —Se levantó de la cama en un arrebato de dignidad y recogió sus tacones—. Esto me saco por buena gente, por enamorarme a lo pendejo de cabrones que ni conozco. Todos quieren lo mismo, unos cuantos acostones y luego se aburren de una, porque ya vino otra infeliz a calentarles el pájaro. Yo soy puta de aquí para abajo, pero tú me la ganas, porque tienes emputecida el alma. Y no creas que te digo esto por ardida, ¿eh? Ahorita salgo a la calle y tengo a cien galanes mejores que tú. —Caminó hacia la puerta sacando chispas del suelo, al pasar por la sala estrelló contra la pared un portarretrato con la foto de Evaristo y en la puerta se dio la media vuelta con una sonrisa maligna—. No se te ocurra buscarme en el Sherry's porque voy a pedir que no te dejen pasar. Hasta nunca, mi amor. Ojalá y alguna de tus viejas mugrosas te pegue el sida.

Evaristo aguantó la andanada y el portazo sin pestañear, en una actitud de criminal confeso que acepta el veredicto del juez. Hasta el golpe en la cabeza se le olvidó, pero no estaba completamente abatido porque los insultos de Dora Elsa, por más hirientes que fueran, le habían llegado al corazón. Se había puesto como fiera por la sospecha de una infidelidad. ¿Necesitaba mayor prueba de amor? El problema con ella —y al pensarlo sintió un escalofrío— era que tal vez nunca lo perdonara, por aferrada y orgullosa. Fue a sacar hielos del refrigerador y se sirvió un whisky. Era estúpido, trágicamente estúpido, perder al amor de su vida por un malentendido. Maldijo a Fabiola con el pensamiento, abrió la ventana que daba al Circuito Interior y arrojó su pantaleta. Se regodeaba viendo cómo los coches imprimían el dibujo de sus llantas en el delicado encaje de florecitas cuando el timbre del teléfono le cimbró la cabeza como un golpe de gong.

—¿Bueno?

—Felicidades, intelectual. Ya supe que agarraste al asesino de Lima.

—Sólo es un sospechoso. ¿Quién habla?

—Chale, ¿ya ni me reconoces la voz? Habla el Gordo Zepeda.

—¿Qué pasó, Gordo?

—Nada. Nomás quería saber si ya le echaste un ojo a mis poemas.

—Discúlpame, pero no he tenido tiempo. Cuando salga de esta bronca te prometo que los voy a leer.

Colgó con brusquedad para evitar que el Gordo se extendiera en la plática. Su llamada obró como una sacudida que lo apartó de su descalabro sentimental y le puso los pies en la tierra. De un momento a otro Maytorena detendría a Vilchis, si acaso no lo había detenido ya, pero él ahora tenía otro sospechoso, Osiris, que probablemente se había quedado con el cuaderno de Lima, si no estaba errado en sus deducciones. Pero de Osiris no sabía nada. Sólo que había amenazado de muerte a Lima y también escribía poemas, como el Gordo Zepeda, la Tinoco y otras almas delicadas a las que ya empezaba a temer, como si el trato con las Musas fuera un signo de perversidad innata, el equivalente del prognatismo y la malformación craneana en los manuales de fisonomía criminal. Para salir del bache llamó a Rubén Estrella, su informante de cabecera, que se conocía al dedillo los intríngulis del medio literario. Rubén sabía quién era Osiris, pero no estaba tan accesible como otras veces:

—Lo siento, mano, tengo mucho trabajo, estamos preparando el número de aniversario y no puedo perder el tiempo jugando a los detectives. Háblame otro día y nos ponemos de acuerdo.

—Por favor, necesito verte hoy. Creo que Osiris es el asesino de Lima. Si me ayudas, lo podemos refundir en el bote.

Tras una pausa dubitativa, Rubén se ablandó.

—Está bien, compa, voy a salirme de la oficina para que podamos hablar sin orejas. Nos vemos a las 11 en la cafetería del Parnaso, pero que sea la última vez. Ya me agarraste de secretario y ni siquiera me pagas.

Tras un duchazo rápido y un café bien cargado, Evaristo salió en su coche rumbo a Coyoacán, receloso de todos los automovilistas que se volvían a verlo en los altos. Llegó a la cita antes que Rubén y pidió unos huevos rancheros. Aunque la plaza estaba soleada y la iglesia resplandecía con una luz de tarjeta postal, en el café cubierto por un toldo verde hacía frío. Como en el bar Trocadero, la clientela de intelectuales le produjo incomodidad y un sentimiento de exclusión, a pesar de que se había puesto una chaqueta de mezclilla para no desentonar con Rubén Estrella. Frente a su mesa había un grupo de escritores o maestros universitarios, divididos en bandos antagónicos, que discutían la calidad literaria del subcomandante Marcos, envueltos en una densa humareda. A la derecha, un joven de cara blancuzca y lentes de botella escondía su soledad detrás de un libro voluminoso, al parecer de filosofía, que de vez en cuando subrayaba con una pluma. Más al fondo, en una mesa pegada a los arriates de la plaza, una reportera joven y guapa de pelo castaño entrevistaba a una señora de mediana edad y porte distinguido, escritora o historiadora, que sostenía en la mano una boquilla de oro y enfatizaba sus declaraciones moviéndola como una batuta. Esa gente formaba un círculo impenetrable y hostil para los de afuera, el círculo de la cultura como estilo de vida, en el que un advenedizo como él jamás lograría ingresar, aunque fuera un fanático de la lectura. Cuanto más conocía el mundillo cultural y sus inmediaciones, más convencido estaba de que la clave para entrar en él no eran las lecturas sino la manera de proyectarlas al exterior, convertidas en atributos de carácter. Él había leído mucho pero conservaba la misma personalidad, una especie de bata para andar por casa, remendada y llena de lamparones, que lo ponía en desventaja ante esos cultos de aparador. Nadie lo miraba, pero él se sentía observado, sujeto a examen, y cuando por fin le llevaron el desayuno se lo comió sin levantar la vista del plato, replegado en sí mismo como una oruga. Cuando le faltaba poco para terminarse los huevos rancheros, que le picaron tanto como su vergüenza, Rubén Estrella irrumpió en la cafetería, de tenis y sudadera, con un morral enorme lleno de libros. En su cara morena y huesuda, como de ídolo tallado en piedra, Evaristo percibió un gesto de contrariedad.

—Siéntate, mano, ¿quieres algo de tomar?

—Un café americano.

Cuando la mesera se apartó de la mesa, Evaristo quiso ir al grano, pero Rubén lo detuvo en seco.

—Espérate, Luciano, antes de empezar yo también quiero hacerte algunas preguntas. No puedo confiar en ti si no sé quién eres. He hablado con mucha gente del medio y nadie te conoce. ¿Dónde me dijiste que escribías?

—En la revista *Macrópolis*.

—Qué raro. El jefe de redacción es amigo mío, ¿sabes? Ayer le pregunté por ti en una comida y resulta que jamás ha oído tu nombre.

—Bueno, es que yo le entrego mis textos al director.

—¿Ah, sí? Pues el director comió con nosotros y tampoco sabe quién eres. Nadie te ha leído en ninguna parte, Luciano y la mera verdad, tengo miedo de que seas policía. Por eso no quería venir. Es gacho que te utilicen como garganta profunda para joder a otros compañeros del medio. Pero luego cambié de opinión y pensé: no te aceleres, dale chance de que se defienda, el cuate parece derecho aunque tenga teléfono celular. Dime la neta, Luciano, si es que de verdad te llamas así. ¿Eres agente de la judicial o trabajas por tu cuenta?

—Trabajo en la judicial, pero tengo razones personales para investigar la muerte de Lima. —Evaristo lo miró a los ojos—. La noche de su muerte yo estuve con él...

—No quiero ser tu cómplice ni enterarme de ningún secreto. —Rubén se levantó sin probar su café y Evaristo lo tomó del brazo.

—Espérate, por favor, no soy lo que te imaginas.

—¿Ah, no? ¿Entonces qué eres? ¿Un santo varón que reza tres avemarías antes de torturar a los detenidos? Mira, viejo, yo estuve en la matanza del 10 de junio y sé muy bien cómo investigan ustedes, porque me llevaron a los separos. ¿Ves esta cicatriz? —Se levantó el copete y le mostró una cortada en la frente—. Me la hizo un compañero tuyo, el comandante Higareda. Quería hacerme confesar que yo era el líder del movimiento. Como lo negué hasta el cansancio, me pegó con la cacha de su pistola. Eso nomás fue el principio. Luego se puso a jugar ruleta rusa y me disparó tres veces en la sien pa' que soltara la sopa. A la cuarta le dije ya párale, firmo lo que sea pero no me mates.

—Ése no es mi estilo. Yo hago trabajos limpios.

—¿Te parece limpio engañar a la gente con tu disfraz de periodista?

—Era la única forma de acercarme a los amigos intelectuales de Lima. Si me presentaba como judicial iban a ponerse en guardia. Y contigo he comprobado que tenía razón: sólo te falta ponerme cruces, como si hubieras visto al demonio.

—De hombre a hombre no me das miedo. —Rubén alzó la voz y llamó la atención de los demás clientes, que se volvieron hacia su mesa—. Cuando quieras nos damos un entre. A ustedes les quitan la pistola y son unos maricones.

—Pues yo ando desarmado. —Evaristo se abrió la chaqueta— y, aunque no lo creas, jamás he torturado a nadie.

—Ya te lo dije, no creo en los policías modelo. Si fueras tan decente como dices, tendrías otra chamba. En la judicial sólo entra la escoria de la sociedad, los que ni de ladrones la hicieron. Y me vas a perdonar, pero no quiero seguir hablando contigo: me reservo el derecho de elegir a mis cuates.

Rubén se zafó de su brazo y caminó rumbo a la salida entre los murmullos de la clientela. Evaristo arrojó sobre la mesa un billete de 50 pesos, brincó la rejilla con arbustos que separaban al café de la plaza y salió corriendo en pos de Rubén, que había apretado el paso y cruzaba la explanada diagonalmente entre los setos de flores. En su prisa por alcanzarlo, arrolló un puesto de aretes tendido en el suelo, sobre una manta negra, sin reparar en las mentadas del encargado. Al ver que Evaristo lo perseguía, Rubén corrió hacia los portales, y al doblar la esquina se internó por una calle empedrada, sorteando con dificultad los automóviles embotellados que buscaban lugar para estacionarse. Había sacado ventaja a Evaristo porque los tenis le daban agarre en el empedrado, pero su facha de viejo rocanrolero llamó la atención de un policía bancario, quien lo tomó por un delincuente dado a la fuga.

—Párese ahí o disparo. —Lo amenazó apuntándole a la cabeza.

—No dispare, sargento, ese greñudo viene conmigo —gritó Evaristo, jadeante.

Al acercarse le mostró al policía su charola de judicial.

El policía bajó el revólver, tomó a Rubén del brazo y se lo entregó a Evaristo, quien todavía no recuperaba el aire, pero ya había encendido un cigarro.

—¿Qué? ¿Estoy detenido? —protestó Rubén.

—Te lo mereces por dejarme con la palabra en la boca, pero ya te dije que no es mi estilo. Vamos a mi coche. Te doy un aventón a tu chamba y en el camino hablamos.

Al subir al Spirit, Evaristo sintió que Rubén estaba muerto de miedo, quizá por haber visto la Mágnum en el asiento trasero. Hubiera podido sacarle información sobre Osiris con amenazas, pero quería vencer su desconfianza porque lo estimaba de verdad y necesitaba un aliado.

—Mira, Rubén, conozco tu manera de pensar porque yo era como tú antes de entrar a la judicial. Para ti sólo hay blanco o negro: de un lado los tiras ojetes y del otro los chavos alivianados que se largan a vivir a Cipolite y sueñan con hacer la revolución. Pero en medio de esos dos polos hay muchas variedades de gris. Hasta el policía más canalla, si le rascas un poco, tiene su rinconcito de nobleza, y el chavo más idealista de la universidad esconde alguna ambición mezquina en el fondo del alma. Tú mismo debes tener debilidades, no en balde eres literato. La vanidad, por ejemplo. ¿A poco no te crees el escritor más chingón de México?

—Sólo esto me faltaba —protestó Rubén—, un matón de la judicial predicando la humildad. ¿Adónde quieres llegar?

—A que la perfección moral no existe. No hay absolutos en el bien ni en el mal. Si condenas en masa a toda la gente del bando gris, te estás condenando a ti mismo. Todos en esta vida, óyelo bien, todos en esta vida somos capaces de hacer una gran chingadera.

—Con ese argumento se pueden justificar los crímenes de Hitler, las purgas de Stalin, la matanza de Tlatelolco y hasta el asesinato de Roberto. ¿Para qué buscas al culpable, si no es peor ni mejor que tú?

—Porque si no lo encuentro me va a llevar la chingada. —Evaristo dio vuelta a la derecha en Miguel Ángel de Quevedo, donde un tráiler que no se podía meter a un garaje había detenido el tránsito—. Yo soy el modelo del retrato hablado que salió en el *Proceso*. Gracias a dios es tan malo que nadie me puede reconocer, pero ya tengo en mi contra a Casillas, el argüendero ese de *El Matutino*, que me cargó el muertito. Lo que no saben Casillas ni el *Proceso* ni tú es que yo quería salvarle la vida a Lima, te lo juro por dios. Mi gran error fue pasarme de buena gente con un cabrón que ni conocía...

Aunque el calor del mediodía pegaba con tubo, cerró la ventana para evitar las fumarolas del tráiler, prefiriendo rostizarse a morir de asfixia. Era un alivio poder sincerarse con alguien y drenar el azolvado estanque de su conciencia. Confiado en la buena fe de Rubén, le narró el descubrimiento de Maytorena en la carretera a Pachuca, su fallido intento por prevenir a Lima, el encuentro con el hombre del puro en la escalera del edificio, los anónimos del asesino, sus motivos para buscarlo en el medio literario y los vaivenes de una investigación similar a un juego de oca, donde un día avanzaba y al siguiente retrocedía hasta el fondo del tablero, que lo había llevado de Fabiola a Vilchis y de Vilchis a Osiris...

—No te quiero emboletar en esta bronca ni tampoco te pido que me borres de tu lista negra —concluyó—. De mí puedes pensar lo que quieras, que soy un corrupto, un devorador de niños y un hijo de la chingada, pero te advierto una cosa: este hijo de la chingada, tan corrupto como lo quieras ver, es el único que puede averiguar quién mató a tu amigo. Así que ya sabes: o colaboras conmigo o colaboras con el asesino.

Rubén miró la Mágnum por el espejo retrovisor:

—¿Y cómo puedo estar seguro de que tú no eres el asesino?

Evaristo dio un frenazo en la esquina de Altavista y Revolución.

—Porque si lo fuera ya estarías muerto, imbécil —exasperado, se restregó la cara con las manos—. ¿Sabes qué, buey? Mejor bájate de una vez. Bájate y cuéntale a tus compañeros de la revista, esos izquierdistas huevones mantenidos por el gobierno, que estuviste hablando con Satanás y echaba lumbre por la boca.

146

Rubén abrió la portezuela, sacó un pie del carro y tras un momento de lucha interior, reflejada en la tensión de su rostro, la volvió a cerrar.

—Está bien, te voy a decir lo que sé, pero no me llames a declarar, ¿eh? Que esto quede aquí entre nos, luego vienen las represalias y no quiero pedos.

—Nadie te va a pedir que declares. —Evaristo puso el carro en marcha—. Todo esto es información confidencial que no constará en ninguna acta. Sólo quiero saber cómo se apellida Osiris y por qué Lima estaba endeudado con él.

—Se apellida Cantú, Osiris Cantú de la Garza. Lo conocí en la Facultad de Filosofía y Letras en un seminario sobre Góngora que daba Antonio Alatorre. Desde entonces era un dandy, ya sabrás, camisas de seda y suéteres de lana inglesa, muy bien cuidada la melenita, lociones importadas, modales de príncipe. Llegaba a la clase en un Mustang anaranjado, a veces con su perro, un pastor alemán de buena alzada que se quedaba quietecito afuera de la clase. Lógicamente se traía rebotando a todas la viejas, hasta cola hacían para saludarlo en los pasillos, pobrecitas, qué otra les quedaba si éramos tan pocos hombres en la facultad y la mitad putos. A mí al principio no me caía bien. Yo venía de la colonia Obrera y pensaba, pinche burgués de mierda, ¿no?, que se largue a estudiar a la Ibero, pero teníamos una cosa en común: los dos éramos bien atascados. Eso lo descubrí en casa de la Chata Silva, una vieja cachondísima de letras clásicas, que vivía sola y organizaba unos reventones de poca madre. Una vez llega Osiris con un churrazo de mota colombiana como de 20 centímetros y lo avienta sobre la mesa diciendo ábranla, ya llegó el Zepelín. Con la mitad alcanzó para noquear a toda la fiesta, sólo nos quedamos Osiris y yo, los más pachecos, atizándole al tú por tú hasta que nos salió humo por las orejas. Fue como fumar la pipa de la paz.

—¿Pero qué hace Osiris en la actualidad? —se impacientó Evaristo—. ¿Qué le había vendido a Lima?

—Allá voy, no comas ansias. Desde el día del Zepelín, Osiris y yo nos hicimos cuates, y como él escribía poemas eróticos le presenté a Roberto, que le publicó sus primeros trabajos en *La resaca*, la revista que hacíamos en el taller de Silverio Lanza.

—Lima lo menciona en su cuaderno. Tacha a Osiris de malagradecido por haber olvidado que él fue su primer editor.

—Sí, con el tiempo se volvió mamón. El reconocimiento y los premios lo marearon gacho, ahora te ve por encima del hombro porque ya está instalado en las grandes ligas, traducido a varios idiomas. A cada rato lo invitan a dar conferencias en el extranjero, pero entonces era la buena onda, y como además tenía lana era un agasajo andar con él porque te invitaba comilonas en buenos restoranes, pedas con vinos franceses. Una vez Roberto y yo nos fuimos con él a Acapulco en su Mustang. Allá nos ligamos a unas gringas y él pagó todo: el hotel, las discotecas, la comida. Por sus apellidos yo sospechaba que era hijo de algún millonario regiomontano, y un día le pregunté si su jefe le mandaba lana, pero no. Resultó que su familia era de clase media y jamás le pasaba un quinto. Ah caray, pensé, pues cómo le hace para llevar ese tren de vida. Desde entonces me puse a observarlo y descubrí que el cabrón vendía mota y chochos en los jardines de la universidad. Salía a pasear con su pastor alemán, llegaban los clientes a conectar, se trepaban al Mustang y ahí les entregaba los guatos, envueltos en papel periódico. Tenía tan bien organizado el bisnes que hasta se mochaba con las patrullas de vigilancia, como los traficantes profesionales. Yo sentía que los macizos formábamos una gran familia y se me hizo gacho que hiciera negocio explotando a nuestros hermanos. Con más razón si el buey era poeta, ¿no? Tanto predicar el amor, la igualdad, el aliviane, la liberación por medio de la palabra, para caer en el más putrefacto mercantilismo. Un día en una cantina le dije, oye, Osiris, ya sé de dónde sacas tanto billete. No quiero echar un sermón, allá tú con tus ondas, pero explícame qué tienen en común el narcotráfico y la poesía. Se quedó muy friqueado, como si le hubiera mentado la madre. No, dice, lo que pasa es que tú no entiendes, la poesía es una cosa y la vida otra, la vida es cabrona, yo no le puedo regalar la mois a toda la gente, me quedaría en la calle, tengo que pagar la renta, comprar libros, ropa, comida, pero ni creas que me voy a dedicar al narcotráfico toda mi vida, cuando junte una lanita para poner una editorial mando esto a la goma. Sí, cómo no. Hasta donde yo sé todavía sigue con el negocio. Hace mucho que no lo veo, porque lo empecé a evitar desde entonces y ahora ni me saluda, pero su fama se ha extendido por todas partes. En el medio le dicen el narcopoeta.

—Ya entiendo. —Evaristo pensó en voz alta—. Lima era su cliente y Osiris lo tenía amenazado por falta de pago.

—Puede ser. Mi cuate era igual de macizo que yo, sólo que él se cruzaba con alcohol y antidepresivos. A lo mejor Osiris le fió y el prángana del Robert se andaba escondiendo para no pagarle.

—Pero hay algo que no encaja. —Evaristo se detuvo en una callejuela arbolada y tranquila de San Ángel, sin apagar el motor—. No creo que Osiris necesite vender drogas para vivir, si es un poeta tan reconocido.

—Bueno, reconocido entre comillas. —Una chispa de malicia asomó en los ojos de Rubén—. Ha sabido juntarse con la gente adecuada, tiene un currículum que deslumbra a los pendejos, pero en realidad es un poeta del montón. Y en lo referente a su negocio, toma en cuenta que le gusta la buena vida. Un playboy como él no se conforma con puestecitos de asesor y becas para irla pasando.

—Necesito conocerlo en persona. ¿Podrías conseguirme sus datos?

—A lo mejor los tiene un cuate de mi oficina, porque aparte de traficar, Osiris trabaja de aviador en el instituto, ganando lo doble que yo. Déjame hablarle.

Tomó prestado el celular de Evaristo, quien le sonrió irónicamente, como diciendo ¿verdad que sí es útil el chismecito? Rubén le devolvió la sonrisa y Evaristo percibió en su rostro un alborozo de niño jugando al agente secreto.

—Julián, ¿me haces un favor? ¿Podrías conseguirme el teléfono y la dirección del señor Osiris Cantú?

De guardia en la Plaza Federico Gamboa, un islote de quietud en el corazón de Chimalistac, con su capilla pueblerina del siglo XVII y su diminuto jardín alfombrado de hojas secas, Evaristo mordisqueaba una torta de lomo al volante del Spirit, donde había recargado el libro de Roberto Lima. La casa de Osiris, una residencia estilo colonial de dos plantas, con paredes encaladas y tiestos de flores en las ventanas, quedaba a 20 metros del lugar donde se había estacionado, y en los cambios de página despegaba los ojos del libro para echarle un vistazo al zaguán. Llevaba esperando más de tres horas y no tardaría en oscurecer. De vez en cuando cruzaban la plaza madres que paseaban a sus bebés en carriola, sirvientas uniformadas, policías de a pie, estudiantes de secundaria echando relajo, pero de Osiris ni sus luces. Eran las siete de la noche. Si no llegaba en una hora, daría aviso a Maytorena, para que mandara un agente a vigilar la casa. Los cuentos de Lima, con sus crudas descripciones de la miseria en las ciudades perdidas, sus crímenes entre pandillas y su regodeo naturalista en la sangre, la caca y el vómito, no eran el mejor acompañamiento para deglutir una torta. Había leído más de la mitad del libro y sólo le había gustado un cuento, el del tullido sin brazos ni piernas que pedía limosna a la entrada de un hotelucho y extorsionaba a las mujeres adúlteras pidiéndoles favores sexuales, a cambio de no acusarlas con sus maridos. Era una extraña combinación de Boccaccio con José Revueltas que no le había salido tan mal a pesar del torpe desenlace —uno de los maridos sorprendía al tullido agasajándose con su mujer y lo arrojaba al canal del desagüe—, pero en los demás cuentos, si acaso merecían ese nombre, pues más bien eran situaciones sin desarrollo, Lima se anteponía a la narración como un mal conductor de sus marionetas y abrumaba al lector con extensas digresiones líricas, impregnadas de un ácido rencor social. No estaba leyendo a Flaubert, eso saltaba a la vista, pero al comparar el paisaje de Chimalistac, elegante y sobrio, con las callejas sórdidas donde transcurrían las historias de Lima, le perdonó sus yerros literarios por empatía sentimental, como si el mero esfuerzo de haber escrito por y para los jodidos tuviera ya un mérito que sobrepasaba cualquier veleidad estética. Dedicarse a la literatura en el Peñón de los Baños era como sembrar flores en un páramo: qué importaba si salían un poco descoloridas y tristes. En cambio, un burgués como Osiris, con esa casita que valía fácil mil millones de pesos viejos, tenía todo a su favor para hacer carrera en las bellas letras. ¿O tal vez fuera un *bluff* como Perla Tinoco? Mientras más conocía el medio literario más desconfiaba de las reputaciones y los prestigios. ¿A quién creerle, si en público todos eran lo máximo y en privado se arrancaban las vísceras?

Por curiosidad hojeó los poemas del Gordo Zepeda, que había dejado en el asiento trasero del coche. Como suponía, se trataba de versificaciones ripiosas y cursis, engalanadas con faltas de ortografía:

*Radiante fulgor de estrella*
*que iluminas mi sendero*

*dile a la que yo más quiero*
*que estoy muriendo por ella...*

Cansado de leer, prendió el radio y movió el sintonizador hasta dar con Radio Capital. Oyendo "Angie", la vieja balada de los Stones, se puso melancólico y pensó en Dora Elsa. Hacía tiempo que no amaba a una mujer con esa combinación de ternura y enculamiento. Hasta la coca había dejado por ella, y todo para perderla a lo tarugo, por culpa de unos calzones que ni siquiera le había bajado a su dueña. Recordó con rabia la cátedra de lingüística que Perla Tinoco había impartido entre las piernas de Fabiola y pensó que Dora Elsa, caliente como era, podía dejarlo en cualquier momento por alguna corista del Sherry's, donde la tortilla era el pan nuestro de cada día. Si acaso lo perdonaba —nada le costaba soñar con los reyes magos—, tendría que pulirse como amante, ser hombre y lesbiana a la vez, pues ahora sentía que toda mujer era una rival en potencia. Empezaba a calentarse imaginando cómo aplicaría las enseñanzas de Perla Tinoco el día de su reconciliación, cuando al otro lado del parque se detuvo frente a la casa de Osiris un Cavalier azul claro con vidrios polarizados. Evaristo echó mano a la Mágnum, salió del coche y caminó sobre las hojas secas a paso veloz, la pistola oculta en la bolsa de la chamarra. El hombre que manejaba el Cavalier tardó en abrir la portezuela buscando algo en la guantera. Llevaba una gabardina beige idéntica a la del hombre que lo había atacado la noche anterior. Cuando bajó del coche y se dispuso a abrir el garaje, Evaristo ya lo tenía a su merced.

—¿Es usted Osiris Cantú?

El hombre asintió. Era alto, ojiazul, tenía la nariz recta, el bigote a medio encanecer y aunque estaba un poco excedido de peso, conservaba el porte y la elegancia de sus tiempos estudiantiles.

—Te estaba esperando, narcopoeta. —Evaristo le pegó el cañón de la Mágnum a las costillas—. ¿Me concedes una entrevista? Quiero saber cómo te inspiras para escribir tan bonito.

—Llévese el coche si quiere, pero no me mate. —Osiris tiritó de miedo.

—¿Quién te dijo que soy ladrón? ¿Apenas acabamos de conocernos y ya me insultas?

—¿Qué es lo que quiere? Yo no me meto con nadie. Soy gente de paz.

—¿Te refieres a Octavio? Pues conmigo no valen esas palancas. Jálale para dentro. —Evaristo le dio un empellón hacia el zaguán—. Hace mucho frío aquí afuera y me está temblando la mano. Yo no respondo si se me va un tiro.

Osiris abrió precipitadamente las dos cerraduras y al entrar a la casa, un french poodle rasurado se le echó encima y lo saludó a lengüetazos.

—Espérate, Propercio, no estoy de humor para juegos.

Al ver a Evaristo, el perro le gruñó con recelo.

—¿Eres tú, mi vida? —Se asomó por el cubo de la escalera una mujer a medio peinar, cubierta con un albornoz—. Te habló el director de Bellas Artes para avisar que nos dejaba los boletos para la ópera en la taquilla del teatro. Nomás termino de bañar a los niños y bajo.

—Su esposo no puede ir a ninguna parte. —Evaristo dio un paso al frente para entrar en el campo visual de la señora—. Él y yo tenemos que hablar en privado.

—¿Pero usted quién es? —La esposa bajó algunos peldaños y se quedó estupefacta al ver la Mágnum en el puño de Evaristo.

—Yo soy la ley, señora. —Evaristo le mostró su charola de la judicial.

—Pero esto es un allanamiento. Usted no puede registrar la casa sin una orden de cateo.

—Tranquila, señora, sólo quiero hacerle unas cuantas preguntas a su marido. Quédese arriba y no deje bajar a los niños. —Se volvió hacia Osiris y endureció la voz—: Llévame adonde tienes la droga.

—No entiendo. —Osiris alzó una ceja, entre indignado y sorprendido—. ¿Quién se cree usted que soy?

Al pensar que ese mismo hipócrita lo había golpeado por la espalda para quitarle el cuaderno, nublada la conciencia por un súbito colerón, Evaristo le descargó un rodillazo en los huevos.

—¿Sabes quién creo que eres? Una sabandija corrupta. —Lo alzó por las solapas de la gabardina y le puso la pistola en la sien—. ¿Vas a sacar la droga o te quieres morir aquí mismo, enfrente de tu mujer?

Trabadas las mandíbulas, Osiris resistió la tensión hasta el punto de hacer dudar a Evaristo, que estaba a punto de bajar la pistola, creyéndolo inocente, cuando su esposa lo traicionó:

—La droga está en la caja fuerte del estudio, detrás del cuadro de Pedro Coronel —dijo atropelladamente y se soltó a llorar ante el estupor de su marido, quien la miró con odio—. ¿Qué querías? —le reclamó ella—, ¿que lo dejara matarte?

Sin perder la compostura, Osiris hizo una seña a Evaristo para que lo siguiera por un estrecho corredor que desembocaba en la puerta del estudio, una pieza elegante y acogedora, con alfombra gruesa color vino, vitrinas para proteger los libros del polvo y una chimenea poco usada, con trinches relucientes de bronce. Entre los objetos de arte descollaba un angelote barroco tallado en madera que miraba hacia el escritorio. Por asociación de ideas, mientras Osiris marcaba en un tablero electrónico la combinación de la caja fuerte, Evaristo recordó la covacha deprimente y sucia donde Lima había erigido su patética torre de marfil. Era la casa de un paria que no tenía nada que ocultar. Osiris, en cambio, trataba de revestir el origen inconfesable de su fortuna con la falsa dignidad del buen gusto. El narcopoeta sacó de la caja fuerte una bolsa de polietileno con medio kilo de coca petrificada, un guato de mariguana y varios frascos de ácidos y anfetaminas que Evaristo recibió con una mirada burlona.

—¿De aquí salió todo esto? —le preguntó, señalando el Pedro Coronel y el ángel barroco.

—Con la droga yo no hago negocio, hago relaciones públicas. —Osiris mantenía la cabeza en alto, en una actitud retadora—. Sólo abastezco de material a un selecto grupo de amigos.

—Pero a la hora de cobrar se te olvida que son tus cuates, ¿verdad?

—Mira, quién sabe qué te hayan dicho de mí, pero te aseguro que no soy un traficante profesional. A muchos de mis amigos ni siquiera les cobro, es decir, no les cobro en dinero, aunque todos me acaban pagando con favores o con atenciones.

—Ah, caray, necesito que me expliques cómo está eso. —Evaristo se sentó en el escritorio sin dejar de apuntarle, sorprendido por el repentino tuteo de Osiris, que al parecer confiaba en llegar a un arreglo, pues en vez de mostrar nerviosismo, se comportaba como el amo de la situación—. Así que no eres profesional y para quedar bien con tus cuates les regalas la droga.

—Tanto como regalarla, no. Por cada gramo de coca y por cada churro de mota saco el triple de lo que cuestan en el mercado. En este medio vales por las relaciones que tienes, y para mí la droga es una forma de hacer amigos. Tengo una clientela de literatos que le meten a todo, pero no es gente que salga a conectar con cualquiera, ¿me entiendes? Yo les evito el riesgo de un apañón y ellos me dan apoyo.

—¿Qué clase de apoyo? —Evaristo encendió un cigarro sin ofrecerle a Osiris.

—Apoyo para mi carrera. En la literatura y sobre todo en la poesía no eres nadie si tus colegas te ignoran. Necesitas el palomeo del establishment o quedas como un poeta del montón, aunque seas un genio. Cuando yo era un perfecto desconocido me moría de ganas por publicar en *Trasluz*, la revista de mayor prestigio hace 20 años, donde escribían los figurones de la época. Ingenuo de mí, le llevé mis mejores poemas a Fidel Rivas, que entonces era el jefe de redacción. Pasaron años y nunca me publicó ni madres, estoy seguro que ni siquiera les dio una ojeada. Sencillamente decidió que yo no existía. Otro en mi lugar, dolido por el desaire, se hubiera dedicado a chingar al grupo de *Trasluz* desde revistillas marginales, pero yo fui más hábil. Si este mamón me ningunea, pensé, si de él depende que yo tenga un nombre, voy a trabajarlo para que me deba un favor. Por fortuna el medio es pequeño, teníamos amigos comunes y empecé a coincidir con Rivas en cocteles, bares de moda y reuniones de intelectuales donde noté que le tupía con gusto a la coca. En buena onda yo le invitaba líneas cuando se quedaba desarmado a media borrachera, o le dejaba un sobre para la cruda del día siguiente. Me lo pagas cuando puedas, le decía, hoy por ti mañana por mí. Al rato ya era su díler de cabecera, pero nunca lo traté como cliente. Hablábamos de libros, íbamos con nuestras viejas a Tepoztlán los fines de semana y para ganarme su confianza le daba la coca a precio de costo. Un día lo invité a comer a mi casa, ya casado. Nos metimos un par de gramos y que le asesto de nuevo los mismos poemas. Uy, me dice, esto es una chingonada, voy a proponerlos al consejo de redacción. Así me colé a las páginas de *Trasluz*.

—No cabe duda que a fin de cuentas la calidad se impone. —Evaristo exhaló el humo de su cigarro con un gesto socarrón—. Pero hay algo que no me queda claro: ¿de dónde sacas la lana, si dices que la droga para ti no es negocio?

—La droga no, pero el prestigio sí. En México el renombre significa dinero. Gracias a dios tenemos un gobierno que mima a los intelectuales. Fíjate en mi carrera: a los 26 años, gracias a mi amigo Fidel, que fue presidente del jurado, me gané el Premio López Velarde y con el dinero di el enganche de esta casita. Después, con el apoyo de un escritor muy importante al que abastecía de mariguana y peyote (no te digo su nombre porque ahorita no viene al caso, pero es una gloria nacional), conseguí una asesoría en la SEP donde me pagaban como rey por asistir a un desayuno mensual con el secretario de Educación. Entonces ya tenía vejigas para nadar solo, me fui acercando a los caudillos culturales, entré a la mafia del Fondo, aparecí en varias antologías y vinieron las entrevistas en televisión, la beca Guggenheim, los viajes al extranjero. ¿Ves esta foto? Es del Congreso Internacional de Poetas Ecologistas que hubo en San Francisco hace 10 años. Me consiguió la invitación un literato yonqui que trabaja en la Fundación Cultural Televisa. Aquí estoy platicando con Ceslaw Misloz, el premio Nobel. Algún día, si dios quiere, yo también me lo voy a ganar. Y lo más increíble de todo es que sólo he publicado un plaquette de 30 páginas.

—Te crees muy salsa, ¿verdad? —Evaristo pasó al ataque, harto de su cinismo—. Te felicito por ser tan chingón, pero no vine aquí para que me recites tu currículum. Mejor háblame del otro Osiris, del gandaya que amenaza de muerte a los amigos que le deben dinero.

—Para confesarme prefiero a los curas. ¿Por qué no me la cantas derecha si tú viniste por lana? —Osiris sacó de la caja un fajo de billetes—. Dime de a cómo va a ser el trato y ahí muere.

Sonriente, sin dar señales de indignación, Evaristo le disparó a los pies. La bala rebotó en la pared y se fue a incrustar en la foto enmarcada de Ceslaw Misloz. Afuera del estudio, la mujer de Osiris pegó un alarido.

—Más respeto, que no somos iguales. Guarda tu apestoso dinero o te meto la próxima en la panza. —Osiris obedeció con humildad y presteza—. Vine aquí porque estoy investigando la muerte de tu amigo Roberto Lima. Sé que tú y él tuvieron dificultades por un asunto de dinero.

—Esa historia la inventó alguien que me quiere perjudicar. Roberto y yo nos habíamos dejado de ver hace tiempo.

—Mientes otra vez. —Evaristo cogió a Osiris por las patillas y le dio un fuerte jalón—. Antes de morir, Lima dejó una nota de su puño y letra donde dice que lo amenazaste porque te debía una lana. Y como no te pudo pagar, lo fuiste a ver al Peñón de los Baños y le diste el descontón con el diccionario.

—Lo de la amenaza es verdad, pero yo no lo maté. —Osiris se desplomó en la alfombra, vencido por el dolor—. Sólo quería presionarlo. Nunca me imaginé que pasara una cosa así.

—¿Y no te parece mucha casualidad que alguien haya cumplido la amenaza por ti?

—Roberto tenía muchos enemigos. Cualquiera de ellos pudo matarlo. Era un resentido que no soportaba el éxito ajeno. Hace poco se agarró a golpes con Claudio Vilchis.

—Sí, lo conozco: un padrote del sistema igual que tú. Pero ese pleito no me interesa. Quiero que me hables del tuyo. ¿Lima te debía una cantidad fuerte?

—Quinientos mil pesos viejos por un pedido de mota colombiana que le surtí hace como tres años. Ya le había perdonado la deuda, pero me hizo una chingadera que no tuvo madre. Publicó en el *sábado* una crónica firmada con seudónimo donde contaba mis andanzas desde que empecé a traficar en la facultad. No me llamaba por mi nombre pero cualquiera podía adivinarlo desde el encabezado: "Se busca narcopoeta egipcio." Por algunos contactos me enteré de que Roberto era el autor de la croniquita. La mera verdad me dolió porque lo creía mi amigo, pero así es este medio: nunca sabes por dónde van a saltar las envidias. No le quise reclamar porque a ese tipo de gente hay que ignorarla cuando te pega, así la jodes mejor. Es la famosa bofetada con guante blanco. Pero unas semanas después me lo encontré en El Hijo del Cuervo, y con cuatro jaiboles encima no me pude hacer el desentendido. Lo saqué a la calle, le di una zarandeada en la banqueta y aunque tuve la discreción de no mencionar la nota del *sábado*, le recordé nuestra vieja deuda y lo amenacé de muerte si no me pagaba. Fue un arranque de borracho y al día siguiente ya estaba arrepentido. Con decirte que todavía no puedo digerir la noticia de su asesinato. Hay algo en mí que se resiste a creerlo. Pobre Roberto: era un cabrón pero no se merecía morir así.

—Qué tierno. Ahora resulta que lo compadeces. —Evaristo le dio una irónica palmada en el hombro—. Lástima que todas las pruebas te señalen a ti. ¿Se puede saber dónde estabas en el momento del crimen?

—No recuerdo exactamente. Creo que tuve sesión plenaria en la Academia de la Lengua.

—¿Y a qué hora saliste de ahí?

—Como a las seis de la tarde.

—Según la autopsia, Lima murió a las siete y media. Tuviste tiempo de sobra para ir a su departamento y vengarte por la balconeada del *sábado*. —Evaristo pegó su rostro al de Osiris y le echó el humo en la cara, en una táctica intimidatoria copiada de Humphrey Bogart—. Así operan los narcos en todas partes, ¿por qué ibas a ser la excepción? Tenías herido el orgullo porque Lima te había exhibido como lo que eres, un falso valor, una liendre apestosa, y se te hizo fácil cazarlo en su madriguera. No contabas con que yo estaba de visita, echándome unos tequilas. Cuando me fui te metiste a su casa, y como Lima estaba cayéndose de borracho no te opuso resistencia. Tenías a mano la pistola que yo le había dejado para defenderse, pero preferiste el diccionario, un detalle de refinamiento que jamás hubiera tenido un matón a sueldo. Luego hablaste a *El Universal* para despistar a la policía con la versión del crimen político. Debes estar muy contento, la gente se lo creyó, pero conmigo te la pelaste. Vamos a llamar otra vez al periódico, a ver si el redactor de la nota te identifica la voz. —Evaristo marcó un número en el celular—. ¿Me comunica por favor con Ignacio Carmona?... Qué tal, Nacho, ¿te acuerdas de mí? Soy Evaristo Reyes, el agente que te interrogó en el velorio de Roberto Lima... No, cálmate, sólo te quiero pedir un favor. Voy a pasarte a un sospechoso para que me digas si te suena conocido. —Evaristo le dio el teléfono a Osiris—. Recítale algo bonito.

—Era de mayo la estación florida, cuando el mentido robador de Europa, media luna las astas de su frente y el sol todos los rayos de su pelo...

—Ya basta —le arrebató el celular—. ¿Se parece a la voz del informante que te habló la noche del crimen? —Pausa larga, el rostro de Evaristo se ensombreció—.

¿Estás completamente seguro?... No, sólo es una prueba...
Sí, claro, te prometo que la exclusiva será para ti. —Apagó
el celular y se dirigió a Osiris, que aguardaba con expecta-
ción—. Estás de buenas: Carmona no te reconoció.

—¿Ya lo ve? —Osiris volvió al usted, en señal de respeto—. Le juro que soy inocente. Nunca he matado a nadie, ni siquiera puedo ver sangre.

—No te reconoció, pero dice que pudiste usar un pañuelo. Ni modo, vas a tener que acompañarme a los separos. —Lo tomó bruscamente del brazo.

—Un momento —se resistió Osiris—. No me puede
arrestar por una simple sospecha.

—¿Y esto? —Le acercó a las narices la piedra de cocaína—. Por tráfico y venta de drogas te van a echar entre cinco y 10 años de cárcel. Tiempo de sobra para investigar si
de veras mataste a Lima o nomás le querías poner un ca-
lambre. Así que camínale: allá en la procu te las vas a ver
con agentes más perros que yo.

Evaristo lo sacó del estudio a empellones, la Mágnum
desenfundada por si trataba de huir. Al pasar junto a la mesa del teléfono tomó la agenda de Osiris, para investigar a
su clientela de literatos. En el recibidor, con el pelo en desorden y los párpados hinchados por el llanto, la esposa de
Osiris le dirigió una mirada implorante.

—Lo siento, señora. Tengo que detener a su esposo.
Llame a un abogado porque lo va a necesitar.

—No sabe con quién se está metiendo. —La señora le
cerró el paso en la puerta—. El procurador Tapia es amigo
nuestro. Cenó aquí la semana pasada. Voy a decirle que usted metió la droga en la casa para inculpar a mi esposo.

—Pues hágalo, pero aunque me cueste la chamba, su
marido va a salir mañana en la nota roja. —Evaristo la hizo
a un lado—. ¿Se imagina los titulares? "Detienen a Osiris

Cantú, zar de la droga en el medio intelectual." Qué lástima. Ya no va a tener una calle con su nombre.

—Eso quisiera usted, que odia a la gente con educación, pero con nosotros no va a poder. Osiris tiene amigos muy poderosos. ¡Ya veremos quién acaba en la cárcel!

Evaristo escuchó las amenazas de la señora Cantú sin volver la cabeza. Maytorena en su lugar la hubiera callado a golpes, pero él se limitó a sonreír, divertido por sus aires de rectitud cínica. En plena bancarrota moral, tras haber enseñado el cobre, todavía se obstinaba en marcar distancias de clase y cultura, aunque al mismo tiempo recurriera a métodos de intimidación que la emparentaban con el peor de los gángsteres.

Antes de encender el carro, Evaristo esposó a Osiris en el descansabrazos de la puerta y guardó su agenda en la guantera. De camino a la procuraduría, por el atascado pandemónium de avenida Insurgentes, reflexionó con más detenimiento en las amenazas de su mujer. Osiris llevaba siglos de traficar sin que nadie lo molestara y por fuerza tenía que estar protegido, más aún si trabajaba para un cartel grande. Un tipo como él, enquistado en el círculo intelectual cercano al poder, resultaba de gran utilidad para los tiburones del hampa, por los contactos que podía establecer con los funcionarios de la nueva hornada, gente leída, mundana y de gusto exigente que no estaba al alcance de un narco vulgar. Detenerlo significaba exponer a una delación a sus clientes y proveedores, lo que podía costarle el trabajo y hasta la vida, pero a pesar del peligro, o a causa de él, sentía un cosquilleo placentero en las venas, una sensación de plenitud y bienestar que le recordó sus años de juventud, cuando soñaba ingenuamente con poner el periodismo al servicio de la justicia. Esto era mil veces mejor, porque estaba haciendo justicia por su propia mano, sin pedirle permiso a nadie. Al llegar a Paseo de la Reforma dobló a la derecha rechinando llanta, con una euforia inducida por la pieza que sonaba en el radio, "Move Over" de Janis Joplin. Esta vez no tenía remordimientos por haber maltratado a Osiris. A veces la violencia era necesaria, y él la había empleado para doblegar a un canalla, obedeciendo a una voz interior que le ordenaba: duro, duro, duro, como en los mítines estudiantiles. Qué bien se había sentido al soltarle el rodillazo en los huevos. La crueldad gratuita podía ser enfermiza, pero golpear en nombre del bien, refocilado en la propia virtud, dejaba una sensación de poderío angélico, como si fuera el brazo ejecutor de un mandato divino.

Llegó con una sonrisa de triunfo a las oficinas de la judicial, en Reforma Norte y Jaime Nunó. Tras una breve discusión con el vigilante del estacionamiento subterráneo, que no quería dejarlo pasar, y a quien finalmente convenció con el argumento de que llevaba un detenido a los separos, Evaristo bajó de su coche llevando a Osiris esposado y con las manos atrás. En la planta baja lo consignó ante el Ministerio Público, entregándole como evidencia la piedra de coca y el guato de mariguana, sin mencionar de momento su posible implicación con el caso Lima. En el elevador, maloliente y sucio, pintarrajeado con dibujos obscenos, se encontró al chofer de Maytorena, el Chairas, un chaparro de rasgos orientales, fumador compulsivo de Raleigh sin filtro, que se planchaba el pelo con brillantina y era muy dado a los chismes.

—¿Qué hay de nuevo? ¿Cómo va la chamba?

—Hoy estuvo pesada. Por la mañana detuvimos a un señor Vilchis.

—¿Tan pronto? —Evaristo enarcó las cejas, sorprendido—. ¿Cómo lo agarraron?

—Desde tempranito nos paramos a esperarlo afuera de

su casa en la colonia del Valle. El huevón salió a trabajar como a las 10, muy perfumadito con su portafolio, y lo seguimos por todo Eugenia hasta Patriotismo. La orden del jefe era agarrarlo donde no hubiera muchos testigos. Por suerte se dio vuelta en una calle de la Escandón. Que me le cierro y el Chamula se le acerca con la pistola. Bájate, Vilchis. Estás detenido. ¿Adónde me llevan?, decía, esto es un atropello. Lo tuvo que subir a punta de madrazos porque ya estaba haciendo la pelotera de coches. El jefe Maytorena lleva como seis horas encerrado con él, pero todavía no canta.

—Llévame a donde lo tienen.

Aturdido por el ajetreo de la jornada, Evaristo había olvidado por completo al hombre del puro, que ahora ocupaba un lugar secundario en su lista de sospechosos. Pero ya que estaba detenido, quería aprovechar la circunstancia para someterlo a un careo con Osiris. El Chairas lo condujo por un lúgubre pasillo alumbrado con foquillos de luz mortecina. Cruzaron una reja, saludaron a un guardia de uniforme que hojeaba el *Hola*, y al bajar una escalera de peldaños irregulares llegaron a un sótano húmedo y frío donde el salitre había formado ampollas en las paredes. Olía a meados, a sudor, a humo de tabaco. De las puertas metálicas alineadas a izquierda y derecha salían quejidos amortiguados por el espesor de los muros. El Chairas se detuvo en la número 17 y pegó la oreja a la puerta.

—A lo mejor ya terminó el interrogatorio. Tenían un radio a todo volumen para que no se oyeran los gritos, pero ya lo apagaron.

Después de varios golpes en la puerta, el Chamula se dignó abrir y le pidió silencio con un dedo en los labios. Al entrar en la celda, Evaristo entendió por qué: sobre un catre desfondado, Maytorena dormía una siesta con el ombligo al aire.

—¿Qué pasó con Vilchis— le susurró al Chamula.

—El pendejo no quiso hablar. Se puso tan necio que hizo enojar al jefe.

—Traigo a otro detenido para que tenga un careo con él.

—Va a estar difícil hacerlo.

—¿Por qué?

El Chamula abrió una puerta corrediza y entraron a un cuartucho equipado con un aparato de toques, una manguera gruesa y un tambo de basura lleno de agua. En una esquina, despatarrado bajo el calendario 94 de Gloria Trevi, el cadáver de Vilchis pasaba revista a las grietas de la pared. Tenía los ojos abiertos y un hilillo de sangre café, próxima a coagularse, le bajaba de la nariz hasta el cuello de la camisa. Seguramente había muerto de una hemorragia interna, pues no tenía huellas exteriores de tortura, que hubieran invalidado su confesión. Tampoco su mirada expresaba pavor o ansiedad, quizá porque Maytorena le había concedido la gracia de morir con el puro en la boca.

Evaristo volvió la cara y se echó a llorar. Al oír su llanto, Maytorena se levantó del catre, destapó una lata de cerveza y le ordenó que ayudara al Chamula a transportar el cadáver al tiradero de Santa Cruz Meyehualco.

—Un momento, yo no tengo nada que ver con esto —sollozó Evaristo—. En La Concordia le advertí que Vilchis nada más era un sospechoso. Ahora deshágase de él como pueda, yo hasta aquí llego.

Jamás un subalterno le había faltado al respeto a Maytorena de esa forma, menos aún delante de terceros. El Chamula sacó su revólver, esperando una orden del jefe para dispararle.

—No dispares, con un muerto ya tenemos de sobra. —Maytorena se volvió hacia Evaristo con una sonrisa torcida—. Se te frunció el culo porque no soportas la sangre, ¿verdad?

—Lo que no soporto son sus pendejadas. —Evaristo le sostuvo la mirada—. Hoy mismo detuve a otro literato que tenía amenazado de muerte a Lima. Es narco y se llama Osiris Cantú. Quería hacerle un careo con Vilchis, pero usted tenía mucha prisa por quedar bien con Tapia. ¿Ya ve lo que le pasa por lambiscón?

—Te recuerdo que estás hablándole a un superior —le advirtió el comandante, ciego todavía por un velo de lagañas.

—Se equivoca. De hoy en adelante no voy a recibir órdenes de nadie.

Evaristo le arrojó a los pies su charola de judicial y dio media vuelta para salir de la celda. El Chamula lo quiso atajar en la puerta pero Maytorena le ordenó con una seña que lo dejara marcharse.

—Lárgate si quieres, intelectual, pero ya lo sabes: el cabrón que trabaja conmigo no vuelve a trabajar para nadie. —Lo señaló con el dedo—. Más te vale que vayas haciendo tu testamento.

—¿Me está amenazando? —Evaristo sonrió en plan retador—. Pues fíjese que tengo un seguro de vida. Desde que entré a la judicial empecé a escribir un libro sobre usted, en donde cuento hasta con quién se acuesta. Si algo me pasa, mi abogado tiene órdenes de publicarlo. ¿Se imagina lo que va a pasar cuando sus hijos lo lean?

Maytorena aplastó la lata de cerveza, negro de rabia, y Evaristo se marchó sin esperar su respuesta, dándole un empellón al Chamula. En el pasillo se encontró al Gordo Zepeda, que para no perder la costumbre volvió a preguntarle si ya había leído su *Cosecha de otoño*. Predispuesto contra los asesinos con placa, que ya no lo amedrentaban como antes, el Gordo y su pregunta le repugnaron.

—Sí, Gordo, ya leí tus versitos y la mera verdad son una basura. Pero no te desanimes. —Le agarró la corbata con suavidad—. Aprende a escribir haikai y verás que te llueven los premios.

Al tomar el elevador ya era otro: un hombre de paso firme y cabeza erguida que miraba de frente a los policías más torvos, sobreactuado quizás en su orgullo de esclavo manumiso, pero con un brillo en la mirada que inspiraba respeto. Hasta el guardia de la reja se le cuadró. Como Neil Armstrong al bajarse del módulo lunar, sentía que la humanidad acababa de dar un paso enorme junto con él, y aunque todavía respiraba el aire malsano de los separos, en espíritu ya se había remontado al séptimo cielo, a un satélite lunar desde donde la judicial se veía como un infiernito de pastorela, como un chancro en la piel del globo terráqueo.

ECHADO EN UNA CAMA DE PLAYA, con la cabeza a punto de reventar por tres días de ingesta alcohólica, Evaristo veía con sus empañados lentes oscuros el paracaídas que circunvolaba la bahía de Acapulco. Aunque el espectáculo le provocaba una sensación de vértigo y temía que el tripulante se estrellara contra las rocas de la Condesa, no podía quitarle los ojos de encima, de modo que su angustia era al mismo tiempo una morbosa expectativa de romperse la madre junto con él. ¿O sería más cinematográfico un choque en el hotel más caro de la bahía, por culpa de un súbito ventarrón? Se imaginó el impacto en el piso 24, el estallido de sus vísceras, la sangre de alta concentración etílica chorreando desde la fachada sobre los turistas apoltronados alrededor de la alberca. Un accidente así, trágico y bobo, lo hubiera sacado de apuros en aquel momento, cuando el porvenir se le presentaba como la boca de un horno al que iba siendo arrastrado por una banda sin fin. Se bebió como agua el tercer bloody mary de la mañana, y antes de que el mesero alzara la bandeja le pidió el cuarto "para no hacerlo dar tanta vuelta". No pensaba desayunar a pesar de que la noche anterior había vomitado sangre en un bar de topless, donde le habían servido whisky adulterado. A la chingada con la salud. Quería beber hasta la congestión, convertir su muerte en un reproche contra Dora Elsa, a quien llamaba cada hora desde su llegada al puerto, sin que se dignara contestar el teléfono. Ya eran las cuatro de la tarde y le tocaba intentarlo de nuevo. Sin hacerse ilusiones, por simple masoquismo romántico, subió a la habitación que ocupaba en el piso 18 y volvió a marcar el número de su casa, que ya se sabía de memoria.

—Está llamando a casa de Dora Elsa Olea. Si quiere dejar algún mensaje, hágalo después de escuchar la señal.

—Soy yo, mi vida. Contéstame, por favor, sé que estás ahí. ¿Hasta cuándo entenderás que no tuve nada que ver con la pinche Fabiola? ¿Te estaría llamando a cada rato si anduviera con ella? Lo que pasa es que ya no me quieres. Descuelga y dímelo, para saber a qué le tiro contigo, pero no me dejes hablando con la pinche contestadora. Te necesito, chaparra. Renuncié a la judicial y ando metido en una broncota. Ahora es cuando más falta me haces... Acapulco sin ti es como una cerveza tibia. Ven acá y acompáñame siquiera una noche, con eso me conformo, después que venga Maytorena y me mate. ¿No me vas a contestar? Esto ya me huele feo. Capaz que me cambiaste por una lesbiana y están orita las dos en la cama, riéndose de mí. ¿No que yo era tu gran amor? ¿No que querías tener un hijo conmigo? ¡Contéstame, perra!

Volvió derrotado a su tumbona playera, donde lo esperaba en una bandeja el cuarto bloody mary del día. A su derecha, un turista de lentes oscuros y camisa hawaiana leía *El Excélsior*. Se volvió hacia otra parte por temor a encontrarse con alguna noticia sobre Vilchis. Los periódicos ya debían haber empezado a meter bulla por su misteriosa desaparición, pero ¿qué ganaba con leerlos? Para angustias ya tenía de sobra con las de su propia conciencia, que le remachaba a cada instante la imagen del cadáver despatarrado en los separos, con su inexpresiva mirada de huachinango. Sólo podía olvidarse del muerto bajo el efecto combinado del alcohol y la cocaína, cuando achacaba la muerte de Vilchis a la estúpida violencia de Maytorena, restándole importancia al hecho de haberlo acusado sin tener pruebas contra él. En busca de una euforia indulgente que le permitiera creerse sus propias mentiras, había recorrido todos los antros y discotecas de Acapulco, desde los clubes elegantes donde tenía que sobornar al portero para conseguir mesa, hasta los sórdidos tugurios de la zona roja, convertido en un borrachín lastimoso, dislálico y prepotente. Hasta donde recordaba, la noche anterior había insultado a un cantante gringo en el piano bar La Cucaracha —ya suelta el micrófono, pinche güero mamón—, se había trepado en el coche al camellón de la Costera enfrente de una patrulla, por lo que tuvo que dar mordida, y había intentado seducir a la recepcionista del hotel, ofreciéndole dinero por un acostón.

Gracias a dios, el vodka empezaba a hacerle efecto y los episodios más bochornosos de su parranda, que al despertar lo habían apesadumbrado tanto o más que su cruda, le parecieron travesuras veniales y hasta cierto punto cómicas. Después de todo, Acapulco era un centro de diversión y no podía encerrarse a llorar, porque si bien le pesaba la muerte de Vilchis, también estaba celebrando la recuperación de su libertad. Era como un caballo que después de un largo encierro se salta las trancas de la cuadra y sale despavorido a correr por el campo, con el riesgo de precipitarse a un barranco. La incertidumbre sobre su futuro justificaba su propensión al abismo, pues no podía mantener la cabeza fría sabiendo que alguien le había puesto precio. Era libre, pero no por mucho tiempo, y todo lo que miraba a su alrededor —mar, sol, mujeres en tanga, vendedores de coca camuflados como lancheros— lo invitaba a pasar sus últimas horas en una orgía. Empachado con el jugo de tomate, se

171

levantó de su tumbona y en el bar de la alberca, bajo la sombra de una palapa, pidió un submarino de tequila con cerveza. El cambio de bebida le infundió optimismo. Maytorena jamás le perdonaría la escena de los separos, pero qué satisfecho estaba de haberlo mandado al carajo.

—Buena la gabacha, ¿verdad? —le dijo el cantinero, refiriéndose a una gringa ya un poco mayor, pero de cuerpo joven y esbelto, que en ese momento salía de la alberca con el bikini embarrado al cuerpo.

Evaristo no había reparado en ella aunque estaba mirando en la misma dirección. Cuando el cantinero le cerró el ojo la examinó de pies a cabeza: era alta y de cuello largo, tenía la cara pecosa, espaldas anchas sin llegar a hombrunas, talle breve, senos firmes y un culito respingado que se desbordaba del bikini pidiendo guerra. Después de frotarse con una toalla se acostó bocabajo en una tumbona colocada enfrente del bar acuático.

—Sí, está buenísima.

La contempló por espacio de 15 minutos, entre sorbo y sorbo de su tequila, demorándose golosamente en la entrepierna, donde asomaba por debajo de su bikini una línea de vellos rubios. Hubiera deseado intentar un ligue, pero le ocurría con las gringas lo que a la selección mexicana de futbol en sus giras al exterior: se achicaba por falta de roce internacional. Con otro submarino quizá lograra vencer la barrera del idioma, porque borracho hablaba hasta ruso, pero no sabría manejar la situación si la gringa resultaba una fanática de la salud, y su cuerpo de gimnasta le hacía temer que lo era. ¿Qué hacer para seducirla? ¿Invitarle un jugo de apio y hablarle de naturismo, de aeróbics, de bicicletas con aparatos para medir la quema de calorías? El ligue deportivo y saludable no era lo suyo, ni siquiera en español. Había decidido mirar a otra parte cuando la gringa llamó a un mesero y pidió un coctel margarita. Buena señal: eso quería decir que su cuerpo no era un recinto sagrado, sino un regio depósito de toxinas. Cuando la rubia se terminó el margarita, Evaristo pidió al cantinero que le mandara otro de su parte. A la distancia brindó con ella, que le correspondió con una sonrisa. Libre de complejos, como la selección jugando en casa, caminó a su encuentro con la barriga sumida.

—*Hello. May I eat with you?*

—Anda, siéntate, pero no me hables en inglés, que soy española.

Dios premiaba a los audaces. Tomando la ocasión por los cabellos, le administró con desenfado y vivacidad una andanada de piropos y chistes malos, pero efectivos, que aligeraron el trámite de las presentaciones. La española quería "marcha", tenía la sangre ligera y celebraba sus mexicanismos —ahorita, mano, quiúbole, ya mero— con una risa infantil que paradójicamente le hacía resaltar las arrugas de la frente y los pómulos. Se llamaba Adela, era sobrecargo de Iberia, y a los 40, después de dos matrimonios y una unión libre, se dedicaba a pasarla bien, a ver mundo y a salir con amigos que no le exigieran fidelidad, "porque a ver, macho, ¿quién os ha dicho a vosotros que sólo el hombre puede follar con quien se le antoje?" Ése era su problema con los pelmazos de Madrid, que se ponían de lo más pesado cuando volvía de sus viajes, venga a fastidiarla con escenitas de celos, como si ellos no se la pegaran con otras tías cuando estaba afuera. ¿O qué? ¿Creían que se chupaba el dedo? Por eso ya no tenía pareja formal, sólo amantes de entrada por salida, y al que le diera por reclamar derechos de exclusividad lo mandaba a paseo. Evaristo le dio la razón en todo, también él era un feliz desertor de la monogamia y desde su divorcio vivía mucho más contento, porque en la variedad estaba el gusto y, además, que no fastidiara el papa, el hombre era un animal promiscuo y la mujer también. De modo que Adela estaba de suerte, pues había encontrado al galán comprensivo y liberal que necesitaba. Risas, apretones de brazo, otro margarita y para mí lo mismo, ¿quieres que te unte el bronceador? Su mano se deslizaba espalda abajo y retrocedía en las inmediaciones del bikini, ardiente pero cauta, mientras Adela le contaba sus accidentes de trabajo, el aterrizaje forzoso en Tegucigalpa cuando se les descompuso la turbina derecha, la descompresión a 20 mil pies de altura en el vuelo Madrid-Montreal que los había obligado a sacar mascarillas de oxígeno y mató a un pasajero con asma, "pobre infeliz, boqueaba como un pez cogido en la red y después los familiares demandaron a la compañía", historias que Evaristo medio escuchaba, concentrado en la piel aceitunada y caliente, líquida casi en el ecuador del ombligo, donde sus dedos trazaban círculos lentos y elipses desorbitadas por el deseo.

De la alberca, trago en mano, pasaron a un bar desierto y refrigerado donde les tocó "la hora feliz". Evaristo siguió con los submarinos y Adela con sus margaritas, que ahora se amontonaban en la mesa formando un ramo de vidrio. Con la embriaguez afloraron los rencores de la española. Detestaba a los pasajeros, en especial a los de la clase turista, por su vulgaridad y su manía de sentirse jeques árabes, como si ella no supiera que pagaban sus viajes a plazos.

—A un pasajero de primera clase yo le sirvo encantada, porque la gente con caché se merece un buen trato, para eso paga el asiento, pero a los gilipollas que viajan como sardinas y me tocan el timbre 80 veces por viaje, porque les ha entrado el mareo o quieren una chupeta para el nene, me entran ganas de tirarlos por la escotilla.

Quizá para complacerlos con algo de su época, el disk jockey del bar puso "Spill the Wine" de Eric Burdon, una de las canciones preferidas de Evaristo, que sacó a bailar a la sobrecargo y al ponerse de pie tropezó con una pata de la mesa, derribando todas las copas. Ni el percance le quitó las ganas de bailar. En la pista echó toda la carne al asador, saltando como en sus tiempos de chavo a go go, pero al volver a la mesa, limpia ya del batidillo y con cuatro copas de repuesto, tuvo un mareo con sudores fríos, señal inequívoca de que le estaba dando la pálida. Recordó que no había probado alimento desde el día anterior. Ya eran las seis de la tarde y el cuerpo le pedía clemencia. "Oye, majo, ¿estás bien? Te has puesto blanco como la leche." Sí, estaba tronando, pero le quedaba todavía la mitad de la coca que había comprado la mañana anterior en la playa de Icacos. Voy a darme un pase, ¿no quieres? Adela lo miró a los ojos con admiración y ternura. "Me leíste el pensamiento. ¿Eres brujo o sabes telepatía?" Se metieron al baño cada quien por su lado y al salir tenían las mejillas rojas, el pulso agitado, los nervios predispuestos al placer y a la euforia. Adela se le colgó del cuello y le plantó un beso en la boca. Llevaba una bata calada sobre el bikini y al contacto de su pecho tuvo una erección que levantó un promontorio en su traje de baño. Bailaron pegados algunas piezas cursis de Bread y Los Carpenters y bebieron hasta emborracharse otra vez, fajando sin recato entre los huéspedes que al anochecer empezaban a llenar el bar. Temeroso de una recaída, Evaristo la invitó a su cuarto, "para volver a cargar las pilas".

Dos líneas después, reclinados en el barandal del balcón, Evaristo en calzones y Adela con los pechos al aire, se divertían escupiendo hacia la terraza del hotel, donde había un grupo de turistas gringos tomando la copa. Deseaban que los viera algún vecino de cuarto y para exhibirse mejor habían prendido el arbotante del balcón. Sobre la alfombra había un reguero de papas fritas, cacahuetes japoneses y botellas vacías extraídas del servibar. Evaristo tamborileaba con los dedos en el barandal, acompañando el rap que sonaba a todo volumen en la televisión encendida. "Toma, cerdo, y tú también, cretina, os bautizo en el nombre del padre, del hijo y del espíritu santo", exclamó Adela, lanzando un gargajo a la terraza por cada persona de la santísima trinidad. Lo más cómico del juego era que los turistas gringos, a pesar de que volteaban hacia arriba, no podían localizar de dónde les caía el agua bautismal. Al verlos limpiarse los escupitajos, Adela y Evaristo se desternillaron de risa. Eran como dos chavos de secundaria en su primer día de pinta, que al estrenar libertad se inician también en el vandalismo. Evaristo sentía que ofender al prójimo lo cargaba de una energía sexual próxima a estallar, y creía que a la sobrecargo le estaba pasando lo mismo. Hijos de su puta madre, pigmeos, hormigas, con permiso de quién se atrevían a reptar ahí abajo, cuando ellos los miraban desde lo alto, endiosados, calientes, muy juntos uno del otro, ejerciendo su poder exterminador como si rociaran de limón un plato de almejas vivas. Enarbolando una violenta erección, abrazó por detrás a Adela y le raspó con la punta del pene la hendidura de las nalgas, al tiempo que le palpaba el clítoris, sin resistencia de parte suya, a no ser un leve gemido que más bien parecía una invitación a ir más lejos. De un rápido manotazo le terminó de bajar el calzón del bikini, mientras ella se hacía la desentendida y continuaba escupiendo turistas, ajena a lo que pasaba allá atrás, donde Evaristo, de rodillas y con la lengua de fuera, como un acólito recibiendo la hostia, le comía el culo con denuedo y aplicación, abismado en la plenitud de su mapamundi. Adela no pudo fingirse indiferente por mucho tiempo. Derrotada

por el placer, comenzó a colaborar con suaves movimientos de pelvis que enardecían más aún al prisionero de sus nalgas, que al sentirla humedecida y abierta la penetró con una limpia estocada. Ella se creció al castigo y facilitó la tarea de Evaristo con un subir y bajar de grupas, cautelosa primero, después a un ritmo desaforado. Más, gritaba, más, a pesar de que la tenía toda adentro. Doblada contra el barandal como si fuera a tirarse al vacío, gemía y ululaba sin olvidar en ningún momento a los turistas de abajo, a los que ahora no sólo escupía sino maldecía, cabrones, hijos de puta, horteras de mierda, sí, os hablo a vosotros, que me corro, entendéis, que me corro encima de ustedes.

Se vinieron al mismo tiempo con un largo estertor. Evaristo sintió que se le doblaban las piernas y cayó pesadamente sobre una silla. No era la dulce fatiga que sigue al orgasmo sino un estado de coma, un desplome físico general. Quiso prender un cigarro pero le pesaba demasiado la cajetilla. Con las pocas energías que le quedaban se arrastró hacia la cama sin detenerse a apagar el televisor. Necesitaba reposo, la paz eterna de los sepulcros, y en cuanto puso la cabeza en la almohada se quedó como un bulto ciego, como un pedazo de carne macerada que se desprende de su esqueleto. Despertó seis horas después, todavía de noche. Extendió un brazo en busca de Adela, sin encontrar otra cosa que la frialdad de la sábana, y al encender la lámpara del buró comprobó que ya se había ido. A pesar de que la luz era tenue, le lastimaba los ojos como un reflector de cine y tenía incrustado en el cráneo una especie de balín con púas que le rebotaba de oreja a oreja. Con un esfuerzo titánico logró ponerse de pie o casi, pues apenas había alcanzado la posición vertical se derrumbó de nuevo en la cama, entre sudores y escalofríos. Al ver la sábana manchada de un repelente líquido negro dedujo que había vomitado en sueños. De milagro no se había ahogado en su propia guácara, como Lupe Vélez y Tennesee Williams. Necesitaba un pase con urgencia, un pase y una lavada de dientes. Pero cómo pararse a buscarlo en la cómoda, si apenas alzaba el cuello se estremecía de vértigo y ansiedad. En vez de luchar contra la náusea cedió a los espasmos y vomitó de nuevo, ahora sobre la alfombra. Ya no tenía nada en el estómago, sólo un líquido amarillo de sabor amargo que debía ser, pensó, el famoso jugo gástrico del aparato digestivo. Despejada la cabeza, se atrevió a caminar hacia la cómoda donde había dejado la bolsita de coca. No estaba en el cajón. Tampoco su reloj ni la cartera donde guardaba el dinero, sólo sus tarjetas de crédito desparramadas en la alfombra. Desesperado, buscó entre su ropa, en el balcón, detrás de la cabecera y debajo del escritorio. Al erguir la cabeza descubrió un recado escrito con lápiz labial en el espejo del tocador.

*LO SIENTO, MAJO. A MÍ NINGÚN SUDACA ME FOLLA GRATIS.*

Ni siquiera recordaba su apellido para reportarla a la administración. Y aunque lo supiera: ni modo de reportar que una pinche baturra le había robado cinco gramos de coca. Lo más probable era que a esas alturas ya estuviera cruzando el Atlántico, diligente y suave en el trato, con su sonrisa de almidón y su cofia de sirvienta aérea. Junto con la desazón y el coraje, que le bajaron la moral hasta el suelo, sintió que la sangre se le adormecía en las muñecas y en los tobillos. Necesitaba comer algo con mucha azúcar, unos hot cakes o de jodida un caramelo, pero la cabrona de Adela se había robado hasta los chocolates del servibar. La parálisis avanzaba por su cuerpo. Ahora tenía los pies y los brazos entumidos, la garganta cerrada, la boca torcida en un rictus macabro. Le estaba dando un shock de hipoglucemia, algo que ya había experimentado en sus crudas más atroces, aunque nunca en forma tan canija. Necesitaba un doctor que le pusiera suero intravenoso o podía morirse por el bajón de azúcar. Con dificultades, porque la mano se le había curvado hacia adentro y ya no le obedecía, intentó llamar a la recepcionista, pero después de 15 timbrazos nadie se acomidió a contestar. Pinche hotel... Cobraban hasta el agua embotellada pero les valía madres que un huésped se estuviera muriendo. Tenía que tomar el elevador y preguntar en la recepción si había un médico de guardia. Con gran dificultad se arrastró hacia la puerta del cuarto, que estaba a tres metros de la cama, muy cerca y a la vez muy lejos para un inválido con las piernas engarrotadas. A medio camino se detuvo a tomar oxígeno y descubrió con horror que una cucaracha se había posado en los nudillos de su mano izquierda. Veloz, intrépida, segura de sí misma, avanzaba hacia la muñeca con alegre desenfado, intuyendo tal vez que un fardo en sus condiciones ni siquiera podía aplastarla de un manotazo. Tenía razón. Incapaz de mover un dedo, se resignó a contemplar su ascenso en la piel crispada y un largo escalofrío en la médula de los huesos. Cuando ya iba por el antebrazo advirtió estupefacto que no era una cucaracha normal: era una mujer cucaracha con pelo y rasgos humanos, una versión en miniatura de Perla Tinoco.

—Qué vulgaridad la tuya —dijo con el vozarrón de Maytorena—. Te vas a morir de la cruda sin haber leído a Witkiewicz. Pero antes voy a explorar tu boca. ¿No quieres probar a qué sabe una cucaracha? Pobrecito, eres tan ordinario que a lo mejor te doy asco —llegó hasta el hombro y siguió por la clavícula en dirección a su cuello—. Es lógico, los refinamientos no se hicieron para ti, sólo tienes una embarradita de cultura muy delgada, te quedaste en el boom y en los novelistas de la generación perdida, leídos en traducciones de quinta. Francamente no sé por qué te dicen "el intelectual". Será porque en tierra de ciegos el tuerto es rey. Intelectual, ja ja ja, pero si tú vienes de muy abajo, se te nota cuando estás borracho, qué comportamiento el de ayer con esa palurda española, *c'etait pitoyable, it was nasty, comprenez vous*, pero qué vas a comprender, si apuesto que nunca has estado en París. A ver, ¿en dónde está enterrado Proust? Cítame tres obras de Malraux. ¿Qué es un verso blanco? ¿De qué trata el *Voyage au bout de la nuit*? ¿Cómo nace el *nouveau roman* y quiénes fueron sus principales figuras?

El engendro Maytorena-Tinoco ya bordeaba su boca. Apretó los labios para impedirle la entrada, y haciendo un esfuerzo descomunal, como si alzara un peso de 300 kilos, logró llevarse una mano a la cara y darle un golpecito que la derribó en el suelo. Parecía fuera de peligro, pero apenas reemprendió el camino a la puerta salió por detrás del servibar, donde tal vez había estado mordisqueando restos de papas, una rata gorda y peluda que tenía el rostro abotagado de Maytorena y la voz cantarina de Perla Tinoco.

—¿Estás crudo, intelectual? —La rata se encaramó en su mano derecha—. Qué lástima. Te podría alivianar con un gramo de coca pero me gusta verte así, de rodillas, humildito como siempre fuiste. Yo soy muy amigo de mis amigos, a ti te consta, pero cuando se manchan les cobro todo lo que me deben, y tú me debes la vida. ¿Ya se te olvidó quién te daba la iguala del Sherry's? De cuándo acá te espantas por un pinche muerto. Los culeros como tú nunca se quieren embarrar de sangre, ay fuchi, pero eso sí, a la hora de cobrar son los primeros en estirar la mano. Mira, hijo, yo he matado a mucha gente, me voy a ir derechito al infierno, pero tú me vas a hacer compañía, porque siempre recogiste las migajas que te aventaba. —Evaristo negó con la cabeza, deshecho en lágrimas—. Ah, ¿no? ¿Vas a negar que eras mi secretario, el gato con buena ortografía que me pasaba los muertos en limpio? Confiésate conmigo antes de colgar los tenis. ¿Verdad que muchos torturados se murieron antes que Vilchis? ¿Verdad que tú les dabas el tiro de gracia con la máquina de escribir?

Exasperada por la convulsa negación de Evaristo, la rata peló los dientes y le saltó a la yugular. Por un momento quedó prendida de su cuello sin que pudiera hacer nada por apartarla. Con sus últimas reservas de energía logró alzar una mano, la derecha, y mientras forcejeaba con el asqueroso roedor, más asqueroso aún con los dientes bañados en sangre, se arrastró penosamente hacia la puerta del cuarto. Estiraba el brazo con la intención de abrir el picaporte cuando la cucaracha Tinoco, recuperada del descontón, se le metió por un intersticio de las bermudas y de ahí subió a sus testículos, en un ataque artero que lo hizo descuidar por un momento a la rata. Tenía demasiado asco para defenderse bien. Sus alaridos de pánico sólo engallaban más al dueto de alimañas que, sintiéndolo vencido, no cesaban de entonar una repulsiva cantaleta a dos voces, *mon dieu, c'es minable, ni siquiera tienes los huevos de buen tamaño, además de naco has de ser impotente*, mientras él se revolcaba en la alfombra, cada vez más débil por la sangre que le salía a borbotones del cuello, *te lo advertí, cabrón, a mí nadie me traiciona, el que no está conmigo está contra mí*, desmoralizado, más que por el dolor, por la íntima sospecha de que la rata y la cucaracha hablaban por él, eran sus propios demonios acribillándolo en un fuego cruzado, *analfabeto lumpen, jodido, ahora resulta que te asusta la sangre, ya decía yo, de tanto leer se nos va a volver puto, apuesto que no sabes ni coger los cubiertos, chale, si al menos conocieras a André Malraux*, y aunque todavía le quedaba resuello para pedir auxilio, aunque todavía se aferraba a la vida como la rata a su yugular, comprendió que así llegaran los bomberos y la Cruz Roja, Supermán, la virgen o el santo Niño de Atocha, su derrota final era inevitable, porque ningún poder exterior lo podía salvar de sí mismo.

—Cuando se termine la botella de glucosa podrá levantarse, pero le aconsejo que no beba por unos días, por lo menos de aquí al domingo, hasta que se le pase la irritación del estómago. Y si deja el trago, mejor. Con la vida no se juega, y usted estuvo cerca. Por poco se nos muere de un paro respiratorio.

La mirada del doctor, compasiva y condenatoria a la vez, expresaba mejor que sus palabras la gravedad de lo sucedido. Evaristo aceptó la reprimenda en silencio, con una cara de niño escarmentado que correspondía a su postración anímica, pues aunque el doctor era un joven de 30 años, desde la cama y con el catéter en el brazo lo veía como un padre o un hermano mayor.

—Gracias, doctor. Le prometo que voy a dejar de tomar.

Al quedarse solo en la habitación se llenó de aire los pulmones y exhaló un suspiro. Eran las tres de la tarde y a pesar de la doble cortina, el inclemente sol de Acapulco proyectaba sobre la cama un cono de luz que en otras circunstancias le hubiera molestado, pero ahora lo colmaba de gozo, pues la cercanía de la muerte le había devuelto el gusto por la vida. Hasta la sábana del hospital, áspera y deshilada en los bordes, le parecía de seda, lo mismo que su basto pijama de algodón carcelario. La promesa al doctor no había sido una frase lanzada al viento: de verdad quería dejar el alcohol, por lo menos hasta poner en orden su vida. Nunca más volvería a experimentar un delirium tremens, ni a perder el conocimiento en un cuarto de hotel, ni a viajar en ambulancia con una mascarilla de oxígeno, con los signos vitales a media asta. Que le cortaran los huevos si agarraba una copa en los próximos meses. Más allá del peligro que había corrido, le pesaba su comportamiento de hooligan, en particular la escupitina desde el balcón, una canallada totalmente opuesta a su manera de ser. Con justa razón el director del hotel Calinda, en protesta por el festival de gargajos y el orgasmo vociferante de Adela, le había prohibido volver a hospedarse en el hotel, y en todos los de la misma cadena, "por su conducta obscena y escandalosa". Pero lo que más le angustiaba no era la vergüenza pública, sino descubrir en el fondo de sí mismo una segunda personalidad: la del fantoche atrabiliario y patán que vuelca sus frustraciones en los demás. No había roto del todo con Maytorena, porque llevaba dentro a su doble.

Al salir de la clínica, para empezar a llevar una vida más austera, desayunó en un puesto de hot dogs y volvió a México por la carretera vieja en vez de tomar la costosa Autopista del Sol. A partir de ahora ningún ahorro estaría de más. Pensaba vender el coche, pedir trabajo en algún periódico y retomar el camino que había interrumpido cuando entró a la judicial. Ahora quizá fuera un mejor reportero de policiales. No en balde conocía los entretelones del hampa. Pero quizá le conviniera más apartarse por completo del ambiente policiaco, largarse a provincia y poner una tortería o un puesto de fayuca. Sí, necesitaba respirar otros aires, mientras más lejos de la mierda, mejor. En el camino, juzgando serenamente las cosas, llegó a la conclusión de que mientras guardara silencio, Maytorena lo dejaría en paz. Su amenaza de publicar el libro debía tenerlo muy preocupado. Pero, además, el caso Lima se le estaba complicando mucho y no le convenía atraer los reflectores con otro muerto. Confiaba en poder salir a la calle sin miedo a ser acribillado, pero de cualquier modo, por si las moscas, procuraría desaparecer de la ciudad cinco o seis años, hasta que la fiera olvidara el agravio a su autoridad.

Al llegar a México lo tranquilizó más aún encontrar su departamento en orden, pues en caso de que Maytorena quisiera hostilizarlo habría empezado por un salvaje cateo. Esa noche durmió sin soñar, como un feto acurrucado en una placenta. Al día siguiente, fortalecido por el descanso, decidió enfrentarse a la realidad y echarle un vistazo a los diarios más importantes. Como suponía, la muerte de Vilchis había conmocionado a la opinión pública. El asesinato de Lima ya no se veía como un hecho aislado, sino como parte de una cacería de intelectuales. Jiménez del Solar había turnado el caso a la PGR, "por su gravedad y trascendencia política", pasando por alto a la Procuraduría del Distrito. En *El Financiero*, el analista político Wenceslao Medina Chaires clamaba justicia en un artículo demoledor titulado "¿Quién sigue?"

*Vivimos tiempos de impunidad en que la vida, literalmente, no vale nada. Las muertes de Roberto Lima y Claudio Vilchis, dos escritores en plena madurez, arteramente asesinados cuando estaban dando los mejores frutos de su talento, confirman que los sectores más duros del régimen se han propuesto sembrar el terror en la comunidad intelectual del país, con el fin de intimidar a las voces independientes que luchan por la democracia y el cambio. Hasta el momento, las llamadas fuerzas del orden, haciendo gala de un tortuguismo que* se antoja deliberado, no sólo han llevado las averiguaciones a un callejón sin salida, sino que han emprendido, con métodos propios de la Gestapo, una campaña de represión selectiva en la que se inscribe la detención arbitraria del poeta Osiris Cantú, a quien la PGR pretende involucrar en el asesinato de Lima, como su esposa lo ha denunciado públicamente.

Al parecer, el pretexto para detener a Cantú fue su real o aparente enemistad con Lima, de donde se infiere que los responsables de la investigación han descartado la hipótesis del móvil político, avalada por las declaraciones de Mario Casillas, el reportero de El Matutino que horas antes del asesinato proporcionó la dirección de Lima a un agente de la Judicial Federal. Insensible al clamor de la opinión pública en el sentido de que Lima fue asesinado por sus ataques al presidente, el procurador Tapia mantiene una actitud hermética que puede empañar la imagen del propio Jiménez del Solar, a quien la vox populi acusa de haber ordenado el crimen. Buscar la paja en el ojo ajeno sin ver la viga en el propio no es el mejor método para sanear a las instituciones encargadas de hacer justicia. Si existe voluntad política de resolver los crímenes —algo difícil de creer en las circunstancias actuales—, el gobierno debe orientar la investigación a los sótanos del poder, a los aparatos de seguridad donde se incuba el terrorismo de estado, aunque esto signifique realizar una purga interna. De lo contrario se dará pábulo a la sospecha de que el propio sistema encubre a los asesinos.

El testimonio de Mario Casillas proporciona una pista que hasta hoy las autoridades no han querido investigar a fondo, como tampoco han dado seguimiento a la denuncia del ama de casa Violeta Cifuentes, testigo presencial del secuestro de Vilchis, quien declaró al mp que los asesinos del escritor "tripulaban un Phantom color hueso con el logo de la Judicial Federal". Sostener contra viento y marea la versión oficial del asesinato, según la cual Vilchis fue asaltado y muerto a golpes por delincuentes comunes, no sólo es un acto de soberbia política sino una bofetada a la inteligencia de los mexicanos. Con sus boletines informativos, que oscilan entre el absurdo y la fantasía delirante, la PGR ha sepultado la credibilidad gubernamental, ya de por sí menguada por años de mentiras y medias verdades.

La desinformación es la madre del rumor. Desde la semana pasada, en el medio político circula una versión que relaciona las muertes de Lima y Vilchis con los homicidios de Posadas, Colosio y Ruiz Massieu. Según dicha hipótesis, difundida *sotto voce* por funcionarios del propio gobierno, los asesinatos de intelectuales formarían parte de una campaña orquestada por los dinosaurios, el narcopriísmo y los tiburones de la banca para crear un clima de inseguridad que frene la incipiente apertura democrática. Dentro de esta lógica, Tapia sería una pieza clave del complot, el encargado de enredar las averiguaciones y tender una nube de humo en torno a los verdaderos culpables. El desempeño de su dependencia así lo indica, ya que hasta el momento no hay ningún avance sustantivo en la investigación, y en cambio se ha desestimado a los testigos más importantes, aduciendo tecnicismos legales que en otras ocasiones la PGR pasa por alto.

Una sociedad moderna y participativa no puede cruzarse de brazos cuando está en juego la vigencia misma del estado de derecho. Ya es tiempo de que la verdad ponga fin a la cultura del rumor: La sociedad civil debe presionar a las autoridades, como lo ha venido haciendo en todos los frentes, para que lleven las indagaciones hasta sus últimas consecuencias. Ha llegado la hora de preguntarnos cuál es el país que deseamos heredarles a nuestros hijos: ¿Un país donde el hampa gobierna desde la sombra, o un país de instituciones y leyes? En las circunstancias actuales, la lucha por una mejor

*impartición de justicia ha pasado al primer plano de la esce-*
*na política nacional. Primero fue Lima, luego Vilchis, ¿quién*
*sigue? De nosotros depende que la lista de víctimas no siga*
*creciendo. De nosotros depende acabar con la impunidad.*

A pesar de que Medina Chaires daba palos de ciego en lo
referente a los asesinatos de Lima y Vilchis, el artículo lo
entusiasmó por la felpa que le ponía al procurador Tapia.
Ya era hora de que alguien pusiera en su lugar a ese come-
mierda. Él tenía la culpa de que Maytorena siguiera en la
judicial, porque se había limitado a vegetar en su puesto sin
hacer olas, dejando todo como estaba, o sea, podrido desde
la raíz. Revisó los demás periódicos buscando artículos en
su contra, como un espectador del circo romano enardeci-
do con el olor de la sangre. En *El Excélsior, Novedades, El*
*Heraldo* y *El Sol* Tapia había repartido un buen chayote para
que nadie lo atacara, pero en *La Jornada* Palmira Jackson le
daba hasta con la cubeta: ...*Mientras en Chiapas las guardias*
*blancas matan a campesinos por el delito de ser pobres y tener*
*hambre, en México la policía política ha declarado una guerra*
*sucia contra la comunidad intelectual, so pretexto de investigar*
*los asesinatos de Lima y Vilchis. No, señor procurador, se equivo-*
*ca usted al dirigir la investigación hacia la gente que trabaja con*
*la imaginación y la inteligencia. En mis 40 años de vida periodís-*
*tica y literaria no he conocido a ningún escritor que lleve pistola.*
*¿Y sabe por qué? Porque la palabra es nuestra única arma, un*
*arma que usamos para darles voz a los sin rostro, a los sin tierra,*
*a los olvidados de hoy y de siempre. Roberto Lima usó palabras*
*muy ásperas para combatir a los poderosos y su atrevimiento le*
*costó la vida. Como mujer y como mexicana, exijo que se castigue*
*a los verdaderos culpables de su muerte. Exijo también la liber-*
*tad de Osiris Cantú, detenido en su casa con lujo de fuerza, y*
*una investigación a fondo sobre la muerte de Claudio Vilchis,*

*que según fuentes fidedignas fue torturado en los separos de la judicial, cuando se le interrogaba por la muerte de Lima. Es intolerable que se pretenda involucrar a hombres de letras en crímenes cometidos por gatilleros a sueldo. ¿O se trata de satanizar a los intelectuales, como en la Argentina de Videla y Galtieri, para predisponer en su contra a la opinión pública y justificar una cacería de brujas?*

Conmovido por la enjundia cívica de la Jackson, Evaristo olvidó por un momento su participación en la muerte de Vilchis y deseó que el asunto siguiera sacando roncha. Después de todo, su desempeño como detective no había sido tan malo, pues había metido al procurador en un brete que tal vez le costara el puesto, lo que le provocaba una alegría similar a la del terrorista que pone una bomba en la central de bomberos, la hace detonar desde lejos y sale muy quitado de la pena a ver los escombros. En cierta forma era un aliado secreto de Palmira Jackson, pues había preparado el terreno para que ella vapuleara al gobierno y ahora, divorciado de Maytorena, en paz con su conciencia, quizá pudiera verla de frente sin tener que bajar los ojos. A las dos de la tarde salió a comer a una fonda de Río Niágara donde la comida corrida costaba 10 pesos. Entre secretarias de aspecto humilde y oficinistas que se encorvaban sobre los platos para no manchar el menos remendado de sus dos trajes, se sintió reintegrado a la honestidad, al mundo sencillo y limpio de la clase trabajadora. El arroz con huevo le supo a gloria, la natilla le recordó su niñez, y al encender el cigarro del desempance tenía un brillo nuevo en los ojos: el brillo de la inocencia recuperada. Pero al volver a casa, cuando se tiró en la cama para ver la tele, un sentimiento de pérdida le oprimió el estómago. Sin Dora Elsa no valía la pena vivir. Era inútil y hasta cierto punto ridículo estrenar un alma noble, un carácter digno, cuando no tenía mujer ni perro que le ladrara. La sensación de vacío que le había dejado su aventura con la sobrecargo era lo menos parecido al placer. Después de probar el cielo en los labios de Dora Elsa, el sexo sin amor ya no le bastaba. Ella lo había malacostumbrado a la dicha y ahora le quitaba la escalera, lo sentenciaba a muerte con su desprecio, cuando ya no era el mismo ni podía resignarse a los acostones de pisa y corre. Caraja madre, pensó, esta cabrona me trae jodido. Y aunque ya no esperaba nada de ella, marcó su número telefónico para intentar lo imposible:

—La señora no está, salió de compras con la niña —contestó la muchacha que hacía la limpieza—. ¿Quiere dejarle recado?

—Nomás dígale que le habló Evaristo, para saber cómo está. ¿No sabe a qué horas regrese?

—No dejó dicho, pero yo creo que se va a dilatar. Anda reteapurada buscando unos tacones plateados, porque hoy le toca estrenar su número del cigarro.

—¿Ah, sí? Pues dígale de mi parte que le deseo mucha suerte.

Al menos esta vez no le había contestado la grabadora, pero de cualquier modo sospechó que Dora Elsa estaba ahí, haciéndole señas a la sirvienta. Su berrinche ya duraba demasiado, ¿o de veras había dejado de quererlo? Jamás lo sabría si se limitaba a pedirle perdón por teléfono. Necesitaba mirarla a los ojos, hablarle cara a cara y de ser necesario pedirle perdón de rodillas. Para salir de predicamentos decidió verla esa misma noche. Como sabía que su éxito dependía en gran medida de causarle buena impresión, ocupó el resto de la tarde en mejorar su aspecto. Se cortó el pelo en la estética Le Parisien, donde le hicieron un corte en gajos que le quitaba 10 años de encima. En el Palacio de

Hierro de Durango se compró un blazer azul marino, corbata italiana a la última moda y camisa de seda blanca, copiando la combinación de un maniquí que había visto en el aparador. Los ahorros podían esperar, el amor no toleraba mezquindades. A la salida se detuvo en la tabaquería del Sanborns y pidió unos puritos Middlestone's sabor cereza, los más caros de la vitrina. Si Dora Elsa, para complacer a una punta de canallas, tenía que fumar con la más delicada región de su cuerpo, que lo hiciera como gran dama, con tabacos de la mejor calidad. De vuelta en su departamento volvió a llamarla sin obtener respuesta. Ni modo, tendría que caerle de sorpresa, arriesgándose a una bofetada. Se bañó en agua de colonia, tomó un taxi en Melchor Ocampo porque ese día su coche no circulaba, y a las 10 de la noche llegó al Sherry's con un espléndido ramo de rosas.

—Quiúbole, Efrén. Ya llegó el que andaba ausente. ¿Me extrañaste? Fíjate nomás el colorcito de lanchero que agarré en Acapulco.

El capitán de meseros le volvió la cara, sin responder.

—¿Qué? ¿Ya no somos amigos?

Evaristo intentó bajar la cadena del recibidor, pero Efrén se lo impidió con un ademán enérgico.

—Tenemos órdenes de no dejarlo pasar.

—¿Órdenes de quién? ¿Ya se les olvidó que yo les puedo cerrar este puto changarro?

Efrén se encogió de hombros.

—Fue Dora Elsa, ¿verdad? Ella te dijo que no me dejaras entrar. —El capitán ni afirmó ni negó—. Dame chance de hablar con ella, te prometo que no hago panchos.

Su actitud conciliadora no le hizo ninguna mella. Quizá se había enterado de su pleito con Maytorena y por eso lo trataba como un apestado. Tragándose el coraje le tendió un billete de a 50 pesos.

—Hazme el paro, no seas gacho. Nomás quiero entrar un momento.

Sin darle las gracias, Efrén se guardó el billete y bajó la cadena. Evaristo le palmeó la espalda y dijo con ironía: "Gracias, amigo." Adentro confirmó que ya no era amigo de nadie. Rosa la cigarrera, por lo común amable y coqueta, le volvió la cara cuando quiso saludarla de beso, el cuidador de los baños le hizo la ley del hielo, y Juanito, su mesero de confianza, le advirtió que si quería beber, pagara por adelantado los tragos: eran órdenes del dueño y él tenía que cumplirlas. Pidió un carísimo jaibol de a 40 pesos que le supo a perfume. Mientras se lo tomaba, juró nunca volver a un bar de putas, aunque le pusieran alfombra roja. Sólo un pendejo enamorado de su fracaso podía encontrarle atractivo y poesía a la explotación de la calentura. Vio con ojos de recién llegado el papel tapiz desprendido por la humedad, la barra con su decrépito cantinero, los turbios focos de neón, el cutis azul vampiro de las ficheras. Tenía que admitirlo: su paraíso erótico era una covacha triste y jodida, frecuentada por la clase media del bajo mundo. El animador, vestido con su viejo esmoquin verde pistache, pidió un aplauso para Ximena, "un bombón recién desempacado de Tulancingo, Hidalgo", que había terminado de bailar desnuda en el nalgódromo.

—Y ahora, para subirles un poco la bilirrubina, les presentamos a una hembra tan ardiente que saca fumarolas por allá donde ustedes saben. Reciban con un fuerte aplauso al espectaculazo del año: la sensacional Dooora Eeelsa.

Demasiado sensible para compartir a su amada con una turba de patanes, Evaristo se levantó de la mesa al escuchar los primeros compases del tango "Fumando espero" y caminó hacia la parte trasera del escenario, donde tuvo que soltarle otros 50 pesos a un joto maquillado que custodiaba

el acceso a los camerinos y a los cuartos donde los clientes se metían a coger con las chicas de la variedad. Dora Elsa había mitigado la sordidez de su minúsculo camerino adornándolo con muñecos de peluche, alebrijes, rosas artificiales y el póster de una pareja contemplando la puesta de sol en un bosque otoñal, con la leyenda *Amar es darlo todo sin esperar nada*. El corazón le dio un vuelco al descubrir una foto suya pegada con diurex en el espejo del tocador. Me quiere, pensó, me quiere pero le gana el orgullo. Lo bajaron de su nube los gritos obscenos que venían del bar: "¡Dale el golpe, mamacita!... ¿Te detengo la colilla?... ¡Échame el humo en los ojos!" Cada procacidad le dolía como si recibiera un puñado de cal en una llaga abierta. Desconsolado, arrojó a un basurero los Middleton's sabor cereza, temiendo que Dora Elsa se tomara el regalo como una burla. Tras agradecer el aplauso ordeñado con súplicas por el maestro de ceremonias, Dora Elsa descorrió la cortina de cuentas con una bata de satín verde y una diadema de brillantes en forma de estrella que a Evaristo se le figuró el tocado de una virgen. Sus ojos color tabaco centellearon al descubrirlo en el camerino.

—¿Qué haces aquí? Te dije que no vinieras.

—Vine a pedirte perdón. —La quiso tomar de la mano y ella se soltó con brusquedad—. Necesito hablar contigo aunque sea un minuto.

—¿Y esa ropita? —Dora Elsa le dio la espalda y se metió detrás de un biombo—. Conmigo andabas de fachas, y ahora te vistes como muñeco de aparador. ¿Es para darle gusto a tu vieja, la escritora nalgasprontas?

—Me arreglé para ti. Eres la única mujer que me importa en el mundo.

—¿Ah, sí? Pues qué bien lo disimulas. En tus recados me dijiste perra y lesbiana.

—Porque estoy loco por ti y los locos a veces deliran.

—No debiste venir. Lo nuestro ya terminó.

—¿Entonces ya no me quieres? —Evaristo empalideció—. Qué lástima. La semana próxima me voy a vivir a Guadalajara y te quería proponer que nos fuéramos juntos, como marido y mujer.

—Puras habladas. ¿A poco vas a cargar con mi hija?

—Con ella y con los que vengan después.

—Que te lo crea tu abuela. —Dora Elsa quería ser dura, pero su voz dejaba traslucir una intensa emoción—. Ya estoy grande, Evaristo. Si nos casamos ahorita, dentro de poco te vas a largar con otra más joven.

Mientras discutían, Dora Elsa dejó en el biombo un liguero negro y un escueto corpiño de chaquira. Aunque sólo podía verle el cuello, Evaristo la desnudó en la imaginación.

—Te quiero, mi vida. Nunca me había enamorado tanto de nadie, ni de mi esposa cuando éramos novios. Por ti recuperé el orgullo, tú me sacaste del hoyo donde estaba metido. ¿Quieres que me arrodille y te pida perdón?

—No, por favor, levántate. —Dora Elsa salió del biombo con los ojos anegados en lágrimas—. Yo también te quiero, Evaristo, pero esto no puede ser. Tú y yo somos balas perdidas. Nos gusta el desmadre, la trasnochada, el dinero fácil. No me veo educando una familia contigo.

—Pero esto tampoco es lo nuestro. —Evaristo la estrechó en sus brazos—. Tú no naciste para encueratriz ni yo para policía. Toda la vida nos han humillado: a ti, los dueños de los tugurios; a mí, el cabrón de mi jefe, que me trataba como un esclavo. Pero no estamos cojos ni mancos, podemos trabajar en otra cosa sin que nadie nos ponga la bota encima. Conmigo no vas a tener las talegas de oro pero me voy a romper el alma para hacerte feliz.

Al besarla en la boca, Evaristo perdió la noción del yo: no era una persona sino un manto ceñido a su desnudez, una prenda sensible que de tanto apretarse a la piel amada también empezaba a perder sustancia, a disolverse en jirones de humo. Más allá de Dora Elsa no existía nada, sólo una noche azul de Walt Disney, con estrellas fugaces y ríos de luz donde el viento lo arrastraba como un cometa emancipado y feliz. Disfrutaba una especie de orgasmo espiritual, una eyaculación hacia adentro, más placentera que si lanzara chorros de semen, cuando sonaron pasos en el corredor y asomó por la cortina de cuentas el cañón de un revólver.

—Sepárense, cabrones, o les echo un cubetazo de agua.

Maytorena descorrió la cortina con una lucecilla siniestra en los ojos. Lo acompañaban, armados con pistolones, el Chamula y el Gordo Zepeda. En una reacción instintiva, Evaristo protegió con el cuerpo a Dora Elsa, que se había ovillado bajo el tocador, temblando de pánico. A patadas y golpes en el estómago, el Chamula y el Gordo lo obligaron a soltarla y a ponerse de cara contra la pared, con las manos en la cabeza.

—Ya ni la chingas, intelectual, de cualquier clavo te enganchas. — Maytorena paseó el cañón de su revólver por los senos de Dora Elsa—. Mira nomás qué vieja tan jodida te fuiste a buscar: flaca, trompuda y con nalgas de Mejoral.

A pesar de su miedo, Evaristo no se pudo aguantar la ofensa en silencio.

—La ve fea porque a usted le gustan las viejas con chile.

Bufando de rabia, con las fosas nasales dilatadas como un acordeón, Maytorena le estrelló la cabeza contra la pared.

—Cálmese, jefe, no vaya a matarlo también. —El Chamula lo tomó por los hombros.

Maytorena se dominó con dificultad y tardó un par de minutos en controlar su ritmo respiratorio. Por el rabillo del ojo, entre los hilos de sangre que le corrían por la frente, Evaristo vio su perfil de gavilán y sonrió de satisfacción: por fin le había quitado la careta de macho.

—Está bien, lo voy a dejar vivo porque en la cárcel va a sufrir más. —Maytorena se inclinó hacia Evaristo y le tomó la barbilla—. ¿Ya oíste, pendejo? Vas a estar en el bote de aquí a que te mueras. Y cuando tu nalguita quiera llevarte cigarros, le van a meter el dedo las celadoras.

—Ni usted ni su puta madre me pueden meter a la cárcel.

—¿Ah, no? Pásame su pistola, Chamula. —Maytorena tomó la Mágnum—. La sacamos de tu casa hace rato. Es la misma que dejaste en casa de Lima cuando lo fuiste a prevenir contra mí.

Evaristo dirigió una mirada de reproche al Gordo Zepeda, que masticaba en actitud impasible una dona cubierta de chocolate.

—Adivinaste —continúo Maytorena—. El Gordo fue quien te echó de cabeza. Está muy sentido por lo que le dijiste de sus poesías y ayer me vino a contar que había encontrado tu pistola en casa del muerto.

—Pero yo dejé vivo a Lima cuando me salí de su casa. Fue otro el que lo mató.

—Te creo, intelectual, de veras te creo. —Maytorena adoptó un tono burlón—. Yo sé que tú eres muy delicado y te desmayas cuando ves un kótex lleno de sangre, pero desgraciadamente las pruebas están contra ti. El procurador quiere callar a los periodistas. Están chingue y chingue con que el asesino fue un judicial y a mí no me cuesta nada sacrificar a un mal elemento para darles gusto.

—Los periodistas no se van a callar cuando les diga quién mató a Vilchis.

Maytorena castigó su atrevimiento con una patada en los huevos.

—Estás pendejo si crees que te vamos a poner los micrófonos en la boca. En Almoloya sólo vas a tener chance de hablar con dios.

A un gesto de Maytorena, el Chamula le torció el brazo y lo sacó a empujones del camerino. Al pasar entre las mesas del Sherry's, escoltado por sus tres mastines, comprendió con un sudor helado que no tenía salvación, que su vida terminaba esa noche y de ahí en adelante empezaba el crujir de dientes. Maytorena lo había calculado todo muy bien: él era el chivo expiatorio que Tapia necesitaba para conservar el puesto. Bastaba con que Mario Casillas lo identificara en los separos para convencer a la prensa de su culpabilidad. Y si algún periodista suspicaz denunciaba la maniobra de la PGR, sus protestas no tardarían en pasar al olvido. México era un país sin memoria, ya lo había dicho Monsiváis. En cosa de meses la gente olvidaba magnicidios, devaluaciones, matanzas y la oleada de protestas que se producían con cada nuevo desastre. Con más razón un crimen menor, que sólo había causado revuelo entre un reducido núcleo de intelectuales. En la puerta del tugurio, Efrén se le cuadró a Maytorena, que le metió un billete de 100 dólares en la bolsa del saco. "Gracias por el pitazo, mano."

En la minúscula acera de Medellín, alumbrada por un faro de luz naranja, esperaron a que el Chairas sacara de un estacionamiento cercano la camioneta de Maytorena, una Suburban gris acero con llantas anchas, mientras los pasajeros de un minibús detenido a media calle observaban con curiosidad al llamativo grupo de agentes. A pesar de que los conductores lo dejaban pasar, intimidados por la calcomanía de la PGR pegada en el parabrisas, el Chairas tardó cinco minutos en recorrer 100 metros, porque un apagón había desquiciado el tránsito. Resignado a lo peor, Evaristo le sostuvo la mirada a un niño de brazos que iba en el microbús, como diciéndole: "Sí, chavo, en este país vives." Cuando la Suburban se detuvo en la entrada del cabaret, el Chamula abrió la puerta de atrás y con un piquete en las costillas le ordenó subir. Había puesto un pie en el estribo cuando escuchó una especie de bofetada entre el ruido de los motores. No se dio cuenta de que era un balazo hasta ver al Chamula tirado en el suelo. Protegida tras un macetón que adornaba la entrada del Sherry's, Dora Elsa disparaba a tontas y a locas con un pequeño revólver plateado. Había salido en bata sin nada debajo y la intensa luz naranja realzaba su desnudez. Desde la Suburban, Maytorena y el Gordo Zepeda le devolvieron el fuego. Dora Elsa alcanzó a cubrirse detrás de la enorme maceta, no así el capitán Efrén, que había salido a desquitar su propina, y cayó sobre los arriates de la banqueta con un tiro en el cuello. Sin alzar la cabeza, Evaristo se arrastró como un gusano hacia el capitán Efrén y le quitó la 38 de la mano desoyendo el consejo de Dora Elsa, que le gritaba "pélate, mi vida, corre". Sin medir el peligro, la cubrió con su cuerpo y disparó hacia la Suburban. Apenas pudo astillar las ventanas blindadas, pero su reacción tomó por sorpresa a Maytorena y al Gordo, quienes al agacharse para esquivar los disparos, le dieron tiempo de jalar a Dora Elsa y salir corriendo con ella entre el atascadero de coches. El Chamula los persiguió revólver en mano y destrozó varios parabrisas al tirarles en plena carrera. De los autos embotellados en el gran estacionamiento de Medellín salían gritos histéricos, plegarias, interjecciones ahogadas. A gatas, Evaristo y Dora Elsa pasaron de carril en carril hasta alcanzar el otro lado de la calle, la piel erizada por la cercanía de las balas. En la esquina de Medellín y Campeche se ocultaron tras un puesto de periódicos. Desde ahí Evaristo volvió a responderle el fuego al Chamula con los últimos tiros que le quedaban para ganar una fracción de segundo y correr hacia avenida Insurgentes, la tierra prometida donde podrían esfumarse. Un minitaxi que intentaba eludir el embotellamiento dio la vuelta en Campeche y Evaristo casi se tiró a sus pies para detenerlo, acarreando con dificultad a Dora Elsa, que tenía un tacón roto y se movía con torpeza. Se subieron al asiento de atrás jadeantes y sudorosos. El chofer los vio con espanto por el espejo retrovisor y trató de bajarse, pero Evaristo le puso la 38 en la oreja: "Métale toda la chancla." El Chamula todavía les disparó un último tiro de impotencia que se incrustó en la calavera del minitaxi, pero en Campeche había poco tráfico y por más que corrió no pudo alcanzarlos. "Llévenos a donde sea, pero lejos de aquí." En Insurgentes dieron vuelta a la derecha, se pasaron varios altos por iniciativa del taxista y al llegar a la glorieta del metro, infestada de patrullas, tomaron avenida Chapultepec en dirección al bosque. A la altura de avenida Sonora, cuando estuvo seguro de haberlos perdido, Evaristo se guardó la 38 en la bolsa interior del saco.

—Te rayaste, mi amor —felicitó a Dora Elsa—. Si no es por ti, me hubieran torturado hasta que les firmara la confesión.

Dora Elsa no dijo nada. Su mano estaba inerte y fría como un guante dejado muchas horas a la intemperie. Le pasó un brazo por el hombro y se manchó los dedos de sangre. Al parecer la habían herido en la espalda, porque su bata de satín estaba seca por delante. Cabrones. Un escalofrío le recorrió el espinazo al zarandearla sin obtener respuesta. Alumbrado por los fanales del auto que venía detrás observó sus ojos inexpresivos, el seno que asomaba sin pudor fuera de la bata, el chorro de sangre escurriendo bajo el asiento. Desesperado, reclinó la cabeza en su pecho y se esforzó en vano por escuchar latidos. Dios era un hijo de puta. Por qué ella, carajo, por qué.

—¿Ya sabe adónde va o quiere seguir dando vueltas?

—EL SISTEMA INFORMATIVO *ECO* tiene para usted lo más relevante de la semana en el ancho mundo de las noticias. Como informamos en días pasados, la Procuraduría General de la República se comprometió a detener en un plazo no mayor de 10 días al ex agente de la Judicial Federal Evaristo Reyes Contreras, quien aparece en sus pantallas, señalado como presunto culpable de los asesinatos de los escritores Roberto Lima y Claudio Vilchis. El martes 23 del presente, Reyes Contreras participó en un tiroteo a las afueras del centro nocturno Sherry's Bar, ubicado en la calle de Medellín, colonia Roma, cuando un grupo de judiciales al mando del comandante Jesús Maytorena intentaba detenerlo. En el tiroteo hubo dos víctimas, el señor Efrén Luna, capitán de meseros del mencionado centro nocturno, y la bailarina Dora Elsa Olea, de 32 años, que se dio a la fuga en compañía de Reyes Contreras y, al parecer, murió desangrada en el trayecto a su domicilio. Al respecto, el procurador Tapia declaró esta mañana en una conferencia de prensa: "Frente al clima de violencia desatado en los últimos días y en atención al reclamo social de esclarecer a la mayor brevedad los cobardes homicidios de Roberto Lima y Claudio Vilchis, miembros destacados de la comunidad intelectual, reitero que no daremos un paso atrás en materia de seguridad pública y pondremos en funcionamiento una Comisión Plural de Vigilancia y Fiscalía Interna, compuesta por destacados juristas y distinguidas personalidades de la sociedad civil, con el fin de que ningún elemento vinculado con las fuerzas del hampa vuelva a infiltrarse en la dependencia a mi cargo. Por instrucciones del presidente Jiménez del Solar, que sigue con mucho interés las averiguaciones, he ordenado que se apresuren las pesquisas conducentes a la captura del ex agente auxiliar Evaristo Reyes Contreras, intensificando nuestros contactos con la Interpol y las procuradurías estatales. Lo he dicho y lo reitero enérgicamente: en México rige el estado de derecho, llegaremos al fondo caiga quien caiga, los crímenes contra la inteligencia no quedarán impunes"... Y ahora nuestro reporte meteorológico para la población hispana de Estados Unidos: en Chicago, la temperatura media será de 12 grados centígrados con fuertes ventiscas y alta posibilidad de lluvia. En Detroit se esperan nublados, chubascos aislados por la tarde y un ligero enfriamiento. Día soleado en Miami, donde habrá temperaturas de entre 28 y 26 grados. En Houston continuará el buen tiempo...

—Y en el culo de tu madre se registrará una masa polar con vientos huracanados...

Harto de oír hasta la náusea las mismas noticias, Evaristo apagó la tele de un manotazo y metió la cabeza bajo la sábana. Necesitaba escapar de sí mismo, salirse de su pellejo, reencarnar en otro ser vivo —un árbol meado por los perros, una lombriz, una rata de alcantarilla—, o simplemente fijar la vista en la nada como los monjes budistas, hasta alcanzar un desdoblamiento en que perdiera conciencia de su dolor. Famoso ya era, de eso no se podía quejar. Los noticieros mostraban su foto de frente y de perfil cada media hora en una campaña promocional que hubieran envidiado muchas estrellas del espectáculo. Se había convertido en el villano de moda y ahora las madres con hijos hiperactivos podían utilizarlo como sustituto del coco: duérmete, Quique, o si no te va a venir a comer Evaristo Reyes, el señor malo que viste en la tele.

Al oír la sirena ululante de una patrulla saltó de la cama con los huevos en la garganta. Ahora sí lo venían a apañar. Por la ventana, cubierta a medias por el anuncio luminoso del hotel, que bañaba el cuarto de un resplandor carmesí, vio a dos policías de uniforme llevando a rastras a un chavo con pelos de puercoespín que venía sangrando por la nariz. Una escena más bien común en la colonia Guerrero, donde se había refugiado en un hotel de paso —el Bonampak, de a 60 pesos la noche— para esconderse de Maytorena y su jauría de agentes. Con el susto le dieron ganas de orinar, y por capricho lo hizo en el lavabo, donde se sentía más cómodo que en el water. Mientras descargaba la vejiga se imaginó su departamento patas arriba, un revoltijo de muebles rotos y ropa desperdigada, como las casas en ruinas de Sarajevo que acababa de ver en el noticiero. ¿Qué habría hecho Maytorena con sus libros? ¿Una hoguera? ¿Los habría deshojado para limpiarse el culo con ellos? ¿O se los regalaría a su hijo, el licenciado en relaciones internacionales, para que presumiera de culto con sus amigos del Servicio Exterior? Mejor no pensar en eso, mejor no pensar en nada. Volvió a echarse en la cama y encendió el radio empotrado en la pared. Boleros, cumbias electrónicas, Juanga, Luismi, la hora del observatorio. En Radio Joya, música ligada a su recuerdo, pescó una vieja balada de Roberto Carlos que le bajó la depresión hasta el suelo: *Este amor siempre sincero, sin saber lo que es el miedo, no parece ser real. Va creciendo como el fuego, la verdad es que a tu lado es hermoso dar amor. Y es que tú, amada amante, das la vida en un instante sin pedir ningún favor...* Carajo, ya estaba llorando otra vez. Era imposible no recordarla si todas las canciones parecían dedicadas a ella, si aún aspiraba el olor de su pelo, si en sueños le hablaba al oído y al amanecer estiraba el brazo creyendo que todavía estaban juntos. En cierto modo los noticieros tenían razón: era un criminal, no por las muertes que le achacaban, sino por haberla matado con su temeraria visita al Sherry's. Nunca se perdonaría la imprudencia de haber ido a buscarla en terreno enemigo, a sabiendas de que Maytorena lo traía entre ojos y tenía informantes por todas partes. Señales de peligro no le habían faltado, empezando por la actitud hostil del capitán Efrén. Otro en su lugar se hubiera olido algo malo, pero él estaba lento de reflejos, atontado por el amor. Su error tenía una disculpa romántica: lo malo de los muertos era que no aceptaban disculpas.

Aún le asombraba la serenidad con que se había desprendido de Dora Elsa, cuando el taxista lo dejó en el conjunto habitacional de Iztacalco. Quizá la tensión del momento lo había insensibilizado. De otro modo no se explicaba cómo había podido subir la escalera del edificio cargándola en brazos, como un recién casado que llevara a su novia a la alcoba nupcial. Distante, serena, encerrada en un ambiguo silencio, Dora Elsa llevaba la muerte como un traje de gala o un título de nobleza, pero su expresión de mártir satisfecha no lo conmovió, porque sabía de primera mano que se había sacrificado por un canalla. Eso era lo que más le había dolido cuando llamó a la Cruz Verde para pedir que una ambulancia viniera a recoger sus despojos. Y eso mismo le dolía una semana después, al recordarla como la vio por última vez, los párpados amarillos y la boca entreabierta, con la bata ensangrentada que daba un toque macabro al rococó infantil de su alcoba.

En el momento de abandonarla se compadeció a sí mismo por haber matado lo que más amaba, como el preso wildeano de la cárcel de Reading. Después de ocho días de encierro en el Bonampak, veía las cosas de otro modo. Su principal error había sido creer que después de reptar por más de 15 años en las cloacas de la judicial, podía salir a la superficie oliendo a rosas y enamorarse de una mujer sin hacerle daño. No: la abyección se pagaba tarde o temprano, ya fuera en carne propia o en carne ajena. La muerte de Dora Elsa lo había devuelto drásticamente al inframundo del que había intentado huir, ahora en calidad de víctima. Se enjugó las lágrimas con la colcha y prendió un cigarro para distraerse con las volutas de humo. Sobre el buró quedaba media botella de Zauza Hornitos. Le dio un trago largo, retuvo el tequila en la boca para acostumbrarse al sabor y al deglutirlo sintió una suave quemadura en la garganta. Por si no le bastara con la pena y el sentimiento de culpa, empezaba a volverse loco de claustrofobia. Más que una medida de precaución, su encierro parecía un entrenamiento para la cárcel. Cada mañana se levantaba con mayor zozobra al oír los golpes de la camarera, creyendo que era la policía. El encargado del hotel, un calvo sudoroso y ventrudo que se pasaba todo el día viendo telenovelas en la recepción, podía identificarlo en cualquier momento y dar aviso a la PGR. Quizá ya sospechara de él, pues debía parecerle raro que llevara siempre la misma ropa y sólo saliera a la calle una vez al día para comprar tortas en las loncherías del rumbo, sin meter siquiera una vieja al cuarto.

El segundo fajazo de Zauza Hornitos le aclaró las ideas. Aunque tuviera la soga en el cuello, aún podía defenderse ante la opinión pública, que en México desconfiaba del gobierno por acto reflejo. Una prueba de ello eran los periódicos de los últimos días. Los articulistas políticos se habían cansado de formular hipótesis sobre las muertes de Lima y Vilchis. Algunos veían detrás de los crímenes una conjura del narcopriísmo, otros denunciaban una campaña terrorista orquestada y patrocinada por la oligarquía financiera, que intentaba provocar una nueva caída del peso. En lo que todos coincidían era en señalarlo como un asesino a sueldo contratado por gente de muy arriba: *Las investigaciones deben llegar hasta sus últimas consecuencias* —exigía el editorial del *Reforma*— *y no detenerse en Evaristo Reyes, el presunto autor material, que a estas alturas quizá duerma bajo tierra, como ha ocurrido en circunstancias análogas con otros sicarios de su calaña.*

La prensa no tenía la culpa de propagar disparates, pues todos tenían como base el boletín de la PGR y era imposible elucidar la verdad partiendo de una mentira. Pero las conjeturas de los periodistas, por absurdas que fueran, a veces repercutían en la realidad, como había ocurrido con las acusaciones que involucraban a la PGR en las muertes de Lima y Vilchis. Para salirles al paso a los ataques, el procurador Tapia se había curado en salud: ¿Quieren que el culpable sea un judicial? Pues ahí lo tienen, pendejos, y a ver si con eso dejan de hacer argüende. Por fortuna, el argüende no había cesado. Al destapar una pequeña cloaca, Tapia sólo había conseguido que la prensa entreviera un gigantesco albañal. Eso le daba una gran oportunidad, porque ahora, con el escándalo en su punto más alto de ebullición, tenía la mesa puesta para salir de las catacumbas, acusar a Maytorena por la muerte de Vilchis, y a Tapia por haberlo usado como chivo expiatorio. Que después lo buscaran con tanques y morteros: le pondría el pecho a las balas para volver lo más pronto posible al lado de Dora Elsa.

Entusiasmado con su plan, salió a comprar un bonche de papel y una pluma atómica en la papelería de la esquina, tapándose la cara al pasar por la recepción. De vuelta a su cuarto escribió a vuelapluma una extensa crónica de su participación en el caso Lima, refiriendo las circunstancias de su primer y único encuentro con la víctima, los avances de sus pesquisas en el medio literario, que lo habían llevado a sospechar de algunos intelectuales enemistados con el difunto, y el brutal asesinato de Vilchis a manos de Maytorena, motivo de su renuncia a la judicial. *No es la primera vez que el comandante se sobrepasa en una tortura* —aclaró—, *pues como miembro de su grupo fui testigo de muchas otras golpizas mortales, de las que rendiré testimonio ante el Ministerio Público.* De pasada le dio un descolón a Osiris Cantú, denunciando *la relación clientelar que mantiene con sus colegas del medio literato, a quienes abastece de droga a cambio de reconocimiento,* y lo señaló como principal sospechoso del asesinato de Lima, por haberlo amenazado de muerte semanas antes del homicidio. Al final, en un tono emotivo que rompía con la escueta objetividad de la carta, pidió disculpas al pueblo de México por su larga complicidad con la hez policiaca y se ofreció a colaborar en la resolución de los crímenes:

> *Si de algo vale la palabra de un hombre como yo, sin más solvencia moral que la de estar arrepentido, declaro mi disposición de entregarme a las autoridades, siempre y cuando se me garantice un proceso legal, supervisado por las Organizaciones No Gubernamentales de Derechos Humanos. Mi vida no es ejemplar en ningún sentido y estoy dispuesto a aceptar el castigo que la sociedad me imponga. Lo que no acepto ni aceptaré jamás es que se me tache de criminal, pues a pesar de todos mis errores tengo las manos limpias de sangre.*

Pensaba sacarle copias a la declaración y enviarla por correo a todos los periódicos de la capital, pero esa misma noche, pasada ya la euforia de la escritura, mientras daba vueltas en la cama sin poder conciliar el sueño, descubrió el punto débil de su plan: ¿Qué pasaría si ningún periódico le publicaba la carta? Los diarios vendidos al gobierno jamás le darían espacio, pero incluso la prensa independiente podía olerse algo turbio. Muchos articulistas ya lo daban por muerto. Suspicaces por naturaleza, los directores de los diarios pensarían que algún aprovechado estaba usando su nombre para despistar a la opinión pública. Era imprudente soltar una bomba como ésa en un momento de incertidumbre general, cuando los rumores de origen desconocido sólo contribuían a entorpecer la investigación de los crímenes. Y tampoco podía presentarse en las redacciones para demostrar la autenticidad de la carta, exponiéndose a una detención. El amanecer lo sorprendió con los ojos abiertos y una tortícolis neurótica que le impedía mover la cabeza a los lados. Pinche insomnio, lo había desmoralizado sin darle siquiera una idea para salir del atolladero. Después de una ducha fría volvió a la cama un poco más relajado y prendió la tele para arrullarse: necesitaba dormir aunque fuera dos horas para no estar todo el día como zombi. En la sección cultural del noticiero "Buenos días", una conductora de ojos verdes y voz maternal hizo una invitación al amable teleauditorio:

—Hoy a las siete de la noche en el auditorio Justo Sierra de la UNAM se llevará a cabo un homenaje a Palmira Jackson por sus 35 años como escritora, periodista y luchadora social. Participarán en el acto el politólogo Wenceslao Medina Chaires, el novelista Javier Loperena y el doctor Efraín Pulido, director de la Facultad de Filosofía y Letras. Posteriormente se efectuará en la máxima casa de estudios un ciclo de mesas redondas dedicadas a analizar la obra de la autora, con la participación de intelectuales destacados de México y el extranjero.

Sintió que amanecía otra vez, ahora en su atribulada cabeza: ¿Por qué no había pensado en Palmira Jackson? Ella podía servirle de puente para llegar a los medios de información, siempre y cuando la convenciera de que su causa era justa. Precedida por un comentario suyo, la carta tendría mucho más impacto que si la publicaba a título personal. Un sospechoso de asesinato quizá le inspirara recelo, pero si era cierto que tenía un sexto sentido para distinguir a la gente honesta, como ella misma aseguraba en sus libros, finalmente le tendería una mano, como se la había tendido a las costureras, a los presos políticos, a los maestros en huelga, a las víctimas de inundaciones y terremotos. Después de todo él también era un perseguido, un inocente con la soga al cuello, como los mexicanos que la Jackson había defendido siempre. La interceptaría cuando bajara del estrado al final del homenaje. Corría el peligro de atemorizarla o de hacerla enojar con la carta, pero si lograba conmoverla, o al menos despertar su curiosidad, probablemente aceptaría recibirlo en privado. No era fácil que Palmira le perdonara sus antecedentes de judicial, pero prefería arriesgarse a un fracaso que esperar a Maytorena con los brazos cruzados.

Narcotizado por la esperanza, se durmió como un niño de pecho hasta las tres de la tarde, cuando lo despertaron los golpes de la camarera que le pedía permiso para hacer el cuarto. Bajo la ducha cantó y bailó como un adolescente. El simple hecho de tener que atravesar la ciudad ya era un motivo de alegría después de una semana de ver televisión. Se dio un regaderazo con agua caliente y al salir del baño escribió un mensaje dirigido a Palmira Jackson, que añadió con un clip en la primera hoja de la carta, donde le pedía disculpas por abordarla con engaños y le daba el teléfono del hotel Bonampak para futuros contactos. Al dejar la pluma se vio al espejo: la barba le había crecido lo suficiente para que no lo reconocieran al primer golpe de vista. No era otro, pero había que mirarlo con mucho detenimiento para descubrir al malhechor de los noticieros. Con su ropa sí tenía un serio problema: el blazer azul marino que había comprado en el Palacio de Hierro estaba manchado con la sangre de Dora Elsa. Lo había escondido debajo de la cama y no pensaba sacarlo de ahí, por razones de precaución y salud mental. ¿Cómo iba a ocultar, entonces, la 38 del capitán Efrén? Tuvo que salir en mangas de camisa y andar a pie hasta la avenida Guerrero, a dos cuadras del hotel, para comprarse una chamarra de pana y unos lentes oscuros. De vuelta en el Bonampak se guardó la pistola en la bolsa interior de la chamarra y metió la carta en un sobre de papel manila. Su coche estaba guardado en el garaje del hotel —lo había logrado sacar de la pensión donde lo guardaba, en la esquina de Río Niágara y Río Mississippi, al día siguiente del tiroteo—, pero no podía exponerse a que algún policía identificara las placas. Prefirió caminar hacia el metro Hidalgo, mezclado con una multitud cabizbaja y espesa donde era fácil pasar inadvertido, porque nadie alzaba los ojos para ver a su alrededor. No había probado alimento en todo el día y sus tripas empezaban a protestar. A la entrada de la estación se detuvo a comer en un puesto de memelas. Con dos de chorizo y un Gatorade de naranja tuvo suficiente para llenarse y bajó la escalera entre miles de personas, invadido por un sentimiento de pertenencia a la masa que lo disminuía como ser humano, pero al mismo tiempo atenuaba sus culpas, devolviéndolo a un estado de placentera insignificancia. En medio de la frustración colectiva, su tragedia personal no significaba nada: era un espectro más en el circuito subterráneo de almas en pena donde sólo daban señales de vida los chavos banda que se empujaban al entrar en la estación, entre albures y carcajadas. Dentro de 20 años, cuando la realidad cotidiana les partiera la madre, bajarían por la misma escalera en calidad de vacas maltrechas, con el gesto inexpresivo de los adultos que ahora se hacían a un lado para dejarlos pasar.

En el largo trayecto a Ciudad Universitaria le tocó ir haciendo equilibrio entre una señora casi enana, pero descomunalmente gorda, y un hombre de traje gris que leía el *Últimas noticias*. "LO DE SIEMPRE: DERROTA", lamentaba el encabezado, aludiendo al último fracaso internacional del Tri en la copa Rey Fahd. Trató de encerrarse en sí mismo y de no pensar en nada para soportar las inclemencias musculares y olfativas del viaje, pero el titular derrotista y la atmósfera sepulcral del vagón, donde nadie se hablaba a pesar del hacinamiento, le inspiró una amarga reflexión antimexicana. Para esa gente y para él mismo, el amor a la patria no era un sentimiento enaltecedor, sino un fardo inconsciente, un manantial perenne de autodesprecio. "Más nos valdría no ser de ninguna parte. Estamos jodidos, pero ¿quién nos jodió? ¿El PRI, los españoles, dios, la historia?"

Se bajó en Copilco y de ahí caminó hasta la Facultad de Filosofía y Letras, leyendo con interés las pintas a favor del Ejército Zapatista en las bardas de piedra volcánica que rodeaban la universidad. *Viva el Sub, muera el PRI. Autonomía para las comunidades indígenas chiapanecas. Abajo el Supremo Gobierno*. Bien hecho. Era un alivio constatar que esos chavos no estaban muertos en vida, como los fantasmas trepanados del Metro. Su fanática devoción por Marcos podía ser ingenua, pero al menos alzaban la voz y luchaban por un ideal. En el interior del auditorio Justo Sierra encontró un ambiente muy similar al del sueño en que había alcanzado su efímera consagración literaria: el mismo lleno a reventar, el mismo público estudiantil y los mismos camarógrafos de TV con sus reflectores apuntados hacia la mesa de honor. No le sorprendió: Palmira Jackson era una superestrella y tenía seguidores en todas partes, más aún en la universidad, donde prácticamente había desbancado a la virgen de Guadalupe. El acto había comenzado ya y tuvo que sentarse en las escaleras porque no quedaba una sola butaca libre. El moderador, un tal Arturo Pineda, secretario técnico de la facultad, leía una breve semblanza de la Jackson, destacando su vocación humanitaria y su entrega a las causas populares, que le habían permitido convertir el oficio de escribir, por lo común solitario, en un oficio solidario y participativo. Tras enumerar sus premios nacionales e internacionales dio la palabra al director de la facultad, un académico delgado y arrogante con perfil de hidalgo español que vestía saco a cuadros y parpadeaba mucho al leer.

—Compañeras y compañeros, amigos y amigas: me siento muy honrado en presidir un homenaje tan merecido como el que hoy rendimos a Palmira Jackson. Conocí a Palmira hace muchos años, cuando hacía sus primeras armas en el periodismo, y desde entonces la admiro por su talento, por su nobleza, por su valor civil para enfrentarse a los poderosos y darles voz a los débiles. Cuando las bayonetas han ahogado en sangre los justos reclamos de la sociedad civil, Palmira ha sido la portavoz de nuestra indignación. Cuando los marginados del campo y de la ciudad han salido a las calles para exigir una vida digna, Palmira ha marchado con ellos para dejarnos un testimonio de su coraje. Cuando la represión o el temor han acallado a las voces independientes, Palmira ha roto el sórdido monólogo del poder con su grito de libertad. Palmira querida: nuestra deuda contigo es enorme, porque gracias a ti la palabra escrita sigue conservando entre nosotros el poder de sacudir las conciencias. Nuestra admiración por ti va creciendo año con año, y junto con ella, nuestro cariño de hermanos. Tus libros ya no son tuyos, porque nos pertenecen a todos. Gracias, Palmira, por tu corazón con alas, por tu amor que se desborda como un río crecido, por tu juventud contagiosa, por tu sonrisa que nos devuelve la fe en los hombres...

Evaristo no despegaba los ojos de la Jackson, que se había sonrojado con las palabras del director y tamborileaba con los dedos. Sin duda estaba sufriendo por su proverbial modestia, que la había llevado al extremo de no conceder entrevistas. Era guapa todavía aunque ya andaba por los 60 y su cabello color arena se había empezado a teñir de gris. Llevaba un collar de perlas y un elegante vestido azul que delataba su condición de burguesa, pero a los ojos del público su situación acomodada no le quitaba ningún mérito. Al contrario: sus fans la querían más por mostrarse tal como era y Evaristo estaba de acuerdo con ellos, porque pudiendo ser una dama de sociedad apoltronada en el lujo, se había convertido en la conciencia crítica de su clase. Que una mujer del pueblo luchara contra la injusticia social no tenía nada de raro; lo admirable era que una señora tan distinguida, educada en los mejores internados de Europa, se identificara con los pobres y los perseguidos políticos, por fidelidad a un compromiso moral que iba mucho más allá de la mera filantropía. Emocionado por tenerla tan cerca, Evaristo vibraba al unísono con los chavos que abarrotaban el auditorio, sintiéndose parte de una gran hermandad. Eso era lo que nunca lograrían los intelectuales exquisitos como Perla Tinoco y Claudio Vilchis, por más que se adornaran con citas en 20 idiomas. La razón era muy sencilla: les faltaba la calidad humana que Palmira transpiraba por todos los poros. Había sido un acierto venir a verla, estaba seguro, pues cuando ella conociera su situación no lo dejaría morir solo.

—Ahora toca el turno a Javier Loperena, recién galardonado con el Premio Nacional de Letras, que prácticamente no necesita presentación, porque es una figura indiscutible de la narrativa mexicana. El maestro Loperena está promoviendo su más reciente novela histórica sobre la vida del general Santa Anna y aceptó interrumpir una gira por Estados Unidos para estar con nosotros, en un gesto de amistad con Palmira que mucho le agradecemos.

—Al contrario, gracias a ustedes por invitarme —dijo Loperena, un moreno de cabellos blancos y profundas ojeras, con facha de pescador retirado, que al parecer tenía muchas tablas para hablar en público, pues no llevaba un discurso escrito—. Pertenezco al numeroso club de enamorados eternos de Palmira Jackson, que a través de distintas épocas la hemos admirado como mujer, como rebelde y como escritora. Nos conocimos en el turbulento París de los años cincuenta, cuando ella era estudiante de filosofía en La Sorbona y yo trabajaba en una librería del Barrio Latino. En ese tiempo Sartre era nuestro Sumo Pontífice y la juventud se había lanzado a la calle para apoyar la independencia de Argelia, el último bastión del colonialismo francés, donde el general De Gaulle estaba sufriendo una derrota moral. Recuerdo a Palmira en las marchas por el Boulevard Raspail, desbordante de juventud, con gafas oscuras y el pelo recogido en una pañoleta, arriesgándose a que la expulsaran del país por su condición de extranjera. Desde entonces ya sabía que la causa de un pueblo oprimido es la causa de todos los pueblos. Desde entonces ya tenía en la mirada esa luz de aurora boreal que nos ha regalado en tantos momentos de oscuridad...

De pronto Evaristo sintió una punzada en la nuca, sospechó que alguien lo miraba por detrás con una fijeza insolente y al girar la cabeza descubrió a su compañero de apretujones en el vagón del metro, el hombre del traje gris que iba leyendo el *Últimas Noticias*. Estaba sentado en la misma escalera, 10 peldaños más arriba, y cuando Evaristo se volvió a verlo, se tapó la cara con el periódico. El imbécil no quería llamar la atención, pero estaba logrando justamente lo contrario. ¿Qué hacía en el auditorio si el homenaje a Palmira Jackson le valía madres? Para leer estaban las bibliotecas y los excusados. Quizá fuera un judicial novato, ansioso de llegar al dinero grande, que lo había identificado en el metro y lo había seguido hasta el auditorio. Se reprochó la estupidez de haber salido a la calle con su barbita de una semana, que al parecer no engañaba a nadie. Por suerte llevaba la 38 en la bolsa de la chamarra. Tendría que usarla si el cabrón había pedido refuerzos para detenerlo a la salida del homenaje. O quizá fuera un agente de Gobernación que se había infiltrado para tomar nota de la concurrencia. Era típico que los mandaran a las reuniones y a los mítines de izquierdistas. En ese caso le convenía fingir ceguera y portarse con la mayor naturalidad, aunque tuviera principios de taquicardia y le temblaran las piernas. Haciendo un esfuerzo por controlarse trató de prestarle atención a Javier Loperena.

—En sus crónicas, Palmira alcanza el brío y la contundencia expresiva de José Martí en sus memorables *Cartas de Nueva York*, si bien ella les imprime un toque femenino que revela el aspecto más humano de las luchas sociales: el ánimo festivo, el pundonor callado, la rabiosa ternura de los hombres y mujeres que exigen libertad, democracia y una justa retribución por su trabajo. Palmira ha luchado con ellos hombro con hombro, sin ceder ante las presiones de un aparato represivo que muchas veces ha tratado de intimidarla o de censurarla. Recuerdo que en los años setenta, cuando el gobierno había cercado militarmente a la guerrilla de Lucio Cabañas, Palmira logró llegar hasta el corazón de la sierra para escribir los mejores reportajes que se hicieron sobre aquel movimiento, que hoy ha vuelto a nacer en la selva Lacandona. Cuando aparecieron sus reportajes, Palmira me habló una noche muy alarmada porque había recibido amenazas telefónicas que ponían en peligro su vida y la de sus hijos. Le aconsejé salir del país una temporada, pero ella, con un valor temerario, no sólo decidió quedarse en México a capear el temporal, sino que denunció públicamente las llamadas intimidatorias. La relativa libertad de expresión que gozamos de unos años para acá no es una dádiva del poder: es una conquista de los escritores independientes como Palmira, que nunca se han doblegado ante las presiones del príncipe. Admirada compañera: los que te queremos por tu prosa de terciopelo y fuego, por tu guerra sin cuartel contra los verdugos de la esperanza, sabemos cuánto has hecho por liberarnos de sus cadenas. Tu pluma es una espada flamígera cuando se trata de alzar la voz para combatir la injusticia, pero también es una fuente de agua clara cuando pintas con ella el alma de tu pueblo, un pueblo generoso y noble, curtido en la adversidad, que le hace frene al dolor con una sonrisa. Cuántas veces, en momentos de tristeza y desesperación, un libro tuyo me ha reconciliado con el género humano. Palmira chula, orquídea de las Américas: conserva para siempre tu sonrisa de mujer manantial, de mujer arco iris, de mujer montaña. Ojalá y con este homenaje empecemos a pagarte un poco de lo mucho que te debemos.

Volvió a sentir la mirada del espía como un estilete que se le clavaba en la vértebra cervical, y aunque se esforzó por reprimir su curiosidad, finalmente se volvió de improviso para sorprenderlo con la guardia baja, pero el tipo ya se había levantado de la escalera y en ese momento, rápido de reflejos, dio media vuelta sin que pudiera verle la cara. ¿Lo había ahuyentado o iba por más agentes? Hasta cierto punto estaba protegido en medio de la multitud, pero con la judicial nunca se podía estar seguro de nada: eran capaces de armar una balacera en pleno homenaje, aunque se llevaran entre las patas a 15 estudiantes. A la mitad del pasillo central, donde una cortina roja separaba el vestíbulo del auditorio, el hombre del traje gris se encontró con otro de su estatura a quien entregó el *Últimas Noticias*. En la madre, los refuerzos habían llegado. Los camarógrafos de Canal 11 le tapaban la visibilidad, pero alcanzó a ver que el primer agente se quedaba parado junto a la cortina, para cortarle la salida en caso de que intentara huir, mientras el otro bajaba la escalera y se aproximaba peligrosamente hacia él. Llevaba pantalones de mezclilla, tenis blancos, lentes oscuros, gorra con visera y una chamarra verde olivo de veterano de guerra. Se quedó recargado contra la pared a unos cinco peldaños de su lugar, oculto por los estudiantes que llenaban la escalera, en una posición ideal para observar sin ser observado. Por lo menos algo era seguro: no se atreverían a detenerlo mientras durara el homenaje, de lo contrario ya hubieran entrado en acción. Empuñando la culata de su 38, húmeda de sudor, trató de ver con el rabillo del ojo al tipo de la cachucha, mientras fingía concentrarse en la mesa de honor, donde ahora tenía la palabra Wenceslao Medina Chaires, un hombre corpulento de mediana edad y cabello grasoso que llevaba un saco negro blanqueado de caspa.

—Querer a Palmira Jackson es un destino, casi una vocación para quienes tuvimos la suerte de tratarla desde los principios de su carrera, cuando era una güerita de trenzas, alegre y desinhibida, que maravillaba a los jefes de redacción por la frescura de sus reportajes. Nos hicimos amigos hace más de 25 años, cuando yo acababa de salir de Lecumberri, donde estuve preso por mi participación en el movimiento del 68. Recién salido de la cárcel yo vivía con mi primer esposa en una cabaña muy fría del Desierto de los Leones y Palmira llegó a verme con una pila de leña. Agradecido por su gesto de amistad la llamé "La chica de la leña" y sospecho que ese nombre fue premonitorio, ya que desde entonces no ha descansado en su empeño por mantener y avivar el fuego de la protesta cívica. Del 68 para acá, la chica de la leña ha encendido muchas chimeneas y seguirá encendiéndolas aunque se queme las pestañas, aunque se ahogue con el humo de tanta realidad infame. El calor y la luz son para todos los que te leemos y admiramos. Tus libros, Palmira, están prendidos en nosotros, untados en el alma como un abrigo necesario y confortable. Como una llamita azul. Como tus ojos en llamas...

A pesar de que el homenaje estaba por terminar, la gente seguía llegando al auditorio y se amontonaba en la escalera, lo que dificultaba el espionaje del segundo agente. "Cree que me voy a pelar aprovechando el tumulto", pensó Evaristo, que lo veía estirar el cuello en medio de un apretado círculo de estudiantes. Había olvidado que su objetivo era entregarle la carta a Palmira y sólo le importaba escapar de ahí. Pero en caso de que lograra salir ileso del auditorio, ¿quién le aseguraba que afuera no había más judiciales? Conociendo a Maytorena, era de esperarse que violara por sus lindos huevos la autonomía universitaria y rodeara la facultad con un regimiento de policías. Medina Chaires recibió el aplauso más caluroso de la tarde y el moderador le pasó el micrófono a Palmira Jackson. Faltaban unos minutos para el inevitable agarrón con sus dos perseguidores y tenía los intestinos hechos nudo. La balacera del Sherry's lo había tomado por sorpresa, sin dejarle tiempo para medir el peligro: esto era mil veces peor, porque su escaso valor se le estaba agotando en la antesala del pánico. En busca de un mejor ángulo de visión, el hombre de la cachucha bajó un par de escalones y se quitó los lentes oscuros. Antes de que pudiera taparse con el periódico, Evaristo reconoció la cara macilenta del Chamula.

—Dice Gabo que él escribe para que sus amigos lo quieran. Yo escribo para tener una gran familia y en ocasiones como ésta puedo comprobar que no me ha ido tan mal. Entre ustedes me siento como en mi casa, y no me refiero sólo a mis compañeros de mesa, que han dicho cosas tan lindas de mí, sino a toda la gente preciosa que me acompaña. Gracias a la universidad por este homenaje y gracias a los universitarios por el cariño que me han demostrado siempre. No puedo aceptar los elogios que he recibido porque, en realidad, yo no escribo nada: sólo trato de sacarles brillo a las palabras de los demás, y mi único mérito, si acaso tengo alguno, es ponerle amor a lo que hago. Para mí escribir un libro no significa un esfuerzo, qué va, es un rito placentero, como regar los geranios de mi balcón o hacerle de comer a mis hijos...

En medio de la pelotera estudiantil cruzaron una mirada de reto. El Chamula tenía los ojos inyectados y los granos de la frente se le habían hinchado más de lo normal. No era la cara de un asesino a sueldo, más bien parecía un loco furioso, o quizá le habían dado una sobredosis de coca. Pobre infeliz: compartía los odios de Maytorena como si fuera su padre. En el fondo era una víctima de la pobreza, como los millones de jodidos que votaban por el PRI a cambio de un saco de frijol y una torta. Desde niño le habían enseñado a no repelar, a no ser igualado, a conformarse con las migajas que le tiraban bajo la mesa. ¿Cómo explicarle que su gran benefactor le había robado la dignidad y el alma? Si de amistad se trataba, él quería mucho más al Chamula que Maytorena. Y, sin embargo, el Chamula lo estaba cazando a unos metros de distancia por instrucciones de un cerdo que despreciaba a los dos. La situación le recordó unos versos de José Emilio Pacheco: "Vamos a ciegas en la oscuridad, caminamos a oscuras en el fuego." Así era la vida: un grotesco malentendido. En medio de las tinieblas, la gente se aliaba a sus enemigos y combatía a sus verdaderos aliados. Empezaba a ponerse taciturno cuando vio asomar el cañón de un revólver por debajo del periódico que sostenía el Chamula.

—Por eso yo no me considero escritora, más bien soy una profesional de la esperanza. Cuando escribo pienso en las viejitas que van al parque a darles migas a las palomas. Yo hago lo mismo que ellas, sólo que en vez de pan utilizo palabras, palabras que son migas de ternura. Pero otras veces, cuando veo todo oscuro a mi alrededor, en vez de palabras me salen dardos envenenados. Con ellos quisiera infundir coraje a mis lectores y a mis lectoras, convocarlos a seguir el ejemplo de los indígenas chiapanecos, que son los ciudadanos más dignos de México...

Hacia atrás no había escapatoria, tuvo que bajar la escalera abriéndose paso a empujones y correr a grandes zancadas por el estrecho pasillo que separaba las butacas del escenario, entre las protestas y las mentadas de los estudiantes, abusado, cabrón, fíjate por dónde pisas, que oía como un acompañamiento lejano del único ruido que le importaba, el de las pisadas del Chamula, que venía tras él a menos de dos metros y quizá le estaba dando unos segundos de gracia por no tener el campo libre para soltarle un balazo. Al verlo pasar corriendo frene a la mesa de honor el público estudiantil notó que algo raro pasaba y hubo un murmullo condenatorio, pero cuando el Chamula cruzó por el mismo lugar con la pistola desenfundada, el murmullo se convirtió en alarido colectivo y Palmira Jackson enmudeció de estupor. Era el momento más peligroso, pues ahora no había gente entre los dos y el Chamula lo tenía a tiro. Para imponerle respeto sacó también su 38 y disparó a lo loco sin dejar de correr hacia la salida de emergencia, que los estudiantes desalojaron en un santiamén al verlo venir como flecha. Toda la concurrencia se había echado al suelo, incluyendo a los intelectuales del estrado, que en su precipitación por ocultarse bajo la mesa dejaron desprotegida a Palmira Jackson. Evaristo libró de un salto la salida de emergencia y cuando bajaba por una rampa que teóricamente debía sacarlo del auditorio tropezó con el cable de un camarógrafo. Fue una caída providencial, pues gracias a ella logró esquivar un balazo del Chamula que de otro modo le hubiera perforado la sien. Desde el suelo disparó tres veces hacia el bulto que venía tras él, cerrando los ojos al momento de jalar el gatillo. Una de sus balas fue a parar al estómago del Chamula, otra a su cuello y una más se incrustó en el plafón del techo. Por un impulso irracional se acercó a verlo tumbado en el suelo y comprobó que estaba herido de muerte: una temblorina menguante convulsionaba su pierna derecha, tenía el pecho anegado en sangre y llevaba como un sudario el periódico con la frase:

*LO DE SIEMPRE: DERROTA.*

No pudo quedarse a verlo cerrar los ojos, porque el hombre del traje gris podía aparecer en cualquier momento. Con una sensación de irrealidad bajó por la rampa hasta salir a una avenida del circuito universitario. ¿De modo que era tan fácil matar a un hombre? Cruzó el estacionamiento de Filosofía y Letras con la intención de llegar a Insurgentes, donde esperaba tomar un taxi o un microbús. Todavía llevaba en la mano el revólver caliente y los estudiantes que pasaban a su lado se apartaban amedrentados o dejaban caer sus libros al suelo. Para no llamar la atención se lo guardó en la bolsa de la chamarra y continuó su carrera apretando el paso. Un Volkswagen viejo y chocado que salía de su cajón lo embistió con la defensa trasera, arrojándolo de bruces a una barda de piedra. El conductor se bajó del coche y Evaristo lo reconoció con sorpresa: era Rubén Estrella.

—¿Te lastimé?

Evaristo negó con la cabeza, pero sus gemidos lo contradecían.

—Súbete, compa, te doy un aventón.

—Voy hasta la Guerrero.

—Me queda cerca. Yo vivo en la colonia San Rafael.

Apoyado en su hombro, Evaristo subió al asiento delantero.

—¿Viniste al homenaje de Palmira Jackson? —le preguntó a Estrella.

—No. Vengo saliendo de una conferencia que dio Fernando Savater en el Aula Magna.

Al constatar que no había visto la balacera en el auditorio se sintió más tranquilo, pero no totalmente confiado, porque sabía que Rubén era un moralista aferrado a sus ideales de juventud. Se había escandalizado al saber que era judicial, ¿qué pensaría ahora cuando lo acusaban de asesinato?

—¿No te da miedo llevar en tu carro a un prófugo de la ley? —le preguntó, mitad en broma, mitad en serio, cuando se detuvieron en el semáforo de Copilco.

—La mera verdad, ahora confío más en ti. Desde que te vi en la tele dije nel, este cabrón no mató a Roberto. Le quieren cargar el muerto para proteger a los verdaderos culpables.

—Ni siquiera me conoces. ¿Cómo sabes que no fui yo?

—Porque en este país los asesinos andan libres y tienen puestazos en el gobierno.

—Yo en tu lugar tendría más cuidado. Si te agarran conmigo te puede llevar la chingada.

—¿Te quieres bajar o qué? —Estrella frenó el coche y lo miró con impaciencia—. Ya te dije que para mí eres inocente, es más: te falta poco para ser el bueno de la película, pero si andas tan paranoico mejor vete a pincel.

Su nobleza emocionó a Evaristo, que hacía tiempo no recibía apoyo moral de nadie: no estaba solo contra el mundo, por lo menos alguien confiaba en él. Intercambiaron sonrisas y Rubén apretó el acelerador. Ablandado por su insólita muestra de afecto, Evaristo repasó en la imaginación la escena de thriller barato que acababa de escenificar en el auditorio, sintiendo que había cometido un crimen atroz. Ahora sí era un judicial hecho y derecho. Ya sabía lo que era matar a mansalva. Recordó sus borracheras con el Chamula, el bautizo de su primogénito —ahora huérfano— en la casita de San Juan de Aragón, donde había dejado entrar a todos los vecinos de la colonia, como en las fiestas de pueblo. No se merecía morir así, después de todo era una buena bestia. Las palabras amistosas de Rubén, contrapuestas con la horrible visión del Chamula en el umbral de la muerte, parecían una condena irónica: ...Ojalá pudiera pensar lo mismo.

A RAÍZ DE LA BALACERA en el homenaje a Palmira Jackson, que la opinión pública atribuyó a un grupo de porros, las protestas de intelectuales y periodistas por "la escalada fascistoide que amenaza con suprimir la libertad de expresión" arreciaron hasta provocar la renuncia del procurador Tapia. El presidente Jiménez del Solar designó en su lugar al doctor Jaime Cisneros Topete, egresado de Yale, que se comprometió ante las cámaras de TV a terminar con la impunidad y la corrupción policiacas y anunció un Programa Integral de Protección Ciudadana para el cual designó como director al comandante Jesús Maytorena, "un policía de probada honestidad, con amplia trayectoria en el combate a la delincuencia, que contará con todo mi apoyo para cumplir con su difícil tarea". El ascenso obligó a Maytorena a cambiar los pants por los trajes y a corregirse las caries, para aparecer en televisión como un policía modelo. Exonerado por falta de pruebas, Osiris Cantú quedó en libertad al día siguiente de que Cisneros asumió su cargo y los periódicos ni siquiera mencionaron el motivo de su detención, a pesar de que constaba en actas. Evaristo vio detrás de su liberación la mano peluda del narcotráfico, pero la comunidad cultural, que creía en la inocencia de Osiris y lo había convertido en una especie de mártir, felicitó al nuevo procurador en una carta firmada por más de cien escritores y artistas.

Desde el primer momento, los analistas políticos relacionaron la balacera en el auditorio Justo Sierra con los asesinatos de Lima y Vilchis, a pesar de que ningún asistente al homenaje había identificado a Evaristo, por la rapidez de lo sucedido. Un comentarista del *Reforma* aventuró la hipótesis de que en realidad el blanco del atentado era Palmira Jackson, pero el Chamula se había arrepentido en el último instante, y el pistolero que le cuidaba la retaguardia lo había ultimado para evitar una delación que podía comprometer a los cerebros del complot, presumiblemente políticos de la vieja guardia priísta, amenazados con perder sus privilegios y sus cotos de poder por la incipiente *glasnot* mexicana. De nuevo, la confusión provenía del tramposo comunicado de la PGR, donde no se mencionaba que el Chamula era agente de la Judicial Federal. Acostumbrado a redactar boletines del mismo jaez, Evaristo adivinó el motivo de la omisión: con los reflectores encima por su reciente ascenso, Maytorena no quería reconocer que uno de sus hombres había dejado escapar al criminal más buscado de México. Si en vida no había cesado de humillar al Chamula, después de muerto lo presentaba como "un gatillero al servicio de fuerzas oscuras", sin concederle siquiera la modesta gloria de un epitafio honroso.

Por si las dudas, y ante la incertidumbre de no saber si el agente del traje gris lo había descubierto en el metro o lo había visto caminar hacia la estación Hidalgo, en cuyo caso la policía tal vez estuviera peinando la colonia Guerrero, prefirió mudarse a un hotel más seguro, el Oslo, en la esquina de Viaducto y Eje Central. Para sacar su coche sin llamar la atención de la policía, se robó las placas de otro carro en el estacionamiento del hotel Bonampak, donde no había cuidador, y las puso en el suyo, logrando pasar inadvertido por las patrullas que se encontró en el camino. Rubén Estrella le había ofrecido su casa como refugio, pero tomarle la palabra hubiera significado exponerlo a una condena de 10 años por encubrimiento y no quería llevarse entre las patas a más inocentes. Sin embargo, con su apoyo Rubén le había dado algo más importante que un escondite: ahora creía de nuevo en la gente. Había hecho mal en verlo como un ridículo fósil de los sesenta, pues en última instancia, no tenía nada de malo serle fiel a un movimiento de fraternidad universal que había transformado el mundo. Él mismo, bajo las costras de estiércol acumuladas en su paso por la judicial, tenía alma de chavo sesentero. Si la corrupción y la falta de carácter no lo hubieran doblegado cuando empezaba a abrirse camino en la vida, habría seguido tuteando al género humano, sin aceptar las hediondas jerarquías de la sociedad, fundadas en el poder, la riqueza y el mérito. Quizá Rubén había descubierto el lado humano de su carácter cuando dejó de verlo como judicial y empezó a verlo como víctima. Y si Rubén Estrella lo había exonerado tan fácilmente, Palmira Jackson, que también era una chava de corazón, y pertenecía a la misma tribu de rebeldes, comprendería desde la primera mirada que un hombre como él —romántico, izquierdista y arrepentido de su pasado— de ningún modo podía ser un asesino a sueldo.

Confiado en causarle buena impresión, emprendió desde su cuarto en el hotel Oslo una nueva campaña de acercamiento a Palmira, esta vez por vía telefónica. No le fue difícil localizarla, porque su número venía en la agenda del narcopoeta Osiris Cantú, que había guardado semanas atrás en la guantera del Spirit cuando se lo llevó detenido. Lo difícil fue lograr que Palmira le contestara el teléfono. Como toda celebridad, la Jackson tenía un dispositivo de retenes para defenderse de periodistas y admiradores. De día le atendía las llamadas una secretaria francesa que se daba aires de gran señora, de noche su hijo, un adolescente de voz nasal y modales rudos que parecía fastidiado de fungir como recadero de su mamá. Para no atemorizar a Palmira prefirió darles un nombre falso, pero su estrategia resultó contraproducente. Ambos lo sometieron a un sondeo previo (¿Quién es usted? ¿De dónde llama? ¿Quiere pedirle una colaboración o una entrevista?), del que no pudo salir bien librado, porque un desconocido que llamaba "por un asunto personal", naturalmente despertaba su desconfianza.

—Lo siento. La señora Jackson está muy ocupada, pego dígame qué se le ofguece y yo le pasagué su guecado.

—No puedo. Tengo que hablar con ella directamente.

—Pues no creo que le pueda tomag la llamada.

Al tercer día de llamar en vano, harto de escuchar la misma respuesta, se puso una borrachera de buró y al calor de los tragos le advirtió a la secretaria que hablaba por un asunto de vida o muerte. Sólo así logró que Palmira tomara el teléfono, pero no precisamente para dialogar en plan amistoso.

—Óigame, pendejo. ¿Hasta cuándo va a dejar de estar molestando?

—Perdóneme la insistencia, señora. Sólo quería pedirle una cita...

—¿Una cita? ¿Para qué? Usted y yo no tenemos nada de qué hablar.

—Le tengo información sobre el asesinato de Roberto Lima. —Evaristo tenía la voz pastosa y articulaba con dificultad—. Yo estuve con él el día de su muerte...

—¿Y por qué me habla a mí? ¿Quién le dijo que yo soy reportera de nota roja?

—Pensé que podía interesarle saber que el supuesto asesino es un chivo expiatorio.

—A mí no me interesan las ocurrencias de un borracho. Si es verdad que sabe algo, vaya a la policía. Y no se atreva a llamar otra vez, porque voy a pedirle al nuevo procurador que me rastreen su llamada.

El abrupto colgón lo desmoralizó al grado de no probar alimento en dos días. Necesitaba el apoyo de Palmira para desmentir a la PGR y probar su inocencia, pero sobre todo, para librarse de la culpa que lo atormentaba por las muertes de Dora Elsa y el Chamula. Creía en la Jackson como otros creen en la Biblia y se sintió espiritualmente desamparado, como un asesino al que su confesor le niega la absolución. Sin duda, Palmira había pensado que no era una persona de fiar. Y quizás estuviera en lo cierto: un largo proceso de envilecimiento como el que había experimentado en la judicial dejaba cicatrices que no eran fáciles de esconder, ni siquiera por teléfono.

Devaluado ante sí mismo, sintió un impulso irrefrenable de volver a su vida anterior, la del crápula decadente que veía el amanecer cobijado en su propio vómito, y salió de noche en el Spirit para levantar una puta en la lateral del Viaducto. La usó con rapidez y brutalidad, odiándola y odiándose, con la vista clavada en el canal porno de la parabólica. Al día siguiente, crudísimo, volvió a tener un ataque de hipoglucemia que le dobló hacia adentro los dedos de las manos. Gracias a dios había dejado una pepsicola en el buró y el azúcar le devolvió la flexibilidad muscular. Al sentirse mejor, vio con más claridad la encrucijada en que se encontraba. De un momento a otro la judicial llegaría a detenerlo, y exceptuando a Rubén Estrella, que no tenía liderazgo moral ni peso en la opinión pública, ningún ex amigo de Lima alzaría la voz para defenderlo. Su captura significaría el triunfo definitivo del asesino insolente y engreído que lo había tachado de animal y más tarde le había arrebatado la única prueba en su contra, como para apoyar el insulto con hechos. Le esperaba una larga sesión de torturas dirigida por Maytorena, el baño a manguerazos en los separos, la declaración preparatoria frente a las cámaras de Jacobo y una cárcel de seguridad donde seguramente acabaría volviéndose loco. No era justo: mejor acabar de una vez con la poca vida que le quedaba. Caminó hacia el espejo del tocador y se puso la 38 en la sien con una determinación que a él mismo le sorprendió. Se le hacía tan fácil matarse como apagar una tele a control remoto. Eso era la muerte: pasar de un programa angustioso y pendejo a la tibia oscuridad prenatal. Sin temblores de pulso ni sudores fríos jaló del gatillo, pero en lugar de la explosión oyó un estúpido clic. Se le habían terminado las balas en el tiroteo con el Chamula. ¿Dios lo protegía o se burlaba de su dolor?

Al cobrar conciencia de la atrocidad que acababa de cometer, se desplomó en la cama llorando. Ahora entendía el valor de la vida y hasta su propio sufrimiento le pareció un bien irrenunciable, un clavo ardiendo al que si embargo debía aferrarse con uñas y dientes. Nada era peor que la nada, ni siquiera la cárcel más inhóspita de la tierra. Deseó como nunca llegar a la ancianidad, aunque fuera en silla de ruedas y con marcapasos. Lo de la otra vida era mentira: se había acercado lo suficiente a la orilla del precipicio para sentir que del otro lado sólo había un hoyo negro. Purificado por el llanto, descubrió en su interior una fortaleza desconocida. Se había salvado porque no le tocaba, porque aún le quedaba una misión por cumplir. Quizá se había puesto la pistola en la sien porque le faltaban pantalones para enfrentarse a la adversidad. Sí, en el fondo era un cobarde horrorizado ante la idea del fracaso. De otro modo no se hubiera tomado tan a pecho la previsible respuesta de Palmira Jackson. Cómo quería que reaccionara si la había llamado borracho y con nombre falso, presentándole su asunto como una novela de misterio. En plena crisis, con el país cayéndose a pedazos y los crímenes políticos a la orden del día, una llamadita como ésa tenía que sacarla de onda. Pero no todo estaba perdido. Si lograba ver a Palmira en persona y exponerle su caso con absoluta franqueza, como a ella le gustaba tratar a la gente, quizá podría convencerla de su inocencia o, cuando menos, sembrarle una duda sobre la actuación de la autoridad en el caso Lima. "No vengo a pedirle apoyo —le diría de entrada—, sólo le pido que juzgue usted por sí misma quién está diciendo la verdad y quién está inventando un culpable."

En la libreta de Osiris Cantú venía su dirección: Monte Líbano 237, Lomas de Chapultepec. Sin perder el tiempo en llamadas que no conducían a ninguna parte, se dirigió allá en un taxi, dejando el Spirit en el garaje del hotel, pues temía que a esas alturas el dueño de las placas robadas ya hubiera dado parte a la policía. Entre las mansiones de su alrededor, la casa de Palmira Jackson era más bien modesta, pero con un sello de distinción que se advertía desde la espléndida puerta de madera labrada que engalanaba el zaguán, probable reliquia de un antiguo convento. Eran las dos de la tarde y el sol pegaba de lleno en la barda cubierta de yedra, que por momentos parecía una cascada de luz. Quizá Palmira llegara a comer en unos minutos, quizás estuviera trabajando en casa, pero en algún momento debía entrar o salir, y entonces, haciendo a un lado su orgullo, le pediría de rodillas que lo escuchara. Lamentó no haber llevado un libro, o de perdida un periódico, porque la espera podía ser larga. La calle estaba desierta, sólo pasaban algunos coches de vez en cuando, pero nadie caminaba por las relucientes banquetas y su presencia podía resultarles sospechosa a los vecinos. Para evitar que lo tomaran por un ratero se dirigió al cruce de Monte Líbano y avenida Palmas, donde había una caseta telefónica. Desde ahí, a unos 40 metros de la casa, esperó ansiosamente la aparición de Palmira, fingiendo hablar por teléfono. Transcurrió una hora sin novedad en el frente. Las colonias residenciales eran de una monotonía insufrible. Hasta las criadas iban al súper en carro, escoltadas por el chofer de la casa, como grandes señoras. Una cascarita de futbol hubiera sido impensable. ¿Para qué, si los chavos de la zona tenían jardines del tamaño de una cancha reglamentaria? Como a las tres y cuarto se detuvo en casa de la Jackson un Tsuru color vino del que bajó un joven larguirucho y desmelenado, probablemente el hijo de la Jackson, que volvía de la escuela. Tal vez Palmira estuviera dando una conferencia fuera de México y no regresaría hasta el lunes. Empezaba a desanimarse cuando pasaron en fila india frente a su puesto de observación tres autos llenos de gente que dieron vuelta a la derecha en Monte Líbano y se estacionaron detrás del Tsuru. Corrió hacia ellos para examinar de cerca de los tripulantes y sintió un vacío en el estómago al ver bajar a Palmira del brazo de dos caballeros, Javier Loperena y Medina Chaires, que bromeaban con alegre cordialidad. En los otros carros venía un nutrido contingente de intelectuales, algunos con sus mujeres, la mayoría solos, vestidos con elegante ropa sport, como en un comercial de Chivas Regal. Entre ellos desentonaba un chaparro andrajoso y desnutrido que debía ser periodista, pues llevaba una grabadora en la mano. Le dio pena abordar a Palmira en medio de tanta gente y se escondió detrás de un árbol, paralizado de timidez.

Cuando la Jackson entró a la casa acompañada por su grupo de amigos, comprendió que le sería imposible mezclarse con ellos. Los admiraba de corazón, pero una barrera cultural o de clase le impedía verlos como iguales.

Pertenecían a otro mundo, al mundo de las utopías generosas, donde él jamás tendría cabida, por representar lo más negro de la realidad. Se había acostumbrado a tratar con la élite intelectual y hasta le había perdido el respeto, pero ellos eran otra cosa, una minoría impugnadora y crítica, moralmente irreprochable, que había puesto su prestigio y su inteligencia al servicio del pueblo. A solas con Palmira quizá se atreviera a hablar, pero no delante de ese tribunal de la pureza, donde su voz culpable sonaría como el chillido de un cerdo infiltrado en un coro de ruiseñores. Tal vez él conociera mejor que ellos su país, quizá podría abrirles los ojos sobre algunas ingenuidades y demostrarles que se habían equivocado al idealizar al pueblo, pero su falta de solvencia moral lo desacreditaba de antemano como posible interlocutor. Por lo tanto, lo mejor que podía hacer era largarse de ahí, tomar un taxi en Palmas y volver a emborracharse en el cuarto del hotel Oslo.

Iba caminando por la acera con las manos en los bolsillos, moralmente derrotado, cuando una voz interior le ordenó regresar a dar la pelea. Era su libertad lo que estaba en juego y ya que estaba ahí debía llegar hasta el fin. ¿O se iba a rajar como un maricón? Después de un largo titubeo en el que repasó todas las bajezas de su vida y las confrontó con la vida ejemplar de Palmira, se armó de coraje para tocar el timbre.

—¿Quién? —le respondió la secretaria francesa.

—Soy Evaristo Reyes. Quisiera hablar un momento con la señora Jackson.

—¿De dónde viene?

—Es un asunto personal.

—Espegue un momento.

La secretaria fue a consultar algo con Palmira y tardó unos minutos en volver al interfón:

—Dice la señoga que ahoguita no lo puede guecibig.

—¿Y cuándo tendrá tiempo?

—No sé. Pídale una cita pog teléfono y ella se lo digá.

Era increíble: después de tanta espera y de tanta lucha interior había vuelto al punto de partida. Tal vez Palmira no había recordado su nombre, o las llamadas telefónicas la tenían escamada. ¿Y ahora quién lo iba a ayudar? Caminaba hacia Palmas resignado a enviar la carta a los periódicos sin el aval de nadie, cuando una combi anaranjada se estacionó detrás del Tsuru. En la puerta lateral de la camioneta leyó el rótulo: *Casa León, todo para sus fiestas y banquetes*, y dedujo que la Jackson había contratado personal de servicio para atender a sus invitados. Lo comprobó cuando vio bajar de la combi a un mesero con chaqueta blanca y corbata de moño, quien sacó de la cajuela una pila de manteles y servilletas blancas. Al cerciorarse de que venía solo, tuvo una ocurrencia descabellada: lo siguió sigilosamente hasta el zaguán de la casa, caminando por el prado de la banqueta para no hacer ruido, sacó la 38 de su chamarra, y antes de que pudiera tocar el timbre le dio un cachazo en la nuca. En su caída, el mesero soltó la pila de manteles y servilletas, que fueron a dar hasta la mitad de la calle. Por un momento creyó que lo había matado, pero al cerciorarse de que todavía respiraba refrenó el impulso de echarse a correr y siguió adelante con la segunda parte del plan. Tomándolo por los brazos lo arrastró hasta la camioneta, con las venas del cuello hinchadas por el esfuerzo. Le sacó del bolsillo las llaves de la combi, abrió la puerta corrediza y lo metió por etapas, primero la cabeza y el torso, después la cintura y finalmente las piernas, que tuvo que flexionarle como si fuera un muñeco de trapo. Exhausto, se recostó a un lado de su víctima en el interior de la combi. Al recuperar el aliento desnudó al mesero y se puso su ropa, un poco chica para su tamaño, especialmente los pantalones, que le quedaron de brincacharcos. Complicado con su disfraz, recogió de prisa los manteles y las servilletas regados en la calle y tocó el timbre de la casa.

—¿Quién?

—Soy el mesero de la Casa León —mintió, cubriéndose la boca con una servilleta.

—Ya se estaba tagdando, pásele.

Una sirvienta de uniforme lo condujo hasta la cocina, donde lo esperaba la madame, una cincuentona de pelo rubio cenizo, guapa para su edad, que llevaba un vestido de tehuana y el cabello trenzado con lazos de colores, como una Frida Kahlo europea.

—Aquí están las botellas de whisky, aquí las de gon, y aquí las de vino —le dijo en un tono regañón, molesta por su retraso—. Las tengo contadas, así que mucho cuidado, si falta alguna se la voy a decontag de su sueldo. Sigva una chagola de jaiboles y cubas, y llévela conguiendo a la sala, pero apúguele, pog favog, que la gente se muegue de sed. Luego viene pog la bandeja de bocadillos... Pog si me necesita, voy a estag aguiba trabajando en el estudio. Mi nombre es Giselle.

La obedeció al pie de la letra, procurando no servir los tragos demasiado fuertes, para que las botellas rindieran. Desde la cocina se oía el animado parloteo de los invitados:

—Eran más de 100 mil campesinos. Yo vi el mitin desde el restorán del hotel Majestic y el Zócalo estaba de bote en bote. Después de esto el presidente va a tener que doblar las manos.

—Lo dudo. Jiménez del Solar primero se muere antes de ceder. Es capaz de mandarles al ejército para romper el plantón.

—Pues ahora la tiene difícil porque si no les resuelve nada, mañana cogen sus machetes y se van a la guerrilla.

—A lo mejor eso quiere Jiménez, que le den un pretexto para desatar la represión.

—¿Y Valtierra, el coordinador de la marcha? ¿No lo invitaste, Palmira?

—No debe de tardar, quedó muy formal en venir. Tenemos que organizar las jornadas de solidaridad. Quiere hacer un encuentro de intelectuales para darle más difusión al movimiento.

—La mera verdad, yo me temía que hoy hubiera un segundo Tlatelolco. Por eso no me quise bajar al Zócalo. Ya no estoy en edad para bazukazos.

Cuando Evaristo apareció en la sala con la bandeja de tragos, la charla se interrumpió y los invitados se volvieron a verlo con una expresión de alborozo.

—Vaya, hasta que llovió en Sayula —exclamó Javier Loperena, levantándose a tomar un jaibol—. Creí que nos ibas a tener a ley seca, Palmira.

—¿Conociendo lo borrachote que eres? Me arriesgo a que nunca vuelvas a mi casa. ¿Y ustedes no van a querer? —se dirigió a los demás invitados—. Si le dejan la charola a Javier es capaz de bebérsela toda.

Palmira ocupaba un magnífico sillón estilo Regencia en el centro de la sala, debajo de un óleo de Rodolfo Morales, que representaba a dos vendedores de perros en un portal de Oaxaca. La flanqueaban dos jóvenes que no habían alcanzado sillón y se habían sentado en el suelo atentos a sus palabras, como los pajes de una reina. Los tragos volaron de inmediato. Siguiendo al pie de la letra las instrucciones de Giselle, Evaristo volvió de inmediato a la cocina por los bocadillos de angulas, caviar y salmón ahumado. La barba le había crecido en los últimos días y estaba relativamente seguro de su rostro, pero temía que lo delataran sus pantalones, que le llegaban a los tobillos. Por fortuna, Palmira y sus amigos estaban tan metidos en la charla que nadie le prestó atención. El lujo de la sala lo intimidaba y tenía que maniobrar con extrema cautela para no derribar los jarrones en forma de ánfora egipcia, las figuras de porcelana china, los elefantitos de marfil y los ceniceros de cristal cortado. Cuando había terminado de pasar la charola de canapés sonó el timbre de la calle.

—Debe de ser Valtierra. —Palmira se volvió hacia Evaristo—. ¿Sería tan amable de abrirle al señor que está tocando?

Turbado por su penetrante mirada, Evaristo bajó la cabeza en un gesto de sumisión. Se había metido en la cueva del lobo: Palmira lo había visto de un modo extraño y no tardaría en identificarlo, en cuanto le cayera el veinte. Una cosa era que no recordara su nombre y otra que no recordara su cara, después de tanta promoción en los noticieros. ¿O así veía a todo el mundo, con esa intensidad que traspasaba la piel? De camino a la puerta, en el amplio recibidor con piso de barro pulido, se detuvo un instante a contemplar una vitrina adornada con retratos de Palmira en compañía de grandes celebridades: María Félix, Siqueiros, Fidel Castro, Buñuel, Günter Grass, la madre Teresa de Calcuta. Con razón veía de ese modo: el roce con la gente de altura le había enseñado a imponerse a los demás desde la primera mirada. Recuperado del susto, le abrió la puerta a Valtierra, un ranchero corpulento con bigotes de aguacero, chamarra de mezclilla y paliacate anudado al cuello. Palmira y sus invitados lo recibieron con grandes demostraciones de afecto.

—Felicidades, compa —lo abrazó Medina Chaires—. La caravana tuvo un éxito enorme, y el mitin fue de los más emotivos que he visto. Con el discurso de Rosario Ibarra mucha gente lloró. Ya verá el espacio que le dan los periódicos de mañana.

—Gracias, maestro, pero el mérito no es mío, es de todos los compañeros que se vinieron a pie desde Oaxaca y Guerrero.

—¿Cómo estuvo la caminata? —preguntó Palmira—. ¿No hubo provocaciones?

—Una que otra, pero no caímos en ellas. Lo malo fue que mucha gente se nos enfermó y hasta tuvimos que enterrar a un recién nacido. Pero ya cumplimos nuestro objetivo, que era llegar al Zócalo. De ahí no nos vamos a mover hasta que nos den las tierras.

—¿Y no ha pensado en la posibilidad de que el gobierno los reprima? —le preguntó el reportero famélico, que había encendido su grabadora.

—Peor para ellos. Si quieren violencia, se van a dejar venir a la capital cien mil campesinos más. O nos resuelven el problema o nos matan a todos.

—Así se habla. —Palmira le palmeó la espalda—. ¿No quiere algo de tomar, para refrescarse de la asoleada que se dio en la mañana?

—Una cervecita si me hace favor.

A Evaristo le bastó un guiño de Palmira para salir corriendo a la cocina, donde preparó una nueva tanda de tragos, a la que añadió una Corona en tarro para el líder campesino. Se estaba ganando a pulso la entrevista con la Jackson, pero tendría que esperar hasta el final de la reunión para hablar a solas con ella. Al salir con la nueva charola, notó un cambio en la disposición de los invitados: en un rincón de la sala, debajo de una litografía de Velasco que representaba la Flora Marina, Palmira, Javier Loperena y Medina Chaires habían formado un círculo alrededor de Valtierra, mientras el resto de los invitados —gente de poca importancia, dedujo, por algo los excluían— comentaba la situación política nacional en un tono de alarma. El sediento Javier Loperena lo llamó con una seña y tomó dos whiskys de la bandeja, "para no estarte molestando, mano". Valtierra hablaba en voz baja, como si temiera que lo escuchara algún espía de Gobernación:

—Como parte de la estrategia para divulgar nuestra causa, la dirigencia del movimiento me comisionó para invitarlos a participar en un acto de apoyo que pensamos celebrar el próximo jueves en el auditorio Ho Chi Min. Los anuncios de prensa llevarán nuestro lema: "La tierra es de quien la trabaja: todos unidos con el Frente Campesino de la Sierra Madre."

—Buen título. Y aparte de nosotros, ¿a quién más piensan invitar? —preguntó Palmira.

—La idea es reunir a un conjunto de escritores, intelectuales y artistas de reconocido prestigio, comprometidos con las causas populares, que formen un mosaico representativo de la sociedad civil. En total son ocho y tendrán intervenciones de 15 minutos, para no cansar a la gente.

—¿Pero quiénes son? —insistió Palmira.

Evaristo se tuvo que apartar del círculo selecto par atender a los bebedores que lo llamaban desde el otro extremo de la sala. Por curiosidad, le hubiera gustado seguir escuchando a hurtadillas la charla de los famosos, pero las circunstancias lo obligaban a desempeñar con la mayor diligencia su papel de mesero. Atendía a los invitados de segunda división cuando Palmira lanzó un grito de cólera:

—¿Rita Bolaños? ¡Pero de dónde saca usted que esa mamarracha es una intelectual de prestigio!

Los invitados de una y otra sección se volvieron a verla con estupor. Respiraba agitadamente y una contracción de los músculos faciales le había desfigurado el rostro.

—No se enoje, doña Palmira, yo no hice la lista —se disculpó Valtierra—. La dirigencia consideró que la compañera Bolaños tenía merecimientos para ser invitada.

—Pues la dirigencia tiene que decidir si la invita a ella o a mí, porque yo no me junto con esa víbora ratonera. ¿Verdad que ustedes me apoyan?

Medina Chaires y Javier Loperena asintieron. Valtierra tragó saliva, nervioso.

—Bueno, todavía podemos reconsiderar, pero la compañera Bolaños ha sido muy solidaria con el movimiento. Se vino con la caravana desde Iguala, entrevistó a muchos ejidatarios, le tocó el entierro del niño y luego nos publicó un reportaje a dos planas en la revista *Siempre*.

—¿Y usted cree que lo hizo por buena gente? No sea ingenuo, señor Valtierra. Ella siempre tiene que imitarme en todo. Así es desde que empezó su carrera. Si yo escribía una crónica sobre la tragedia de San Juanico, ella sacaba otra igual a la semana siguiente. Si le hacía entrevistas a las costureras en huelga, ella iba detrás de mí a preguntarles lo mismo, con su carita de hipócrita y sus lágrimas de cocodrilo. Hasta el estilo me copiaba. Ahora se enteró de que estoy preparando un libro sobre ustedes y lógicamente me quiere dar madruguete.

—Con todo respeto, no creo que la señora Bolaños sea tan mala persona —insistió Valtierra.

—Porque no la conoce. —Palmira levantó más la voz—. Mire, llevo años en esto y sé distinguir entre las personas auténticas, los escritores verdaderamente comprometidos y los oportunistas que sólo buscan notoriedad. Rita los ha utilizado para crearse un prestigio que no tiene.

Así ha hecho su nombrecito, lucrando con el sufrimiento de los demás. ¿Por qué cree que se regodeó tanto en la muerte del niño? ¡Amarillismo vil! Pero está loca si cree que le voy a permitir sentarse conmigo en una mesa de intelectuales. Primero muerta. Nomás falta que una de huaraches me quiera zapatear.

Evaristo se olvidó por unos momentos de servir a los invitados, mirándola boquiabierto. ¡Palmira Jackson, la santa patrona de la izquierda mexicana, la abanderada de todas las causas nobles, convertida en un velocirráptor que sacaba espuma por la boca!

—¿Entonces le ponemos tache? —se rindió Valtierra.

—Con doble cruz —le ordenó Palmira—. ¿Quiénes más están en su lista?

Giselle bajó las escaleras alarmada por los gritos de Palmira y, al verlo en actitud expectante con la charola recargada en una cómoda vienesa del siglo XVIII, lo reprendió por su pasividad y le ordenó que fuera a la cocina por un mantel para colocarlo en la mesa del comedor, donde servirían el bufete mexicano. Evaristo la obedeció como pudo en medio de su desconcierto. ¿De modo que Palmira también era un monstruo de vanidad, una mamona obsesionada con las jerarquías? ¿En qué se diferenciaba entonces de Perla Tinoco o de Claudio Vilchis? ¿Cómo creer en su calidad humana si tenía esos desplantes de vedette infatuada? ¿De verdad quería a los pobres, a los damnificados y a las víctimas de la represión política, o los había utilizado como trampolín hacia el estrellato? La mesa del comedor no estaba lejos del rincón donde la Jackson sostenía su conciliábulo, y al colocar el mantel se demoró más de la cuenta para seguirla oyendo.

—Otro de los escritores que pensábamos invitar es el novelista Joaquín Peniche —comentó Valtierra.

—¿Alguien sabe quién es? —preguntó Palmira, torciendo la boca en señal de disgusto.

—Un recién llegado a la cultura —dictaminó Javier Loperena—. Ha publicado dos o tres baratijas y tiene fama de impugnador porque insulta a todo el mundo en su columnita de *El Financiero*.

—Necesitamos gente con trayectoria, no advenedizos. Táchemelo también. —Valtierra la obedeció al instante, convertido en un secretario sin voz ni voto—. ¿Quién sigue?

—Pedro Dilisola, el historiador.

Palmira chasqueó la lengua, negando con la cabeza.

—¿No se les hace muy poquita cosa? —preguntó a sus dos amigos escritores.

—Francamente sí —la apoyó de nuevo Javier Loperena—. Ni siquiera está traducido al francés.

Adelantándose a la orden de Palmira, Valtierra le puso cruz. A la distancia, Evaristo echó un vistazo a su lista de invitados, que parecía un cementerio.

—Con éste ya hemos eliminado a cuatro escritores —les informó—. Sólo falta el último de la lista: el novelista policiaco Patricio Menchaca.

—Bueno, lo que sea de cada quien, Menchaca sí está traducido a varios idiomas, aunque a mí en lo personal me parezca una mierda —lo defendió Medina Chaires.

—A mí también, y además le apesta la boca —se quejó Palmira—. Ya lo tuve a mi lado en el homenaje a Valentín Campa y no lo vuelvo a soportar por nada del mundo.

—Si dejamos fuera a Menchaca, sólo quedarían ustedes tres —les advirtió Valtierra.

—¿Y qué? Así podemos hablar más tiempo. Después de todo, la gente va a ir por nosotros, ¿no? —Palmira sonrió con malicia—. ¿Para qué necesitamos a toda la runfla de segundones?

Al verlo alisar el mantel por décima vez, Giselle lo amenazó con pedir otro mesero a la Casa León si seguía haciéndose el distraído para no trabajar. Estaba contratado por tiempo y tenía que desquitar su paga minuto a minuto. Qué esperaba para ir a la cocina por las ollas de comida. Se iban a enfriar si no las llevaba pronto a la mesa. En la cocina, por culpa de los nervios, estuvo a punto de tirar al suelo una espléndida ensaladera de Tonalá, que seguramente Giselle le hubiera cobrado. Hizo cuatro viajes de la cocina al comedor, llevando ollas de mole verde, rajas con queso y crepas de huitlacoche. Tenía calor, la corbata de moño le obstruía la circulación a la altura de la yugular y la camisa le apretaba las costillas. Pero más allá del malestar físico, le dolió la certidumbre de que no lograría conmover a Palmira. Su negocio era la virtud pregonada con magnavoces, los desplegados rebosantes de amor al prójimo. La defensa de un sospechoso de asesinato, ex judicial para colmo, no le daría ningún lustre ante el público que esperaba de ella una rectitud inflexible. De modo que se estaba arriesgando en vano, porque si alguno de los presentes descubría su identidad lo acusaría de haber invadido el hogar de Palmira con la intención de matarla.

En uno de sus múltiples viajes de la cocina al comedor tropezó con Javier Loperena, que ya estaba a medios chiles. Al abrazarse para no caer quedaron un momento cara a cara, y por la expresión de asombro del novelista, Evaristo se creyó descubierto.

—Disculpe, joven, me fallaron los reflejos —sonrió Loperena, y se fue tambaleando hacia el baño de las visitas.

Evaristo recuperó el aplomo, pero en ese momento Palmira lo llamó con una seña y temió que ahora sí le caería el chahuistle.

—Un agua mineral, por favor, y para los señores lo mismo que están tomando...

—Me alegro de que todo haya quedado a su entera satisfacción —puntualizó Valtierra—. Voy a avisar a los compañeros del comité que sólo participarán en el acto el señor Loperena y ustedes dos. Todavía estamos a tiempo de cambiar los desplegados de prensa.

—Espere, no vaya tan rápido. —Palmira lo devolvió a su asiento y bajó la voz en un tono confidencial—. Mire, yo quiero mucho a Javier, somos amigos de toda la vida, pero últimamente anda muy mal. ¿Verdad, Wenceslao? —Medina Chaires asintió con una expresión adusta—. Como todos le dicen que es el Faulkner mexicano, el pobre se lo terminó creyendo y ahora se bebe una botella de whisky diaria. Su alcoholismo ya es incontrolable y no me extrañaría que llegara borracho al auditorio.

—Pues el día de su homenaje yo lo vi muy lúcido —se atrevió a comentar Valtierra.

—¿Lúcido? Pero si era una cosa de dar lástima. El pobre farfullaba como un borrachito de carpa.

Evaristo se tuvo que ir a la cocina por las bebidas, con fiebre y principios de náusea. Cuando volvió, la Jackson ya había crucificado al Faulkner mexicano.

—Pues ni hablar. —Valtierra se enjugó el sudor con el paliacate—. Si usted lo pide, tendremos que desinvitar al señor Loperena.

—Pero no le diga que fue a petición mía —lo aleccionó Palmira—. Llámelo por teléfono a media semana y dígale que el comité decidió reducir el número de invitados. Él comprenderá que un movimiento como el suyo, atacado por el gobierno desde todos los flancos, no puede comprometer su buena imagen por culpa de un borrachín. A lo mejor hasta le hacemos un bien y el desaire le sirve de escarmiento para dejar la bebida.

Palmira enmudeció súbitamente al ver acercarse a Javier Loperena.

—Estaba contándoles cuánto me gustó tu última novela. La agarré una noche y no la pude dejar hasta que amaneció.

—Gracias, Palmira chula. —Javier la besó en la mejilla—. Eres tan generosa conmigo, que hasta ganas me dan de haber sido tu esposo. ¿Me traes otro jaibolito, mano?

Cuando iba hacia la cocina para servir el trago, bajó corriendo por la escalera el hijo de Palmira, con raqueta y equipo de tenis. Era un adolescente delgado y de piernas largas, con barros en la frente y nariz colorada de gnomo. Pasó como una saeta sin dar las buenas tardes y se siguió hasta la puerta.

—¿Adónde vas, Guillermo? Ven acá y saluda como una persona decente.

En la cocina, Evaristo se detuvo un momento a reflexionar. La Jackson lo había defraudado. Entre los literatos de cenáculo, los torneos de vanidades podían disculparse hasta cierto punto, pero ella no era una simple escritora: era la disidencia canonizada. En una campeona del bien, el protagonismo y el afán de supremacía resultaban doblemente grotescos, por el engaño que traían implícito. Al respaldar la lucha social con fines de pavoneo altruista, Palmira se traicionaba a sí misma, pero también a la literatura. ¿Lo sabría o estaba tan convencida de su bondad que no podía verle ningún ángulo negativo? Recordó la opinión de Baudelaire sobre George Sand: "Es una gran idiota, pero está poseída. El diablo la ha persuadido de que se fíe en su buen corazón." Cuando salió de la cocina con el jaibol de Javier Loperena, el hijo de Palmira charlaba con el reportero de la triste figura, que había vuelto a encender su grabadora.

—Supe que vas a distribuir en Estados Unidos el video del Ejército Zapatista.

—Sí, mi jefa me conectó con los productores. —Guillermo encendió un cigarro y cruzó una mirada con su madre, que lo vigilaba de cerca—. Mañana salgo a Los Ángeles para ver al distribuidor que lo va a promover en televisión.

—Ojalá tenga éxito. Hace falta difundir la lucha zapatista en el extranjero. ¿Tú crees que se venda mucho?

—Eso espero, porque llevo un porcentaje de utilidades y con lo que gane me pienso comprar un Ferrari.

Palmira se apresuró a intervenir:

—No le haga caso. Ese dinero es para un albergue en la selva Lacandona. Guillermo tiene la manía de hacerse el chistoso delante de mis amigos.

—Diles la verdad, mami. —Guillermo sonrió con picardía—. No tiene nada de malo que estemos haciendo un bisnes.

—Cállate, imbécil. Ya saludaste, ¿no? ¿Qué esperas para largarte al club?

Evaristo le llevó el jaibol a Javier Loperena con el pulso trémulo. Tenía la presión baja, necesitaba aflojarse la corbata y descansar un momento. Desafiando a Giselle, se metió al baño de visitas, decorado exquisitamente con azulejos de talavera y figurillas de artesanía hindú. Un remojón de cabeza en el lavabo mitigó su náusea, pero no su rabia. Qué estúpido había sido por creer a ciegas en la nobleza y en la sinceridad de Palmira. En el fondo era idéntica a las damas encopetadas del jockey club que hacían obras de caridad con 20 fotógrafos encima, para salir al día siguiente en la sección de sociales. Había engañado a todos, menos a su hijo, que la conocía demasiado bien y lógicamente la detestaba. Dentro de su cinismo, Guillermo era más congruente: ¿qué tenía de malo explotar la desgracia ajena si su madre lo había hecho toda la vida, convirtiendo el apapacho redentor a los pobres en un recurso promocional?

—¡Salga ya! La gente está empezando a comeg y usted tiene que segvig el vino. Pog este enciego le voy a descontag 20 pesos.

Los golpes de Giselle cimbraron la puerta del baño y lo devolvieron abruptamente a la realidad. Llenó las copas de todos los invitados en una fatigosa ronda por la sala y el comedor, con la botella de vino en una incómoda cesta de mimbre. A la mitad de los postres, el timbre de la calle volvió a sonar. Giselle le ordenó abrir la puerta, pero le advirtió que no dejara entrar a ningún otro periodista. Al pasar junto a Palmira, que se había quedado a solas con Valtierra, pescó un retazo más de su charla:

—...y, por favor, tenga mucho cuidado con el anuncio de prensa. Wenceslao es mi mejor amigo, pero yo siempre voy en primer lugar.

Conmovido por su elevado concepto de amistad, Evaristo decidió echarle un gargajo en el café de olla, si podía burlar por un momento el marcaje personal de Giselle. La idea lo puso de buen humor y hasta silbó una alegre tonada en celebración anticipada de su venganza, pero al abrir la puerta se quedó estupefacto: era el mesero de la Casa León, descalzo y furioso, con un mantel improvisado como túnica. Obrando por instinto le conectó un recto a la quijada y volvió a cerrar de un portazo. Tenía que hacer algo antes de que volviera a tocar y Palmira se diera cuenta de que lo había suplantado. Atravesó la sala a grandes zancadas, ignorando a la celadora francesa, que lo fulminó desde el comedor con una mirada reprobatoria. En la cocina se quitó la chaqueta y la corbata de moño y salió disparado por la puerta que daba al jardín trasero, donde había una reproducción del Chac Mool y una fuente colonial. Sin mirar atrás, corrió hacia una barda con alambre de púas custodiada por un pastor alemán que se le echó encima, tomándolo por un compañero de juegos, ¿Adónde va? Le ogdené que abriega la puegta, gritó Giselle desde la cocina. Estimulado por el peligro, se sacudió al perro de un empujón y escaló la pared de yedra con rapidez, sujetándose en un clavo oxidado que le desgarró la piel, hasta caer de narices en un terreno baldío. Del otro lado de la barda, Giselle pidió auxilio a los invitados: "El mesego se va, deténganlo, es un ladgón." Entre llantas viejas y varillas herrumbrosas se arrastró hacia la malla de alambre, a la que no le fue necesario treparse, pues tenía un agujero de proporciones humanas por donde pudo salir a gatas.

El mesero de la Casa León ya debía de estar contándole a todo el mundo cómo lo había suplantado, y los amigos de Palmira no tardarían en venir tras él con palos y piedras. El esfuerzo de saltar la barda lo había dejado sin aire, pero sacó una reserva del fondo de los pulmones para correr hacia Palmas y dar la vuelta a la manzana. En la esquina de la caseta telefónica se detuvo a tomar aire y echar un vistazo. El mesero ya había entrado a casa de Palmira, pero se oían voces al otro lado de la manzana, en la calle del terreno baldío. Estaba en un callejón sin salida: sus sabuesos andaban cerca y no tenía para dónde huir ni energías para seguir corriendo. Estaba resignado a caer en sus garras cuando recordó que traía las llaves de la combi en la bolsa del pantalón. Con un redoble de tambores en el pecho abrió la portezuela y encendió el motor, buscando a tientas la palanca de velocidades. Al arrancar vio por el espejo retrovisor al mesero semidesnudo, que encabezaba al contingente de perseguidores, gritándole mentadas para desahogar su impotencia. Aceleró a fondo y le devolvió con el claxon el recordatorio materno: hasta la vista, baby.

A todo lo que daba la vieja camioneta —menos de 90 por hora en terreno plano— tomó una calle arbolada que lo condujo a la segunda sección de Chapultepec. Siguió una serie de flechas hasta salir al Periférico, donde el tráfico estaba detenido y los vendedores de paletas heladas ofrecían su mercancía en los carriles de alta velocidad. Atrapado en el embotellamiento, se miró la herida de la mano izquierda, hinchada y sangrante. El clavo lo había dejado como un eccehomo y en media hora empezaría a gritar de dolor. Pinche Palmira. Sólo faltaba que ahora se quedara manco por haberse metido a su casa. Pero el estado de sus manos era secundario. Lo que de verdad le pesaba y dolía en el alma era que de ahí en adelante no tendría en quién creer. Había perdido la fe en los demás y se conocía demasiado para confiar en sí mismo. Otros convertían su rabia contra el mundo en fortaleza interior. Él era débil y tendía a la autocompasión. Quien se asomara a su alma sólo encontraría un pantano de culpas y el enorme hueco dejado por Dora Elsa. En esas condiciones no podía enfrentarse con la realidad. Condenado a la inacción, a la angustia sin esperanzas, debía conformarse con ser el espectador de su pesadilla y esperar que acabara pronto.

EN SU LÚGUBRE Y DESINFECTADA habitación del hotel Oslo, con las cortinas corridas por miedo a que alguien lo viera desde los edificios vecinos, Evaristo incurrió en una vieja debilidad que ya formaba parte de su carácter: pasar de la depresión a la borrachera. Entre jaibol y jaibol, después de vendarse torpemente la mano herida, agigantó los incidentes de la tarde hasta ver en Palmira un símbolo de la humanidad que lo había traicionado. El mundo entero estaba hundido en la corrupción, incluyendo a la gente que decía luchar contra ella. El hombre se inventaba máscaras para ocultar su vileza, y la más peligrosa de todas era la máscara del justo, porque proporcionaba a los idiotas un reflejo idealizado de su propio carácter. Él mismo había caído en ese garlito, pensando que alguna alma noble lo ayudaría a demostrar su inocencia. Pobre imbécil: ¿Cuáles almas nobles, dónde estaban? Sintió un coágulo en la garganta, un coágulo de impotencia formado por las verdades que sólo él conocía y nadie quería escuchar. Condenado al silencio, se moriría junto con su verdad, acribillado por la policía o podrido en la cárcel, con una etiqueta infamante de criminal a sueldo.

Pero antes de acudir a su cita con la chingada, como última voluntad, necesitaba desahogarse con alguien, de preferencia con la propia Palmira, o si ella no le contestaba el teléfono, con su gata francesa o con Guillermito. La insultaría con rapidez y eficacia, empleando un sucinto lenguaje de telegrama para herirla al máximo con el menor número de palabras. Buscó su número en la libreta de Osiris Cantú, y al pasar las hojas precipitadamente descubrió un nombre que le sonó conocido: Ignacio Carmona, teléfono 654 21 22. ¿Quién era y por qué le llamaba la atención que Osiris lo tuviera anotado en su libreta? Se recostó en la cama, intrigado y molesto por sus lagunas mentales. Bebió un largo sorbo de su jaibol, esperando que el alcohol le refrescara la memoria. Su intuición le decía que se trataba de un dato importante, pero no podía recordar por qué. Para salir de dudas marcó el número de Carmona.

—*El Universal*, ¿con quién desea hablar?

¡Con razón le sonaba el nombrecito! Carmona le había hecho un gran favor al asesino de Lima al difundir la versión de que el gobierno lo había matado por sus ataques al presidente. Su amistad con Osiris Cantú explicaba por qué le había dado tanto crédito a una misteriosa llamada anónima, presentando un rumor sin fundamento como una filtración proveniente de "personas bien informadas". Quizá le debiera un favor a Osiris o estuviera endrogado con él en ambos sentidos de la palabra, y había tenido que solaparlo bajo extorsión, sin sospechar que su borrego se convertiría en una verdad oficial. Por eso estaba tan nervioso en el velorio de Lima cuando lo había regañado por confiar en la fuente anónima, y por eso había tartamudeado como un idiota cuando le telefoneó desde casa de Osiris para que identificara la voz de su cómplice. Volvió a llamar al periódico y esta vez pidió con la redacción.

—Disculpe señorita, ¿me podría comunicar con el señor Ignacio Carmona?

—Ya se fue. Los sábados nomás viene a entregar su nota.

—¿Y no sabe en dónde lo puedo localizar? Tengo que darle una noticia muy importante.

—Si quiere le doy el teléfono de su casa, pero llega hasta muy noche. Es más fácil que lo encuentre en La Vencedora, una cantina que está en Izazaga, a la altura de Salto del Agua. Allá le paso yo sus recados.

—¿Sería tan amable de darme el número?

Anotó el teléfono de la cantina en una cajetilla de cigarros, pero se detuvo antes de marcar. Quería tomarlo por sorpresa, no prevenirlo. Vació su jaibol en el lavabo, descolgó su chamarra de pana, se peinó de prisa en el espejo del tocador y salió de la habitación con el firme propósito de hacerlo hablar, por la buena o por la mala. La emoción le había cortado la borrachera y el aire fresco del anochecer le hizo el efecto de un café bien cargado. Después de llegar a un callejón sin salida, había retomado el camino correcto: el que lo llevaría en línea recta a resolver el asesinato de Lima.

En el Eje Central tomó un taxi ecológico que en menos de 10 minutos lo dejó en Izazaga. La Vencedora tenía una llamativa marquesina de letras anaranjadas que se veía a 50 metros de distancia. Era una cantina a la vieja usanza, con el piso cubierto de aserrín, percheros de latón, escupideras, y una barra antigua de madera con bancos altos, en la que no entraban mujeres ni uniformados. Lo único nuevo era la rocola del fondo, un armatoste de colores chillones, adornado con pósters de cantantes, en el que sonaba una cumbia lastimera del grupo Bronco. Entre semana los oficinistas del rumbo quizá llenaran el lugar, pero era sábado, mal día para las cantinas, y sólo había unas cuantas mesas ocupadas por jugadores de dominó. Entre ellos no vio a Carmona, lo que le produjo una desazón profunda. Se sentó en la barra, atendida por un cantinero musculoso de abundante pelambre en el pecho, al que pidió un Old Parr con soda y una cajetilla de Marlboro.

—¿No ha venido el señor Ignacio Carmona? Me dijeron que podía encontrarlo aquí.

—Allá está, en la mesa del fondo. —El cantinero le señaló una caballeriza de respaldo alto.

Reanimado, Evaristo caminó en esa dirección con su jaibol en la mano. Carmona bebía solo, hojeando una revista que le tapaba la mitad del rostro. A pesar de que la noche era cálida, llevaba por debajo del saco un suéter marrón de lana gruesa. Su barba rala y decolorada por la nicotina le daba un aire enfermizo. Bajo la luz de neón, que acentuaba la hinchazón de su rostro, parecía un bohemio de caricatura, mitad intelectual y mitad batracio.

—¿Qué tal, Nachito? ¿Me puedo sentar un momento contigo?

Al reconocerlo, Carmona se sobresaltó, dejando caer la revista. Evaristo la recogió del suelo.

—¿*Der Spiegel*? Ah, caray. Te creía más bruto. ¿No me digas que sabes alemán?

—¿Qué es lo que quiere?

—Hablar contigo. —Evaristo se sentó frente a él—. Necesito saber por qué encubriste al asesino de Roberto Lima.

—Yo no encubrí a ningún asesino, ya se lo dije. Sólo publiqué una información confidencial.

—Mira, Nachito, no vine a jugar. Asómate por debajo de la mesa.

Carmona palideció al ver la 38 apuntándole al estómago. No tenía balas, pero Evaristo se mantuvo en su *bluff*.

—La policía me está cargando dos muertos y no me importa añadirle uno más a mi lista. ¿Vas a colaborar o no? —Evaristo cortó cartucho.

—¿Qué es lo que quiere saber?

—Así está mejor. Ahora sí nos vamos entendiendo. —Evaristo encendió un cigarro y le dio un sorbo a su trago, dejando el revólver bajo la mesa—. Explícame por qué publicaste esa nota. ¿Le debías un favor al asesino o tenías algo contra Lima?

—Bueno, la verdad es que Lima se portó muy cabrón conmigo. Él me odiaba porque le publiqué una crítica negativa cuando sacó su libro de cuentos.

—¿Hace cuánto de esto?

—Como 15 años, a principios de los ochenta.

—¿Y cómo se cobró la crítica?

—Para explicárselo tendría que ponerlo en antecedentes sobre mi vida. Es una historia muy larga y no creo que le interese.

—Todo lo que tenga que ver con Lima me importa. —Evaristo echó la ceniza en la mano de Carmona—. Quiero la historia completa.

—Está bien, pero guárdese la pistola, que me pone nervioso. —Evaristo accedió y Carmona se relajó—. Yo soy de Tlaxcala y a finales de los setenta me fui a Alemania becado por el gobierno de mi estado. La beca me la dio mi tío Genaro, que en paz descanse, cuando era secretario de Cultura, en el sexenio del gobernador Servio Tulio Hernández. Se supone que iba a estudiar filosofía en la Universidad de Gotinga, pero la verdad es que nunca pude con el idioma. Lo leo con cierta facilidad pero no entiendo ni madres cuando me hablan rápido. En las clases me quedaba atarantado oyendo a los profesores, y nunca me atrevía a preguntarles nada por miedo al ridículo. A la mitad del primer semestre de plano abandoné la carrera. Me quedaba todo el día tomando cervezas en las tabernas del barrio turco, entre putas y traficantes de hash, sin tocar siquiera mis libros de Kant y Schelling, o me sentaba en los parques a echar la hueva, oyendo rock en mi walkman...

—¿Pero eso qué tiene que ver con Lima? —se impacientó Evaristo.

—Allá voy, espéreme. Quiere la historia completa, ¿no?

—Sí, pero rapidito. —Evaristo le tronó los dedos.

—Cuando me expulsaron de la universidad no le dije nada a mi tío y seguí cobrando la beca durante un año. No era mucho dinero, pero me alcanzó para comprar un abono de tren y viajar por toda Europa con mi maleta al hombro. Estuve en Florencia, en París, en Viena, vi todos los museos y todas las catedrales. Me compraba una hogaza de pan, 100 gramos de jamón o de queso y una botella de vino, y con eso tenía para todo el día. Hasta para mis churros de hash me alcanzaba. En Ámsterdam me junté con una flota de argentinos superpachecos que conocí en un albergue de estudiantes. Fui con ellos a un concierto de Queen y luego por mi lado a Londres, con una boliviana que se me pegó, muy chula por cierto, y luego me dejó por un nigeriano...

—No vine a que me platiques tus ligues. ¿Puedes ir al grano, por favor?

—Mientras me paseaba como príncipe por toda Europa, le escribía a mi tío cada mes diciéndole que estaba sacando magníficas notas. Hasta le inventé que el rector de la universidad me había felicitado. El segundo año me fui a España y de ahí pasé a Tánger, donde el hash estaba súper barato. Luego me fui a Copenhague, donde estuve viviendo en una comuna. En Tlaxcala pensaban que ya tenía el título de maestría y le pedí a mi tío que me prolongara la

ayuda para hacer un doctorado, pero de repente lo corrieron del gobierno y me tuve que regresar en chinga a México, porque de un día para otro me cortaron la beca. Cabrones, ¿qué tal si de verdad hubiera estado estudiando? Al
volver, lo primero que me pidieron en la Secretaría de Cultura del estado fue mi título de maestría. Les saqué el con-
trato de alquiler del cuarto que había rentado en Gotinga,
con cifras que parecían calificaciones y un escudo bien
apantallador. "Aquí está —les dije— aprobado con mención honorífica." Tuve suerte: en la Secretaría de Cultura
nadie sabía alemán y me ofrecieron un puesto en la universidad de Tlaxcala, la Coordinación del Departamento de
Humanidades, con un sueldazo y coche del año. Eso fue lo
que Lima nunca me perdonó. Él estaba jodido con sus
chambitas de corrector y le dio coraje que yo ganara 10 veces más, con año sabático y toda la cosa.

—¿Pero ustedes de dónde se conocían? ¿También Lima era de Tlaxcala?

—No, él era chilango. Lo conocí aquí en la capital antes de mi viaje a Alemania cuando tomé el taller literario de
Silverio Lanza.

—Sí, ya me han hablado de él. Un escritor ecuatoriano muy ocurrente, ¿no?

—Exacto. Él nos enseñó el abecé de la literatura,
desde dónde poner los puntos y las comas hasta cómo escribir un monólogo interior. Entonces todos nos creíamos
unos chingones y nadie se tentaba el corazón para destro-
zar los textos de los demás. Lima era el más cruel de todos
porque él ya publicaba en suplementos y se creía Juan Ca-
maney. Conmigo se ensañaba, me veía como un provinciano pendejo que sólo hacía perder el tiempo a los demás. No podía leer ni media cuartilla porque ya me estaba
señalando errores.

—Por eso te desquitaste luego cuando publicó su libro de cuentos.

—Fue una tontería, lo reconozco, un desahogo visceral y estúpido. Con mi puesto en la universidad y mi prestigio académico, yo no tenía por qué rebajarme a decirle sus netas, pero es que de verdad le traía muchas ganas. La nota salió en *La Semana de Bellas Artes*, un suplemento muy leído que el INBA encartaba en todos los periódicos de México y a Lima seguramente le produjo chorrillo, porque la escribí con muy mala leche. Le dije que era un pésimo imitador de Revueltas, rollero, mamón y con sintaxis de secretaria. Una nota muy hiriente, más todavía para un tipo tan creído como él, que ya era famosón en el medio. Su venganza tardó más de un año, pero fue de lo más cabrona.

—¿Él también se cagó en un libro tuyo?

—Ojalá se hubiera conformado con eso. —Carmona se mesó el bigote, la mirada ensombrecida por un amargo recuerdo—. No sé cómo se enteró de que yo había engañado a la gente de Tlaxcala con mi falso título de maestría. El caso es que publicó una carta en el *unomásuno* donde me denunciaba como un impostor, ponía en duda mi dominio del alemán y sugería que se escribiera a Berlín para verificar mi supuesto grado académico. Para entonces yo había escalado varios puestos en la Universidad de Tlaxcala, ya era director de Extensión Universitaria y figuraba en la terna para sustituir al rector. Intenté descalificar a Lima tachándolo de resentido en los periódicos locales, pero los demás candidatos a la rectoría mandaron llamar a un traductor alemán al que le enseñaron mis documentos. Pasé la peor vergüenza de mi vida cuando el secretario de Cultura en persona llegó con dos policías a sacarme de mi despacho, adornado con bustos de Kant y Schelling que al día siguiente rompí a martillazos. Hay heridas que nunca cicatrizan. Después de ese golpe no he podido levantar cabeza.

—Ya entiendo. —Evaristo aplastó una colilla en el cenicero—. Con el asesinato de Lima te sentiste vengado.

—Mentiría si te dijera que me dolió su muerte. Por culpa de ese cabrón me las he visto negras. Para no morirme de hambre he tenido que sudar la gota gorda en los bajos fondos del periodismo, primero como reportero de culturales y ahora como mil usos, haciendo guardia nocturna en las redacciones o escribiendo editoriales sin firma. Nadie me respeta en el medio. Gano una miseria porque los jefes de sección siempre se quedan con el chayote, y como a veces ando pedo y no entrego a tiempo me corren de todas partes sin derecho a liquidación —Carmona hizo una pausa para enjugarse las lágrimas—. Roberto Lima me jodió la vida ¿No crees que tenía razones para odiarlo?

—Las mismas que tienes para odiarte a ti mismo —Evaristo lo miró a los ojos con repugnancia—. Veo que te gusta el papel de víctima, pero no me vas a conmover con tus lloriqueos. Lima está muerto y tú eres cómplice de un asesino. Ésa es la historia que te falta contar. ¿Cómo te pusiste de acuerdo con Osiris Cantú?

—¿Osiris Cantú? —Carmona frunció el entrecejo—. Él no es mi amigo. Apenas si lo conozco.

—Quedamos en que me ibas a decir la verdad. —Evaristo se levantó de la silla y lo tomó por el cuello, acercándole la 38 a la sien—. Cuando te pedí que identificaras su voz por el celular no sabía que Osiris y tú eran cómplices. Pero tengo pruebas de que ustedes se conocían desde antes. Tu teléfono está en su agenda.

—¿Y eso qué? Me pidió que lo entrevistara hace unos meses, cuando le dieron la medalla Belisario Domínguez. Por eso tenía mi teléfono.

—¿Le debías mucho dinero? —Volcado sobre la mesa, Evaristo le apretó más el cuello—. Confiésalo: el narcopoeta te tenía agarrado de los huevos.

—Osiris no mató a Lima —susurró Carmona con un hilo de voz.

—¿Entonces quién lo mató? ¡Habla o mueres!

—Te lo voy a decir, pero suéltame. Me estás ahogando.

Evaristo aflojó la presión y el rostro amoratado de Carmona recobró su color natural, amarillo tirando a verde. Se tomó un trago de agua mineral, lanzó una exhalación y miró fijamente a Evaristo, que esperaba su respuesta con ansiedad, cuando una ráfaga de ametralladora barrió con las bebidas de la mesa. Evaristo se tiró al suelo, abrazado a Carmona. Hubo una segunda ráfaga, más nutrida, que apagó las luces de neón, silenció la rocola y quebró un espejo de pared. Parecía una Cuerno de Chivo. Sin duda Maytorena había dado con él y de un momento a otro le echaría una linterna en la cara. Pero los minutos pasaron y nadie entró a la cantina para darles el tiro de gracia. Cuando los jugadores de dominó empezaron a dar señales de vida, Evaristo se puso de pie y tendió una mano a Carmona. Pero Carmona seguía ovillado bajo la mesa. Al advertir que no reaccionaba, lo iluminó con su encendedor: tenía los ojos apagados, la tez blanquecina y un discreto agujero en el cráneo por el que manaban hilos de sangre.

Ofuscado, Evaristo dio un puñetazo sobre la mesa. ¡Había estado tan cerca! Sin medir el peligro, corrió hacia la ventana por donde habían entrado los disparos, que daba a una callecita oscura y estrecha: ni un alma, ni un coche, sólo un muro leproso y un perro orinando a la luz de la luna. Al parecer, el agresor o los agresores habían huido en auto después de vaciarles el cargador, torpeza que Maytorena jamás habría cometido si hubiera querido matarlo.

No, el autor del atentado sólo podía ser el asesino que Carmona había estado a punto de delatar, el fumador de puro agazapado en el edificio de Lima, la sombra fugitiva que siempre se esfumaba después de atacar a mansalva. Sus golpes eran el mejor termómetro para indicarle si andaba cerca o lejos de la verdad. Lo había dejado en paz mientras intentaba acercarse a Palmira Jackson, porque le convenía que renunciara a esclarecer la muerte de Lima. Pero ahora, cuando Carmona estaba dispuesto a cantar, se interponía de nuevo en su camino, llevándose por delante al único testigo que podía incriminarlo.

Huyó de La Vencedora antes de que llegaran las patrullas y corrió por la banqueta de Izazaga en dirección al Eje Central, confundido entre los peatones que entraban y salían del metro. Frente al aparador de los almacenes Viana descubrió con horror que tenía la chamarra manchada de sangre. Se la quitó y la arrojó a unos arbustos, pero al hacerlo advirtió que la mancha le llegaba hasta los pantalones. Aunque la gente pasaba a su lado sin mirarlo, se sentía observado y amenazado. Necesitaba cambiarse de ropa, pero no podía regresar al hotel Oslo, porque su perseguidor ya sabía dónde se hospedaba. Seguramente lo había seguido desde el hotel hasta la cantina y sin duda trataría de rematarlo cuando supiera que sólo había eliminado a Carmona. Llevado por la inercia de la multitud, se metió a la estación Salto del Agua y tomó el metro sin reparar en qué dirección iba. Lo principal era alejarse de ahí. Después podría dormir en cualquier hotelucho y hacer planes con calma. ¿Le cargarían también la muerte de Carmona? El cantinero de La Vencedora lo identificaría enseguida cuando viera su foto. Y aunque dijera que los disparos habían venido de la calle, la PGR modificaría su declaración para hacerlo aparecer como autor del crimen. Paradojas de la justicia a la mexicana:

se estaba convirtiendo en un asesino múltiple, pero nadie le imputaba la muerte del único hombre que realmente había matado, quizá porque a los ojos de la ley el Chamula era una víctima de segunda.

A la altura de Pino Suárez cayó en la cuenta de un error trágico: para dormir en un cuarto de hotel necesitaba dinero y sus tarjetas de crédito estaban en la chamarra que había tirado en Salto del Agua. O volvía por ella, con riesgo de ser detenido, o dormía como teporocho en la banca de un parque. Ninguna de las dos alternativas le agradaba. En busca de un billete olvidado se palpó los bolsillos del pantalón y de la camisa. No encontró dinero, pero sí un papel con la dirección de Rubén Estrella (Manuel María Contreras 49, interior 6, colonia San Rafael) que le recordó su generosa oferta de asilo; era el momento de tomarle la palabra, aunque fuera sólo por una noche. Se bajó en la Merced para cambiar de andén y tomó el metro que iba en sentido contrario. Abriéndose paso a empujones entre la multitud agolpada en las catacumbas de Pino Suárez, transbordó a la línea 2, en dirección a Cuatro Caminos. Por fortuna, la gente iba demasiado metida en sus pensamientos y nadie reparó en las gotas de sangre que teñían su bragueta. Si me preguntan algo puedo decir que estoy en mi mes, pensó, sorprendido de que aún le quedaran reservas de humor. Y viéndolo bien, ¿por qué no iba a reírse de su infortunio, si eso le ayudaba a sobrellevarlo? Cuanto más acorralado se sentía, con mayor claridad vislumbraba que su situación iba tomando ribetes de farsa. Era imposible tomar en serio a un piojo como Carmona, ni siquiera después de muerto. ¿Y qué decir del narcopoeta o de la inefable Palmira Jackson? Enfrentado con los ejemplares más grotescos de la fauna intelectual, protagonista de una pesadilla regida por la lógica del absurdo, su campo de acción se reducía dramáticamente, sin dejarle más alternativa que una carcajada agónica.

Al bajar en la estación del metro a un lado del viejo edificio de Mascarones, caminó hacia el Circuito Interior por la Ribera de San Cosme, entre el barullo de los tianguistas que a esa hora empezaban a recoger sus puestos. En Manuel María Contreras dobló a la izquierda, refrescado por una corriente de aire que le puso la carne chinita. Iba en mangas de camisa, y en contraste con el calor del metro, el aire frío le daba una sensación de libertad. Pero toda libertad tiene un precio y él pagó por la suya con un estornudo. Lo que le faltaba: una pulmonía para cerrar la jornada con broche de oro. Se subió el cuello de la camisa y apretó el paso, tratando de llegar a casa de Rubén Estrella antes de que el virus llegara a su tráquea. La privada donde vivía Rubén era un mazacote sin forma ni color, con una fachada gris de aplanado rústico y una puerta de lámina color ladrillo. Al trasponer el zaguán pisó una baldosa suelta y por poco se va de bruces. Un gran tinaco ocupaba el centro del patio. Sintió lástima por su amigo al ver las paredes descarapeladas y los conductos de electricidad al descubierto: ¿por qué la gente más noble siempre tenía que ser la más jodida? Había cuatro departamentos en la planta baja y otros cuatro en la planta alta, donde se oía "My Way" en la versión rocanrolera de Nina Hagen, entreverada con una mezcolanza de voces. Al parecer Rubén tenía fiesta: mal momento para pedirle asilo. Subió por la escalera de fierro y tocó a su puerta con decisión, para hacerse escuchar por encima del ruido. Le abrió una chava adormilada que tenía la nariz ganchuda y ojeras de doble fondo, pero estaba muy buena de cuerpo.

—¿Se encuentra Rubén?

Sin responderle, la chava lo invitó a pasar, creyendo que se trataba de otro invitado. El hornazo a marihuana le llegó apenas traspuso la puerta. En la pequeña sala, decorada con máscaras y carteles de cine, Rubén departía con Pablo Segura y Daniel Nieto, acompañados de sus respectivas mujeres, que se habían sentado en flor de loto sobre la alfombra. Le disgustó encontrarlos ahí, porque desconfiaba de ellos desde su charla en el bar Trocadero. Rubén lo vio con asombro, parpadeando como si quisiera borrar una ilusión óptica.

—¿Qué pasó, bróder? ¿Y ese milagro?

—Necesito hablar contigo —le susurró al oído—. Tuve un problema y necesito que me hagas un paro.

Rubén lo condujo a la única habitación del departamento, estrecha y repleta de libros, que olía a sexo mal ventilado.

—¿Cuál es el pedo? —le preguntó al cerrar la puerta.

Evaristo le narró con brevedad su entrevista con Ignacio Carmona y la manera como había terminado cuando el reportero estaba a punto de delatar al asesino de Lima.

—Quedé con la ropa llena de sangre, mira cómo tengo el pantalón, y a la salida tiré mi chamarra en la calle, sin fijarme que adentro iba mi cartera. Necesito esconderme, pero no tengo lana para el hotel. Por eso te quería pedir que me des chance de dormir aquí.

—Qué mala onda, bróder, yo te recibiría con gusto, pero tengo la casa llena. Mi compañera se va a quedar conmigo el fin de semana y antier me cayó un primo de Torreón que duerme en el sillón de la sala.

Evaristo comprendió que se estaba echando para atrás. Claro, una cosa era ofrecerle ayuda de dientes para afuera y otra correr el riesgo de alojarlo en su casa, cuando toda la Judicial andaba tras él.

—Entonces préstame una lana —le rogó—. Con 50 pesos la hago.

Rubén negó con la cabeza, apesadumbrado.

—No me lo tomes a mal pero ando en las últimas. Hoy por la tarde fui al Chopo a comprar un guato de mois. Me quedé con 20 varos y con eso tengo que aguantar de aquí al lunes.

—Bueno, pues ya veré cómo le hago. Gracias de todos modos, maestro.

Evaristo le dio la mano y se despidió con una sonrisa fúnebre. Iba saliendo cuando Rubén tronó los dedos y lo detuvo en la puerta.

—Espérate. ¡Ya sé dónde te vas a esconder! ¿Conoces la bodega del Instituto de Artes y Letras? —Evaristo negó con la cabeza—. Queda en Azcapotzalco, a 15 minutos de aquí. Yo tengo la llave, porque a veces voy a buscar allá números viejos de la revista. Es un galerón enorme con montañas de libros. Ahí puedes pasar la noche y quedarte si quieres hasta el domingo, porque el fin de semana se queda vacía. ¿Cómo la ves?

Rubén le hizo el favor completo llevándolo a la bodega en su derrengado Volkswagen, tras advertirle a sus amigos que volvería en una hora. En el trayecto, Evaristo le preguntó si Daniel Nieto y Pablo Segura eran gente de fiar.

—Por ellos no te preocupes. Hemos hablado mucho de ti y todos pensamos que el gobierno te quiere usar de pararrayos. ¿Creen que somos pendejos o qué? Ni siquiera han dicho cuál fue tu móvil.

Al pasar el Monumento a la Raza entraron a una zona fabril que a Evaristo le pareció tan extraña como un suburbio de Calcuta o Moscú. Nunca había estado en Azcapotzalco, ni cuando era reportero de nota roja, y se sintió extranjero en su propia ciudad. Tras un largo recorrido por colonias de clase media baja y ejes viales de anchura descomunal que ni siquiera había oído nombrar, llegaron a una cerrada protegida con una valla.

—Agáchate —le ordenó Rubén.

El policía de la caseta los alumbró con una linterna y Rubén le mostró su gafete del instituto:

—Necesito sacar unas revistas que dejé olvidadas el viernes.

—Adelante, joven —bostezó el policía, alzando la valla.

—Déjeme abierto, no tardo en salir —le pidió Rubén.

Desde la caseta se veía la puerta de la bodega. Para eludir al policía, Evaristo tuvo que esperar en el coche mientras Rubén alzaba la cortina metálica. A una seña suya se bajó del Volkswagen y caminó sin zapatos por el piso cubierto de grava hasta el interior del gran almacén. Rubén cerró la cortina y alzó el interruptor de luz. Las cajas de libros formaban altísimas torres que llegaban hasta las vigas del techo. Al internarse entre las hileras de cajas tropezaron con espesas telarañas y algunos libros descuadernados que yacían en el suelo. Olía a papel podrido y caca de rata, pero lo más molesto del lugar era el polvo, un polvo reposado y antiguo que le produjo escozor en los ojos.

—Bienvenido al cementerio de la cultura nacional —bromeó Rubén—. ¿Ves los millones de libros que están amontonados aquí? Pues nadie los va a leer nunca porque el mismo gobierno que difunde la cultura con bombos y platillos necesita un pueblo ignorante para perpetuarse en el poder. —Rubén tomó un libro al azar y le sopló para quitarle el polvo de la portada—. *Obras escogidas* de don Ponchito Reyes, qué reliquia. Este libro lleva 40 años en la bodega y hay otros más viejos que se publicaron en tiempos de Miguel Alemán. Aquí es donde vienen a parar nuestros clásicos, mientras Raúl Velasco da su cátedra de humanidades en el canal 2.

—¿Dónde crees que pueda dormir?

—Sobre las cajas de libros. Elige al autor que quieras y acuéstate encima de él.

—Gracias, Rubén —Evaristo lo abrazó emocionado—. Nunca olvidaré lo que has hecho por mí.

—No es nada, hombre, para eso son los amigos. —Rubén se apartó—. Tengo que irme porque no quiero que Daniel y Pablo se acaben la mota. Voy a apagar la luz, pero te dejo abierto, para que puedas irte mañana. Te recomiendo salir a las seis y media, cuando hacen el cambio de velador.

A solas en la oscuridad sintió renacer los terrores de su infancia, cuando se orinaba en la cama porque le tenía miedo a dios. El hedor se intensificó o su olfato lo percibió con mayor agudeza y los chillidos de las ratas le erizaron la piel. Eran cientos, miles, y circulaban a sus anchas entre las montañas de libros, eligiendo sin duda el más nutritivo para la cena. Tenía que dormir encima de las cajas o se lo comerían vivo. Escaló con dificultad una torre de libros, levantando una nube de polvo que lo hizo toser. Al llegar a la cima, tras haber escalado más de seis metros, se acostó boca arriba en el lomo de las cajas. Por curiosidad abrió una de ellas, sacó el libro que contenía y a la luz de un cerillo leyó su título: *Las Geórgicas* de Virgilio, colección de Clásicos latinos. Trataba de leer los primeros versos cuando una tarántula enorme salió del fondo de la caja con una página entre las patas. Soltó un alarido de horror y otro de dolor, porque además del susto se había quemado con el cerillo. A corta distancia había otro cerro de libros menos alto que el suyo, pero si fallaba en el brinco podía romperse la madre. Cuando sintió a la tarántula en el tobillo izquierdo, babosa y peluda, olvidó sus temores y libró el abismo de un salto. La montaña se tambaleó unos momentos, pero logró mantener el equilibrio, aferrado a las cajas de cartón como alpinista profesional.

Temeroso de que le salieran más alimañas, encendió un cigarro para ahuyentarlas, como los cazadores que prenden una fogata cuando van a acampar en medio de la selva. Las cajas estaban húmedas, lo que atribuyó a las goteras del techo, pero aún así se acostó bocarriba, sintiendo escalofríos en la espalda. Tenía que dominar sus nervios y hacerse a la idea de que pasaría toda la noche en esa inmunda caverna, o de lo contrario sufriría por partida doble. Necesitaba pensar en algo agradable y se imaginó que estaba en casa de Rubén, calientito y feliz, charlando de literatura con un whisky en la mano. Ésa era la vida que le hubiera gustado vivir. La de un bohemio sin dinero, pero entregado a su vocación. Y ésa era la vida que llevaría de ahora en adelante si lograba demostrar su inocencia. A pesar de lo sucedido en La Vencedora, tenía la moral en alto, pues ahora contaba con un grupo de aliados —Rubén y su flota— que llegado el caso podrían atestiguar a su favor, en su calidad de amigos de la víctima. Carmona estaba muerto, pero le había dado una pista segura para llegar al asesino de Lima. Después de entregar al culpable, con el apoyo de la gente que confiaba en él, saldría adelante en el proceso judicial, y a lo mejor hasta lograba meter en la cárcel a Maytorena. Confiado en su buena estrella, poco a poco fue recobrando la calma hasta que logró quedarse dormido.

Soñó con Dora Elsa: estaba en el cielo y se había convertido en ángel, pero llevaba la misma tanga que usaba en la variedad del Sherry's. Hincada en una nube rosa de algodón de azúcar, le suplicaba a dios que la dejara bajar a la tierra. "Mi viejo está solo y me necesita, no seas gacho, déjame pasar la noche con él." Dios no era el anciano barbado y venerable de las estampas religiosas, sino un gordo de cabello aceitoso que regenteaba un burdel. "Está bien, mamacita, pero tienes que pagar lo de tu salida." Después de caerse con 200 pesos, Dora Elsa iba al guardarropa por su bata de satín y salía volando por la puerta del cielo, adornada con una marquesina de luz violeta, como un tugurio de table dance. En su viaje a la tierra atravesaba las nubes negras del Distrito Federal y salía con las alas negras de hollín. Tampoco ella había estado en Azcapotzalco y sobrevolaba la ciudad de un extremo a otro hasta que una paloma urbana, el espíritu santo en funciones de boy scout, la guió hasta el cementerio de la cultura nacional. En su montaña de libros, Evaristo la esperaba con una erección y lloraba de dicha al verla filtrarse por la pared. "Soy yo, mi vida, sentí que me llamabas y vine a pasar esta noche contigo." Encaramado en el hombro de Dora Elsa, el espíritu santo batía las alas con impaciencia. Evaristo le daba cinco pesos para sus aguas y la paloma de albo plumaje salía volando con la moneda en el pico. Lentamente, con una cachondería ultraterrena, Dora Elsa se quitaba las alas, el sostén, la tanga y los tacones plateados. Estaba más buena que nunca, pero al tratar de abrazarla, Evaristo descubría que su cuerpo era un espejismo: "Apiádate, Señor, la quiero de carne y hueso", gritaba, y el padre eterno le respondía con voz de bajo profundo: "Ya vas, hijín, te la voy a resucitar, pero te sale en 500 varos, más un extra si quieres agarrar chichi." Por medio del espíritu santo, ahora en funciones de cobrador, Evaristo le mandaba el dinero a dios, que tras contar los billetes con avaricia restituía a Dora Elsa su antigua carnalidad. Pero cuando Evaristo la volvía a tomar en sus brazos, descubría que su amada tenía el pecho ensangrentado y las heridas de bala recién abiertas, como en la noche del tiroteo, cuando habían escapado en el minitaxi. De pronto ya no estaban en la bodega, sino en la pista del Sherry's. Dora Elsa fumaba con la vagina un Middletton sabor cereza en medio de sus últimos estertores, ante la impotencia de

Evaristo, que la veía desangrarse lentamente mientras el público la escarnecía con silbidos y gritos obscenos.

Lo despertó un ruido metálico, parecido al de un carro de baleros arrastrándose por el asfalto: alguien quería entrar en la bodega y había levantado la cortina metálica. Oyó un ruido de pasos cada vez más cercanos, el tintineo de unas llaves, un carraspeo. El intruso levantó el interruptor y de pronto la bodega se iluminó. La sorpresa le cortó la respiración: Maytorena había dado con su escondite y lo buscaba entre las torres de libros, armado con una Cuerno de Chivo.

—¡Entrégate, intelectual, o te vas a morir como estas pinches ratas!

Maytorena disparó al suelo una ráfaga de metralleta que provocó una estampida de roedores. Llevaba unos pants azules con vivos amarillos, tenía la voz pastosa y caminaba haciendo eses. Tal vez lo habían interrumpido a media borrachera para darle el pitazo. Pensó de inmediato en Pablo Segura y Daniel Nieto. Por lo visto no eran tan confiables como Rubén creía. Sin duda lo habían traicionado igual que a Perla Tinoco, llamando a la judicial en cuanto salieron de la reunión. ¿O la sombra lo había seguido hasta la bodega, para completar el trabajo de La Vencedora entregándolo a Maytorena?

—Te ordené que salieras. ¿No oíste? —Maytorena disparó de nuevo, perforando una hilera de cajas—. Ya sé por qué te viniste a esconder aquí, en medio de tantos libros. Ni porque andas prófugo de la ley te aguantas las ganas de leer. Yo en tu lugar estaría leyendo la Biblia, para encomendarle mi alma al Señor.

En su atalaya, Evaristo se sentía relativamente seguro, pues veía a Maytorena sin ser visto. La 38 le pesaba en la cintura, inútil y decorativa como el pene flácido de un impotente. Escupió de coraje: con una pistola cargada ya lo hubiera clareado.

—Huele a caca de intelectual. —Maytorena seguía perdido en el laberinto de cajas, disparando a diestra y siniestra—. ¿No te estarás zurrando de miedo?

Sin duda, el comandante se había tomado su captura como un asunto personal, o de lo contrario ya hubiera pedido refuerzos. Con su puestazo de mandamás podía movilizar a toda la judicial con sólo tronar los dedos, pero al parecer quería castigar con sus propias manos al único hombre sobre la tierra que lo había tachado de puto. Evaristo sudó frío pensando en las torturas que le aguardaban en caso de ser detenido. ¿Maytorena se conformaría con violarlo o le metería por el culo un palo untado con pasta de dientes? El sudor frío le produjo ganas de estornudar. Maldito catarro: tenía que presentarse ahora, justo ahora, cuando el ruido más leve equivalía a una sentencia de muerte. Logró conjurar el peligro tapándose la nariz, pero su resistencia desencadenó un segundo estornudo.

—Pobrecito, ya te dio gripa. Eso te pasa por andar durmiendo en lugares tan fríos. —Orientado por el ruido, Maytorena se aproximo a su montaña de libros, mirando hacia arriba—. Bájate de ahí, o te bajo como pichón.

Disparó una ráfaga hacia las alturas que fue a estrellarse en las vigas del techo. Para despistarlo, Evaristo arrojó un libro lo más lejos que pudo, pero cuando Maytorena iba caminando en esa dirección, apartándose varios metros, lo atrajo de vuelta con otro estornudo.

—Ya vi dónde estás. ¡Bájate o voy por ti!

Esta vez Maytorena había acertado y empezó a escalar la montaña correcta con la Cuerno de Chivo al hombro. Desde arriba, Evaristo lo vio subir con creciente ansiedad. Un temblor de cobardía le recorrió el esqueleto:

aún estaba a tiempo de sacar la bandera blanca. Tal vez debería respetar la ley del más fuerte y entregarse con las manos en alto. Encaramado en un saledizo de la montaña, Maytorena apoyó el pie en una caja de cartón que contenía *El ser y el tiempo* de Heidegger. En un arranque de inspiración, Evaristo le retiró su punto de apoyo, provocando un aparatoso derrumbe de cajas al aplastarlo. Cuando Maytorena dejó de gemir se atrevió a mirar hacia abajo: sepultado bajo un alud de filosofía, con la nariz deshecha y el cuello torcido, el comandante exhalaba el último aliento con una expresión de perplejidad.

Bajó con rapidez pues temía que el velador entrara en cualquier momento o pidiera refuerzos, alarmado por las ráfagas de metralleta. La bodega ya no era un sitio seguro para dormir y prefería esperar el amanecer deambulando en la calle. Al pasar junto al cuerpo del comandante, vio con asco a una rata gris del tamaño de un castor que le mordisqueaba la oreja. Cuando se acercó para quitarle la Cuerno de Chivo por poco se muere del susto, pues Maytorena volvió a la vida y apretó el arma contra su pecho. Forcejearon un momento en el suelo disputándose la metralleta, que se disparó sin herir a Evaristo. Maytorena estaba en las últimas, pero sacaba fuerzas del más allá para estrangularlo con sus brazos de luchador. Evaristo logró conectarle un rodillazo en los genitales, pero en vez de ablandarse, Maytorena lo tomó por los cabellos y le estrelló la cabeza contra el suelo tres veces, hasta dejarlo conmocionado. Lo tenía a su merced, pero había perdido tanta sangre que apenas pudo sostener la ametralladora y se desplomó en el suelo.

Al volver en sí, Evaristo vio con malsano placer el festín de las ratas cebadas en su cadáver. Descansó un momento apoyado en las cajas para reponerse de la conmoción. Su cráneo se estremecía al menor movimiento, como un platillo de batería. Tomó aire y lo exhaló con lentitud, volviendo poco a poco a la vida. Qué nochecita: dos intentos de asesinato en menos de cuatro horas. Sólo faltaba que lo mordiera un perro o lo cagara un pájaro. Encendió un cigarro, pero volvió a apagarlo a las dos fumadas, recordando la amenaza del velador. Tenía que largarse cuanto antes. Recogió la Cuerno de Chivo y bajó el interruptor de la luz. Aturdido todavía por los golpes en la cabeza, levantó la cortina metálica por donde había entrado Rubén. Al salir de la bodega lo detuvo en seco un altoparlante:

—¡Alto ahí! Un paso más y te mueres. ¡Tira el arma y pon las manos contra la pared!

Diez o 15 patrullas y un camión de granaderos estacionados en semicírculo le echaban las luces en la cara. Parapetados detrás de las puertas, cubiertos con escudos antimotines, un centenar de policías, entre judiciales y uniformados, lo apuntaban con rifles de alto poder. El del altavoz era el Gordo Zepeda, a quien reconoció por su inconfundible silueta porcina. Dos agentes del grupo Zorro, especialistas en asaltos bancarios, lo llevaron a empujones a una Suburban con rejas en las ventanas. Hasta cierto punto le alegró que terminara la pesadilla, pues ya no tendría que andar a salto de mata, escondiéndose de la gente como un leproso. Estaba en paz con su conciencia y en la cárcel recobraría la tranquilidad de espíritu que había perdido en los últimos días, pletóricos de tensiones y angustias. Era un perdedor de nacimiento, ¿qué otro destino podía esperarle? De camino a los separos, flanqueado por dos gorilas que le machacaron los genitales, el hígado y los riñones, comprendió que la pesadilla apenas había comenzado.

Después de un juicio breve y arbitrario en el que resultó culpable de homicidio múltiple, asociación delictuosa y portación de armas prohibidas, lo condenaron a 50 años de cárcel, susceptibles de rebaja si observaba buena conducta. No le costó ningún trabajo comportarse como un preso modelo, pues en Almoloya de Juárez era imposible llevar una mala vida. Diseñado para albergar delincuentes de alta peligrosidad —magnicidas, funcionarios corruptos, capos del narcotráfico— el penal estaba construido en forma de islotes, de modo que los reos no pudieran comunicarse entre sí. Hasta en los talleres de trabajo había cámaras de televisión, y en el patio de recreo los custodios impedían que se juntaran a charlar más de tres reos. No había plantas ni áreas verdes, ni siquiera colores vivos: sólo paredes inexpugnables, puertas de acero controladas electrónicamente y corredores fríos con olor a humedad. En los primeros meses de encierro, los libros fueron su amuleto contra la locura. La biblioteca del penal no estaba muy bien surtida, pero acometía con la misma voracidad una *Historia de la Segunda Guerra Mundial* editada por Selecciones del Reader's Digest que un *Manual de mecánica automotriz*. Leía con devoción monacal de siete de la mañana a 10 de la noche, cuando una chicharra anunciaba el corte de la luz. Dormido, continuaba la lectura, proyectando sobre una pantalla negra un texto sin pies ni cabeza que le brotaba del inconsciente, como si dictara el guión de un sueño que no alcanzaba a cuajar en imagen.

Entre sus múltiples y caudalosas lecturas tropezó con las memorias carcelarias de Dostoievsky. Almoloya y Siberia eran dos antípodas del infierno donde se torturaba a los reos con métodos diametralmente opuestos. Para Dostoievsky, lo peor de la vida en prisión era la falta de privacidad, la tortura de compartir un dormitorio con 20 presos, sin tener un minuto a solas consigo mismo. Él, en cambio, hubiera deseado que lo metieran en un calabozo atestado de criminales, pues la soledad le pesaba más que el encierro. La lectura era su tabla de salvación, pero al cabo de siete horas buceando en los libros necesitaba escapar de sí mismo, aunque fuera para hablar pendejadas con un celador. Y en Almoloya los celadores no hablaban más de lo indispensable. Su charla consistía en una serie de gruñidos que cesaban abruptamente cuando el preso adoptaba un tono amistoso. Condenado al monólogo, se fue creando una mentalidad autista que lo aisló aún más de la realidad, y cuando lo llevaban a comparecer ante el Ministerio Público, el celador tenía que repetirle dos o tres veces la misma pregunta, porque sólo escuchaba su voz interior.

Por falta de medios para sufragar los honorarios de un penalista, le habían asignado un defensor de oficio que lo visitaba una vez por semana, le hacía firmar papeles incomprensibles y trataba de entusiasmarlo con la seductora promesa de recortarle una parte de su condena para que pudiera comenzar una nueva vida a los 80 años. Unas semanas después de que le dictaron sentencia recibió la visita de Gladys, su ex mujer. Había dado el viejazo y ahora estaba rolliza, hinchada de la cara, con una red fluvial de varices en las piernas y el pelo enredado como un trozo de estopa. No venía a compadecerlo, le advirtió, ni mucho menos a hacerle la visita conyugal, sino a exigir el pago de su pensión alimenticia, que le había cortado desde su caída en prisión. En vano trató de explicarle que no tenía propiedades ni dinero en el banco. Ella creía que se había enriquecido en sus años de judicial y que algún guardadito debía de tener. ¿O qué? ¿Pensaba dejar en la calle a Chabela? La pobre ya había sufrido bastante con el trauma de tener un padre asesino, era la apestada de la escuela y muchas amigas le habían retirado el habla. Las colegiaturas estaban cada día más caras y no quería meterla en una prepa de gobierno porque la nena ya estaba acostumbrada a lo bueno. Pero ultimadamente, si no las quería ayudar, que se guardara su maldito dinero. Tarde o temprano la llamaría pidiéndole perdón, arrepentido por todo el daño que le había hecho, y entonces ella lo dejaría morirse solo como un perro... Para cortar la retahíla de insultos y quejas, Evaristo llamó al guardia antes de que terminara la visita y volvió a su celda con los nervios deshechos.

A partir de entonces se replegó más en sí mismo. Si Gladys era lo mejor que podía ofrecerle la realidad, no valía la pena asomarse a ella. Como respuesta a su necesidad de fuga renació su vocación literaria. Del monólogo inconsciente a la escritura sólo había un paso: bastaba con trasladar al papel todo lo que se contaba y recontaba en el pensamiento, sin fijarse demasiado en el estilo ni en la sintaxis. Como escribía sin la intención de publicar, venció con facilidad el miedo al fracaso que lo había paralizado cuando intentó destapar desde adentro la cloaca de la judicial. Ahora ya no aspiraba a convertirse en un figurón del periodismo crítico, sino a exponer lisa y llanamente su verdad, la verdad que los jueces no habían querido escuchar. Tras haber llenado el primer cuaderno con una letra apretada y menuda, empezó a tomar cuerpo un relato autobiográfico, mitad novela confesional y mitad novela policiaca, en el que mostraba su alma al desnudo y admitía sin tapujos su complicidad con Maytorena en cientos de atropellos y corruptelas, pero esgrimía argumentos de peso para rechazar su implicación en la muerte de Lima y en los demás crímenes que le achacaban:

> *Corrompido por el dinero fácil, incurrí en el grave delito de encubrir a un asesino infiltrado en el aparato judicial, pero al tratar de enmendar mi camino me he convertido en víctima de una* vendetta *característica de nuestra policía, que no tolera defecciones por motivos de conciencia, y ante los casos difíciles, cuando queda en la mira de la opinión pública, utiliza a sus propios elementos como carne para los leones.*

Aunque trataba de mantener la objetividad, no podía evitar involucrarse emocionalmente en el relato. Sin descuidar su material anecdótico, consagró páginas enteras a describir las transformaciones operadas en su carácter desde que Maytorena le había mostrado el recorte de periódico donde Lima insultaba a Jiménez del Solar. El salto de la introspección a la escritura le produjo una saludable catarsis. Por primera vez en la vida estaba logrando expresarse, algo que había deseado desde sus tiempos de reportero, cuando luchaba por imprimirle un sello personal a sus notas. Hasta poeta se volvió en los capítulos en que hablaba de Dora Elsa. Quería elevar un monumento a su memoria y no pudo resistirse a la tentación de idealizarla, utilizando un lenguaje delicado y eufemístico para ocultar su oficio.

Cuando iba a cumplir dos años en Almoloya un vuelco de la fortuna le permitió apelar ante el juez calificador para revisar su proceso. El narco Juan Nepomuceno Herrera, detenido en San Diego por agentes de la DEA, había denunciado a Jesús Maytorena como el principal enclave policiaco del cartel de Tijuana y quedaron al descubierto algunos de sus crímenes. *Proceso* dedicó al asunto un amplio reportaje en el que se le acusaba de complicidad con el difunto al ex procurador Cisneros Topete, por haberlo ascendido a director del Programa Integral de Protección Ciudadana. La nueva administración estaba en guerra con la camarilla de Jiménez del Solar, que había dejado el país en la ruina, y el nuevo procurador, de extracción panista, ordenó investigar los nexos entre Maytorena y Cisneros Topete. Los periódicos volvieron a mencionar a Evaristo, haciendo nuevas conjeturas sobre la muerte de Maytorena. Ya no se le trataba como un matón que había traicionado a su jefe, sino como una posible víctima del comandante. El columnista Granados Chapa lo defendió en el *Reforma* con un dejo irónico:

> *Cualquiera que haya sido el móvil de Evaristo Reyes, actualmente preso en Almoloya de Juárez, la sociedad está en deuda con él por habernos librado de su temible jefe, el comandante Jesús Maytorena, cuya larga lista de crímenes apenas empezamos a conocer.*

Su abogado aprovechó el escándalo para apelar a la Suprema Corte, aportó nuevas pruebas exculpatorias y logró que el juez lo exonerara de las muertes de Vilchis y Carmona, que se le habían imputado con base en pruebas endebles. La opinión pública atribuyó a Maytorena los dos crímenes, y aunque Evaristo lo sabía inocente del segundo, se guardó la verdad para exponerla en su libro. Reivindicado a medias, ante la ley seguía siendo culpable por el homicidio de

Lima, ya que pesaba en su contra el testimonio de Mario Casillas, el reportero de *El Matutino* que le había dado la dirección de Roberto Lima. Sin embargo, su abogado consiguió que le redujeran la condena a 22 años y lo trasladaran a una cárcel menos inhóspita, el Reclusorio Oriente, donde volvió a trabar contacto con la especie humana.

En su nuevo y atestado hogar compartió una celda con otros dos convictos que lo trataban con respeto y hasta con miedo, impresionados por su palmarés de multihomicida, que incluía el asesinato de un odiado comandante de la judicial. Le llevó tiempo entender la moral de los presos y su peculiar sentido de la justicia. Empalaban a los violadores, molían a golpes a los parricidas y a los ladrones de niños, pero admiraban a los chingones como él, que tenían el mérito de haberse fajado con la policía. Gracias a su buena reputación obtuvo el puesto de bibliotecario, lo que le permitió dedicarse a escribir en sus ratos libres, que eran muchos, pues casi nadie le pedía libros. Siguió adelante con la novela, cada vez más consciente del estilo, más preocupado por el lenguaje, que ahora manejaba con facilidad, escribiendo varias cuartillas de una sentada.

La biblioteca estaba provista de las obras completas de los grandes maestros del xix (Stendhal, Flaubert, Balzac, Maupassant, Dostoyevsky, Dickens, Pérez Galdós), que ahora leía con ojos de escritor, atento a la construcción de la trama y a la manera de introducir a los personajes. El estudio de los clásicos le permitió enriquecer el significado de su propia historia. En particular le llamó la atención una novela de Balzac, *Ilusiones perdidas*, que se parecía a la suya en el tema. El protagonista, el joven poeta Lucien de Rubempré, viajaba París con la ilusión de hacer una carrera literaria sin traicionar sus ideales, pero al involucrarse en el mundillo literario de la época, un estercolero donde ningún crítico decía lo que

ndas gangsteriles decidían el éxito o el
...minaba convertido en un fariseo, ven-
...s camarillas de escritorzuelos que de-
...ario. Al terminar la lectura se sintió
... de Rubempré. Sin proponérselo,
...ccidentada investigación policiaca,
...por dentro el mundillo literario de
...que el de París en tiempos de Bal-
za... ...ospechoso a otro siguiendo pistas
equ... ...na larga cadena de decepciones,
has... ...tores. En particular detestaba a
los p... ...ivil en lucha permanente por
las ca... ...os. El trato con ellos lo había
obliga... ...de otra perspectiva. ¿Qué había
buscad... ...realidad cuando entró a la judicial con la idea de
narrar sus experiencias en un reportaje? ¿Denunciar la corrupción o ingresar al círculo de buitres humanitarios encabezado por Palmira Jackson? Antes le dolía no haber reali-
zado sus sueños. Ahora le horrorizaba haber soñado con
algo tan vil. Víctima de una ambición impura, como el protagonista de *Ilusiones perdidas*, tituló su novela *Sueños decapi-
tados* y le puso como epígrafe una cita de Balzac: *No hay gran
diferencia entre el mundo político y el mundo literario. En ambos
mundos sólo encontrarás dos clases de hombres: los corruptos y los
corrompidos*. Para lograr una mejor correspondencia del contenido y la forma, enmarcó la narración entre dos sueños: el
de su consagración literaria y el no menos esperpéntico sueño de la bodega, interrumpidos ambos por Maytorena, el
espíritu maligno que actuaba como agente del desengaño.

Cuando escribía el capítulo final del libro, la idea de publicar empezó a tentarlo y junto con ella le surgió una duda:
¿con qué derecho ridiculizaba a los escritores de su novela si
era idéntico a ellos? Por más que se inventara justificaciones

nobles para publicar, en el fondo buscaba fama, reconocimiento y prestigio. Desmoralizado, cayó en un bache depresivo que lo alejó de sus cuadernos por varios días. Tras un riguroso examen de conciencia reconoció que la vanidad era uno de sus móviles, pero no el principal ni el único: en realidad seguía actuando como detective, sólo que antes investigaba la verdad sobre un crimen y ahora iba en busca de otra verdad, la verdad escondida en el corazón de los hombres. Ésa era la pesquisa más importante de su novela, por encima de la investigación policiaca. Y la había emprendido con absoluta sinceridad, tratándose con la misma dureza que a los demás personajes.

Libre de culpas y escrúpulos timoratos escribió el desenlace, que consistía en una serie de conjeturas en torno a un asesinato irresuelto, como en las novelas de Leonardo Sciascia. No quiso falsear los hechos inventando un culpable, porque a pesar de haberles cambiado los nombres a los personajes de la vida real para evitarse problemas legales, tenía la certeza de que su novela sería leída como un testimonio, si alguien la publicaba algún día. El abanico de presunto culpable incluía desde luego a Claudio Vilchis y a Fabiola Nava, cuya probable complicidad nunca había descartado, pero también a Daniel Nieto y a Pablo Segura, que tal vez tenían rencillas personales con él, y a la propia Perla Tinoco, que pudo haberle disputado el amor de Fabiola junto con Vilchis. Pero no había podido investigar a fondo el complejo historial de la víctima, y dejaba entrever que el asesino podía ser cualquier otro enemigo literario de Lima, exquisito o lumpen, consagrado o desconocido, con el que la víctima hubiera tenido dificultades en sus últimos años de vida. Contemplaba incluso la hipótesis nada remota de que el propio Maytorena lo hubiera ejecutado a trasmano, para provocar la caída del procurador Tapia y quedar mejor parado en la judicial. Quizá Carmona estaba coludido con él —de ahí el misterio en torno a la fuente anónima—, pues le constaba que ni siquiera los amigos íntimos de Lima leían sus notas en *El Matutino*. Para redondear mejor el engaño, Maytorena le habría ordenado investigar el crimen a sabiendas de que no descubriría nada, con la idea de convertirlo en chivo expiatorio. *Demasiadas suposiciones* —admitió en el epílogo de la novela—, *pero me pregunto quién puede tener certezas en un país como el nuestro, donde el crimen perfecto se ha convertido en una costumbre.*

Después de pasar a máquina más de 300 cuartillas en una vieja Olivetti que tenía el rodillo trabado, le puso punto final al libro y por un tiempo se sintió vacío, como una madre recién parida. Con la condena que tenía por delante, le quedaba tiempo para escribir 20 novelas más, ¿pero a qué horas iba a vivir? En busca de una evasión que supliera a la escritura, se hizo amigo de la Muñeca, un viejo preso de Coatzacoalcos que controlaba la venta del alcohol y el tráfico de drogas en el reclusorio. Aficionado a la lectura, la Muñeca frecuentaba la biblioteca y comentaba con él los libros que más le gustaban. En su magnífica celda, equipada con antena parabólica, sillones de terciopelo y jacuzzi, se celebraban las mejores fiestas del penal, ante la complacencia de los celadores. La Muñeca le fiaba botellas de ron y carrujos de marihuana, y de vez en cuando le permitía "echar pata" con alguna de las putas que mandaba traer de la calle. Demasiado urgido para hacerles el amor con serenidad, Evaristo eyaculaba al primer faje y luego se deprimía semanas enteras, torturado por el recuerdo de Dora Elsa. En sus cruces de mota y alcohol no sabía distinguir si la cárcel era la realidad o la realidad era una cárcel. Más allá de los muros y de las torretas quizá comenzara otra prisión más amplia, de la que sólo escaparía cuando reventara por dentro.

Un descubrimiento afortunado le devolvió las ganas de vivir cuando empezaba a quedarse anémico por falta de apetito. Hojeando un número viejo del *unomásuno* encontró una convocatoria para el Premio de Novela Eureka, organizado por la editorial Quinto Sol. Era la oportunidad que esperaba para hacerse oír fuera de la prisión. Temía que arrumbaran su original sin hojearlo siquiera, pero la ilusión de ganar el premio era más fuerte que su recelo y envió la novela bajo seudónimo a la dirección indicada, con una excitación infantil. La esperanza lo mantuvo en actividad intensa más de seis meses. Dejó de frecuentar a la Muñeca y reincidió en el quehacer literario, ahora con la idea de escribir relatos fantásticos para descansar del realismo. Llegada la fecha en que los jurados emitirían el fallo, revisó durante semanas los principales periódicos del país. Nada: ni una palabra sobre el Premio Eureka. Supuso que el fallo se había retrasado y llamó a la editorial para pedir informes, pero los teléfonos que venían en la convocatoria eran de otro negocio, una empacadora de carnes donde le colgaron con malos modos. Durante algunos meses leyó con avidez las secciones culturales de todos los diarios que caían en sus manos. No encontró nada sobre el premio, pero se puso al día en las novedades del medio literario: con el sudor de sus nalgas, Fabiola Nava por fin había logrado publicar *Los golpes bajos* en la colección Punto y Aparte del Conafoc. En el coctel de presentación la doctora Perla Tinoco, recién galardonada con las Palmas Académicas del gobierno francés, había elogiado "el temple narrativo y el depurado lenguaje" de la joven promesa. Por nombramiento presidencial, Osiris Cantú era el nuevo director del Fondo de Estímulo a la Lectura. Pablo Segura había obtenido una beca vitalicia del Sistema Nacional de Talentos y hasta el Gordo Zepeda se había colado al Parnaso por la puerta de servicio, al obtener el primer lugar en los juegos Florales de la delegación Tláhuac. El exceso de información lo estaba desmoralizando, pues le dolía comprobar que los canallas triunfaban mientras él se pudría en la cárcel. Por salud mental y para evitarse derrames biliares no volvió a leer la sección cultural de ningún diario, convencido de que el Premio Eureka era un fraude.

Indignado contra el mundo, adoptó un aire de superioridad moral en sus tratos con la Muñeca, a quien ahora tachaba de corrupto. A media partida de dominó le echaba en cara sus turbios negocios en el penal. ¿No te da vergüenza hacerte rico a costa de los demás? ¿Cuántos presos se han muerto por tomar tu pinche ron adulterado? Una tarde, cansado de sus reprimendas, la Muñeca le rompió en la cabeza una coca familiar y lo pateó en el suelo hasta dejarlo inconsciente. Pasó un mes en la enfermería, planeando su venganza, que consistiría en clavarle un tenedor en los intestinos. Al darlo de alta, el médico de la prisión le avisó que tenía visita. Debe de ser Gladys otra vez, pensó, y de mala gana salió al patio de recreo, un rectángulo amurallado donde los reos departían los domingos con sus familias. Rubén Estrella se mecía en un columpio. Llevaba una chamarra de cuero negra y una camiseta decolorada con la imagen guadalupana. Al acercarse para abrazarlo, Evaristo percibió que traía aliento alcohólico.

—¿Y ese milagro? Pensé que te habías olvidado de mí o que tenías miedo de verme. —Estrella se dejó abrazar con desgano—. Mi abogado me dijo que te acusaron de encubrimiento.

—El velador de la bodega declaró en mi contra, pero nunca me pudieron comprobar que yo te escondí —explicó Rubén.

—Me alegro por ti. No me hubiera gustado llevarte entre las patas.

285

—Supe que te redujeron la sentencia. —Estrella encendió un cigarro con el pulso trémulo—. Felicidades, ya nomás te faltan 20 años.

—¿Vienes a burlarte de mí? —se ofendió Evaristo.

—Vine a platicar de literatura. —Un niño que jugaba a la pelota pasó corriendo entre los dos—. ¿Hay algún sitio donde podamos hablar en paz?

Evaristo le señaló las mesas de concreto al fondo del jardín, donde había un par de familias haciendo picnic. Caminaron en silencio hacia la más cercana, observados con atención por el guardia de la torreta. Rubén llevaba una baguette en una bolsa de pan y un periódico enrollado en la axila derecha. Por su manera de gesticular, parecía al borde de un estallido nervioso. Tomaron asiento uno frente al otro.

—¿Por qué no me dijiste que tú también escribías?

—Empecé a escribir aquí en la cárcel. Con todo el tiempo que tengo libre me tenía que entretener en algo. Pero tú, ¿cómo lo supiste?

—Yo sé mucho más de lo que te imaginas. —Rubén subió el tono de voz—. Sé que escribiste una novelita policiaca y ahora te sientes muy chingón, como si todos los presos fueran unos pendejos al lado tuyo.

—¿Qué te pasa, imbécil? —Evaristo se levantó de la mesa—. ¿Cómo te atreves a venir aquí para echarme bronca?

—Si quieres me voy, pero te vas a arrepentir de haberme corrido. Tengo una información que te puede servir para tu novela.

Evaristo no respondió, vacilando entre golpearlo o llamar a un guardia. Con ademanes pausados, Rubén se sacó un puro de la chaqueta, lo encendió con la brasa de su cigarro y le dio una larga chupada.

—¿Fuiste tú? —Evaristo empalideció de rabia.

—Primera deducción atinada que has hecho en tu vida. —Rubén le aplaudió con sorna—. No entiendo cómo pudiste escribir una novela policiaca si eres un detective tan pendejo.

—Me dediqué a investigar a los enemigos de Lima. Creí que tú eras su amigo.

—También yo lo creía. Uno va por el mundo creyendo que tiene amigos y de repente les ve los colmillos chorreando sangre. Roberto era mi bróder, mi carnalazo, pero me estaba jugando chueco.

—¿Lo mataste por Fabiola Nava? ¿Tú también andabas de nalgas por ella?

—Otra vez la estás regando en tus deducciones. Nunca nos peleamos por ninguna mujer y menos por una puta como ésa. —Rubén hizo una pausa, se sacó una anforita de tequila de la chamarra y le dio un trago largo—. El problema fue que Roberto no soportaba el éxito ajeno. Le dolía ser un escritor del montón, y aunque se esforzaba por ocultarlo, descubrí que me envidiaba con toda su alma.

—¿Envidiarte a ti? —Evaristo sonrió—. ¿No le estarás poniendo mucha crema a tus tacos?

—El Robert era incapaz de admirar a ningún amigo. En eso fue bastante mezquino. A mí no me atacaba porque éramos cuates, pero nunca le pude sacar un elogio. Le molestaban mis publicaciones, mis premios, mis entrevistas. Sencillamente me ignoraba en sus notas, como si yo no existiera.

—¿Y no se te ha ocurrido pensar que no le gustaban tus libros? —lo increpó Evaristo—. Si los comentaba les hubiera dado en la madre y eso te hubiera dolido más. Lima era muy cabrón pero muy honesto.

—¿Te parece honesto hablar pestes de un amigo a sus espaldas? —chilló Rubén con los ojos inyectados de cólera—

Tú no conociste a Robert. Por eso lo has idealizado. Era un cabrón que utilizaba a la gente y luego le daba una patada en el culo. Yo fui su mejor amigo, el único que le seguía las parrandas hasta las 12 del día, cheleando en el mercado de Santa Cecilia, y ¿cómo me lo pagó? Excluyéndome del último encuentro de escritores en Villahermosa. Lo supe de muy buen fuente: en el Patronato Cultural Universitario lo llamaron a una junta para elegir a los invitados, ¿y sabes lo que dijo cuando le preguntaron su opinión sobre mí? "Yo lo quiero mucho, pero táchenlo: es pésimo escritor."

—Ya salió el peine. —Evaristo lo miró a los ojos—. Lima no quiso caer en el amiguismo y te dio tanto coraje que fuiste a su casa a matarlo...

—Primero estuve en La Vencedora, echándome unos tragos con el difunto Ignacio Carmona, un viejo amigo que conocí en el taller de Silverio Lanza.

—Otra mala deducción. Creí que era cómplice de Osiris Cantú.

—Fue tu error más afortunado. Por poquito me descubres de pura chiripa.

—¿Y cuánto le pagaste a Carmona por la nota de *El Universal*?

—Nada. Él odiaba a Robert más que yo. Cuando le conté su traición me sugirió que fuéramos a ponerle una buena madriza. Ese cabrón no respeta ni a sus amigos, me decía, por menos que eso han asesinado a un chorro de gente. Como a las nueve de la noche empezó a cabecear y se quedó dormido en la mesa, pero ya me había calentado la sangre. Fui a casa de Robert sin la intención de matarlo. No fue un crimen premeditado: sólo quería desahogar mi rabia del modo que fuera, pero el Robert tenía visitas.

—Lo que sigue ya me lo sé: te quedaste en la escalera fumando un puro. Como estabas pedo no me viste salir y entonces chocamos en la escalera. —Evaristo bajó la cabeza, contrito—. Ese choque le costó la vida al pobre de Claudio Vilchis.

—¿Quién le mandaba fumar mi marca de puros? —Rubén sonrió con un aire socarrón—. Tú no me viste cuando chocamos en la escalera, pero yo sí, porque llevaba media hora escondido y me había acostumbrado a la oscuridad. Por eso te reconocí en el velorio cuando empezaste a entrevistar a la gente.

—Lo que no entiendo es por qué no mataste a Lima con mi pistola, si la tenías a mano. ¿O él te amenazó con ella?

—No, el Robert ni se las olía. Cuando entré a su departamento nos dimos un abrazo hipócrita, me serví un tequila y platicamos un rato de pendejadas. De pronto le pregunté como no queriendo la cosa por qué no me habían invitado al encuentro de Villahermosa. Fue una grilla del comité, me dice muy serio. Yo te defendí hasta el final pero los burócratas de Tabasco impusieron a otro escritor. Me quedé como ciego, deslumbrado por una llama color naranja. El Robert me había dado la espalda para cambiar el disco y vi sobre una silla el diccionario de sinónimos y contrarios. No pensé nada, el odio no te deja pensar, solamente me dejé llevar por la rabia. La llama no se apagó hasta que lo vi en el suelo chorreando sangre por la nariz y la boca. Entonces me asusté y salí de su casa corriendo.

—Pero antes te robaste el boleto de Lima a Villahermosa, para colarte al encuentro de escritores.

—No. Eso fue un golpe de suerte. Cuando supieron que Lima había muerto, los organizadores me invitaron en su lugar. Finalmente se hizo justicia.

—¿Y la nota de Carmona? Dices que no fue un crimen premeditado, pero ese cabrón ya estaba de acuerdo contigo.

—Le hablé a su casa unas horas después, cuando ya tenía la mente más despejada. Necesitaba desviar la atención de los policías y se me ocurrió aprovechar los insultos de Robert al presidente. Yo era el único de sus amigos que los había leído, porque él me los enseñó. Di que lo mataron por eso, le pedí. Inventa que recibiste una llamada anónima.

—Y le pagaste el favor con una rociada de plomo, cuando te iba a delatar en La Vencedora.

—Mi plan era matarlos a los dos, pero me falló la Cuerno de Chivo.

—¿De dónde la sacaste? Esas ametralladoras sólo las usan los narcos y los policías.

—Se la compré en Tepito a un vendedor de fayuca. Como andabas prófugo de la ley, quería que le cargaran el muerto a la judicial. Pero luego llegaste a mi casa y me di cuenta de que había fallado. Hasta la mota se me bajó del susto, me cae. No podía matarte después de que mis amigos te vieron ahí, pero te llevé a la bodega del instituto y le di el pitazo a Maytorena.

—¿Para qué tanto rodeo? Si querías matarme, pudiste hacerlo desde antes, cuando nos encontramos en Ciudad Universitaria y me diste un aventón a mi hotel.

—Entonces no representabas ningún peligro. Andabas muy ocupado siguiendo a Palmira Jackson. Pero de todos modos te quise poner un cuatro. Me daba un poco de miedo que llegaras a descubrirme en el año 2016. ¿No recuerdas que te invité a mi departamento? Si me tomas la palabra, te hubiera entregado a la policía.

—¿Desde cuándo me estuviste siguiendo? ¿Tú me dejaste el recado en el parabrisas?

—Ahora sí te estás poniendo brillante, lástima que sea demasiado tarde. —Rubén le arrojó el humo en la cara—.

¿Te gustó lo del miedo a los animales? Fue un insulto para bajarte la guardia. Pensé que eras una bestia, como todos los judas. ¿Quién se iba a imaginar que eras todo un intelectual?

—También los intelectuales tiene su lado salvaje —repuso Evaristo—. Entre ustedes se tiran dentelladas para quedar por encima de los demás.

—¿Y eso qué tiene de malo? Así ha progresado la humanidad. ¿No has leído a Nietzsche? El hombre superior no rige sus actos por la moral de la masa: se rige por su instinto animal. Es libre como una fiera y puede llegar hasta el crimen para lograr lo que se propone.

—No mames. Ahora va a resultar que eres un Supermán.

—Por lo menos soy más chingón que tú. Eso no me lo vas a negar. —Estrella se tomó otro fajazo de tequila—. Primero te puse nervioso, luego te di la pista de Fabiola Nava para que tuvieras confianza en mí. Pero no me gustó verte salir de su casa con el diario de Robert. Pensé que a lo mejor había escrito algo sobre el encuentro de Villahermosa, y no quería que tú supieras nada sobre el asunto. Perdóname el descontón. La verdad es que fue inútil, porque el cuaderno sólo tenía poemitas y babosadas.

—Te felicito. —Evaristo alzó los ojos en busca de un guardia—. Me engañaste desde el principio con tu facha de rockero alivianado. Hasta pena me daba ser judicial cuando hablaba contigo. Lo que no comprendo es por qué viniste a burlarte de mí.

—Quería contarte bien tu propia novela, para que no hagas el ridículo al publicarla. —Rubén apretó la baguette con el puño—. Agradéceme que te ayude, pendejo. Gracias a mí la porquería que escribiste va a tener un final decente.

—Ahora resulta que el enojado eres tú. —Evaristo alzó la voz para llamar la atención de los guardias—. Me tienes refundido en la cárcel y todavía la quieres hacer de pedo.

—Para mí la literatura es lo más importante del mundo —Rubén golpeó la mesa con el periódico—. Detesto a los advenedizos como tú que se sienten la gran cagada por haber escrito una novelucha.

Rubén había perdido la compostura y la voz le temblaba. Parecía capaz de todo, hasta de confesar sus crímenes enfrente de testigos, pero los guardias estaban al otro extremo del patio, donde la barda era menos alta. Para exasperarlo más, Evaristo adoptó un tono conciliador.

—Cálmate, mano, te va a dar un infarto. Yo no soy ninguna competencia para un escritor de tu talla.

—Hijo de tu puta madre. Te pusiste de acuerdo con los jurados, ¿verdad?

—¿Cuáles jurados? ¿De qué me hablas?

—No te hagas pendejo. Hubo un arreglo por debajo del agua. En un concurso derecho hubiera ganado yo.

—¿Perdiste un concurso? ¿Y yo qué tengo que ver con eso?

—¿A poco no sabes el resultado? —Rubén le arrojó a la cara el periódico—. Mira qué bien te salió el trinquete.

Evaristo leyó un titular con la noticia: *Convicto gana premio de Novela Eureka*. Debajo venía su nombre y la foto con el número en el pecho que le tomaron el día de su consignación.

—Te felicito. Lo planeaste todo muy bien. —Rubén se puso de pie y lo apuntó con el dedo en un gesto acusatorio—. Sabías que un libro sensacionalista como el tuyo tenía que gustarle a la editorial. ¿Cuánto te pagaron por escribirlo?

—Gané a la buena —se defendió Evaristo—. No hice ningún arreglo con nadie.

—Que te lo crea tu chingada madre. Todo es parte de un lanzamiento de marketing. En esos premios ya se sabe de antemano quién va a ganar.

—¿Entonces por qué concursaste?

—Por pendejo. Pensé que la buena literatura podía imponerse a la mierda comercial y ya ves lo que saqué: ¡una pinche mención honorífica! —Rubén se jaló los cabellos.

Un guardia se acercaba y Evaristo cambió de tema para sacarle una confesión:

—Aprende a ser un buen perdedor —dijo en un tono persuasivo—. Mírame a mí: estoy ocupando tu lugar en la cárcel y no me quejo de nada.

—Pensándolo bien, debí matarte en la bodega. —Rubén se enjugó el sudor de la frente—. La gente como tú no merece vivir.

—Qué fea es la envidia, Rubén. Me odias porque te gané un premio literario, pero tú me ganaste el premio mayor de la lotería. Estás libre después de haber matado a un par de cabrones. ¿Qué más quieres?

—Vengarme de ti. Vengarme de toda la cofradía de mediocres que se han aliado en mi contra. ¿Sabes por qué no gané el concurso? ¿Sabes por qué me cierran todas la puertas? ¡Porque mi talento les duele!

—Elogio en boca propia es vituperio. Yo en tu lugar sería más discreto.

—¡A la chingada con tu discreción! Ahora te sientes superior a mí, como el pinche Robert, pero no te va a durar mucho el gusto.

Rubén abrió la baguette de jamón y queso que llevaba para el lunch y sacó del interior un pequeño revólver.

—Qué lástima, bróder. No se te hizo recoger tu premio.

Se oyó una detonación y Evaristo cayó de espaldas. En el suelo se palpó los brazos y el pecho: estaba ileso. Era el guardia quien había disparado, hiriendo a Rubén en la nuca antes de que pudiera jalar el gatillo. Las mujeres que visitaban a los reos lanzaron gritos de pánico. El niño de la pelota se acercó al cadáver y le tocó la sangre de la cabeza.

—¿Está muerto, mamá? ¿Está muerto?

CON LA PUBLICACIÓN DE SU NOVELA, Evaristo alcanzó fama y renombre en los círculos literarios, a pesar de algunas críticas adversas por su falta de oficio. Vivió unos meses de coctel en coctel, se hizo amigo de escritores importantes que lo elogiaban en público y concedió entrevistas en radio, prensa y televisión, eludiendo las preguntas incisivas de los reporteros que trataban de identificar a los personajes del libro. Disfrutó el éxito pero mantuvo la cabeza fría. El gobierno, que ahora buscaba congraciarse con él, le ofreció becas y puestos en el aparato cultural del estado, pero él sabía que su camino era otro. Extrañaba la acción. Extrañaba el inframundo policiaco. Extrañaba la realidad. No podía escribir apoltronado en su casa sabiendo que allá afuera impartía justicia un ejército de asesinos. Pidió una entrevista al nuevo procurador, que buscaba rodearse de gente honesta, y le pidió reingresar a la judicial como jefe de grupo. Extrañado por su decisión, pero satisfecho por reclutar a un buen elemento, el procurador le permitió escoger la plaza donde quería ser comisionado. Eligió Culiacán, la tierra caliente del narcotráfico, donde los carteles de la droga tenían comprada a la mitad de la policía. Un reportero del canal 11 lo atajó en el aeropuerto el día de su partida. Quería saber por qué había vuelto a la policía si ya tenía un sitio importante como escritor.

—Por eso mismo —le respondió—. Necesitaba respirar aire puro.

En el medio cultural, su respuesta se tomó como una *boutade* de mal gusto.

ENRIQUE SERNA nació en la Ciudad de Mexico en 1959. Estudió Letras hispánicas en la UNAM y antes de poder dedicarse de lleno a las letras fue publicista, argumentista de telenovelas y biógrafo de ídolos populares. Ha publicado las novelas *Señorita México, Uno soñaba que era rey, El seductor de la patria, Ángeles del abismo* y *Fruta verde.* Sus colecciones de cuentos *Amores de segunda mano* y *El orgasmógrafo* le han valido figurar en las principales antologías del género. Ganador del Premio Mazatlán de Literatura y del Premio de Narrativa Colima; sus libros se han traducido al francés, al italiano y al inglés. Ha escrito además los libros de ensayos *Las caricaturas me hacen llorar* y *Giros negros.*

*Abril rojo*
Santiago Roncagliolo

El investigador de los asesinatos es el fiscal distrital adjunto Félix Chacaltana Saldívar. A él le gusta que lo llamen así, con su título y todo. El fiscal Chacaltana nunca ha hecho nada malo, nunca ha hecho nada bueno, nunca ha hecho nada que no estuviese claramente estipulado en los reglamentos de la institución a la que pertenece. Pero ahora va a conocer el horror. Y el horror no ha leído el código civil.

## *El paraíso que fuimos*
## Rosa Beltrán

En un país que padece de sí mismo, conocemos el tránsito de una familia disfuncional: una madre que oscila entre la rectitud moral y el abuso de pastillas, un padre que utiliza el tráfico de influencias para sobrevivir en medio del canibalismo empresarial, dos hijas que persiguen el deseo y la evasión, y la historia de Tobías, el hijo que un día decide alcanzar la santidad al precio que sea.

Este libro terminó de imprimirse en septiembre de
2008 en Editorial Penagos, S.A. de C.V., Lago Wetter
núm.152, Col. Pensil, C.P.11490, México D.F